P9-CEU-988
FONGHONG

只有医生知道！{2}

@协和张羽 发给天下女人的私信

张羽／著

江苏文艺出版社
JIANGSU LITERATURE AND ART
PUBLISHING HOUSE

TS

图书在版编目(CIP)数据

只有医生知道!.2/ 张羽著. 一南京：江苏文艺出版社，2013.11

ISBN 978-7-5399-6595-6

Ⅰ.①只… Ⅱ.①张… Ⅲ.①女性－恋爱－通俗读物②女性－婚姻－通俗读物 Ⅳ.①C913.1-49

中国版本图书馆CIP数据核字(2013)第224858号

书　　名	只有医生知道!.2
著　　者	张　羽
责任编辑	孙金荣
特约编辑	齐文静　赵　娅
文字校对	闫凤梅
封面设计	门乃婷工作室
出版发行	凤凰出版传媒股份有限公司 江苏文艺出版社
出版社地址	南京市中央路165号，邮编：210009
出版社网址	http://www.jswenyi.com
经　　销	凤凰出版传媒股份有限公司
印　　刷	北京兆成印刷有限责任公司
开　　本	700毫米×1000毫米 1/16
印　　张	20
字　　数	239千字
版　　次	2013年11月第1版 2013年11月第1次印刷
标准书号	ISBN 978-7-5399-6595-6
定　　价	35.00元

(江苏文艺版图书凡印刷、装订错误可随时向承印厂调换)

PREFACE 自序

我手写我心

《只有医生知道！》从有写作想法到正式出版，前后历时两年。正式提笔那天，一位叱咤出版界多年的大哥语重心长地对我说："一本书的定价差不多 30 多块，打完折也要 20 多块，这钱在小城市够普通一家人吃顿红烧肉或者烧鸡了，想想他们为什么要买你的书呢？"

新书下厂印刷的那天，我感觉心一下子被掏空了，心怀忐忑，坐立不安，一是太在乎看重并引导自己走上写作之路的兄长们，怕没有合格的作品作以交代；二是太在乎它是否对读者真的有帮助。

后来，书一不小心就火了，读者好评如潮，销售异常火爆，出版社不断加印，媒体和书评人给予的评价也是正能量爆棚，还拿了南中国地区最具影响力的非虚构类图书大奖，这是我这个初次尝试写作、根本没什么文采可言的普通妇产科医生做梦都想不到的。

书封上有这样一句广告语："哪怕你是一个知识女性，对自己身体的了解程度也可能不到5%。”这是一句非常优秀的文案，但是说实话，对此我一直抱有疑虑，总想着现代女性的受教育程度普遍提高，医疗条件也比从前好很多，应该不至于吧？随后，从每天大量的读者反馈中，我发现很多女性真的对自己的身体了解太少，或者说误区太多，由此带来的伤害更是巨大的，尤其是面对错综复杂的性、避孕、孕育、生育和养育问题。

例如很多女孩子不懂避孕，认为无痛人流就是无害人流，没什么大不了的，不就像得了一场重感冒吗？很多女孩子不懂得紧急避孕药是避孕失败的补救措施，而是先痛快一番，然后吃两片药就以为万事大吉了；很多女孩子不懂性的健康和安全，不懂得保护自己，患上性传播疾病，年纪轻轻就破坏了自己整个生育系统，待到尘埃落定准备做母亲的时候，追悔莫及。

一本书的容量毕竟有限，还有太多的女性健康问题要和大家讲，还有太多含泪带血的故事要说给女性朋友们听，因为女性真正了解自己的身体结构，按照科学的方法爱护自己，一旦出现问题懂得向谁求助，懂得预防和及时治疗，那么，很多悲剧本来就可以不必发生，很多幸福本来就可以伴随一生。

于是，无数个工作以外的细碎时段累加在一起，无数个点灯熬油的零散夜晚积攒在一起，又有了这本《只有医生知道！2》。写完这一本，我正式步入人生的不惑之年，应该说写作情绪更加清醒和理智，抛却了诸多个人的小凌乱和大烦恼，尽量做到精彩讲故事、明白说科普。实现“上医治未病”的古训，践行老协和人一直都在提倡的“一盎司的预防胜过一磅的治疗”，是我完成此书最大的心愿。如果功力还无法达到，我也将继续努力，起码用文字对这个时代的医学现状做一真实记录。

很多读者朋友问，张医生你会不会弃医从文？接着还列举了眼前的冯唐、现代的鲁迅，以及国外的毛姆和契诃夫。实际上，我自己知道，大家喜欢我的书，就是因为我是从真正临床工作的水深火热中摸爬滚打过来的，故事是真实的，情感是真切的，科普是动真格的，字里行间是掏心掏肺的，看完书，您的很多困惑是能够真相大白的。所以，我会坚持年轻时候的梦想，做好医生这份安身立命的工作，只要读者喜欢，我会一直坚持写下去。

能够在三年时间内完成这两部作品，我必须感谢一直培养我的北京协和医院，多年传承的宽广、博爱、做大事不拘小节的医院文化，让我有勇气以一个医生的身份，从一个相对保守的行业走进公众的视野。也正是因为它的宽厚仁爱和自由精神，使得很多协和医生有机会活跃在微博平台，他们讲故事、说科普、聊生活、论体制，还原医生的本来面目，拉近医患之间的距离，让彼此真诚相待，在和疾病斗争的过程中，更加心手相连、同仇敌忾。

感谢先生多年来的支持，幸福就是平心静气的相处，然后一起慢慢变老。感谢孩子，如果没有他们，出版社可能已经在印《只有医生知道！3》了。不过老话说得对，女人过日子就是在过孩子，他们正是我们人生无比重要的课题。

最后，谨以此书献给全天下的女性和未来的孩子们。

2013年10月25日于澳门

只有医生知道！2

目录 CONTENTS

第一章 PART ONE

我的朋友怀孕了

第二章 PART TWO

阿弥陀佛，我拿掉了她的孩子

第三章 PART THREE

天使之炼

尾声 SPECIAL EPISODE

子欲养而亲不待，你要生而卵不再

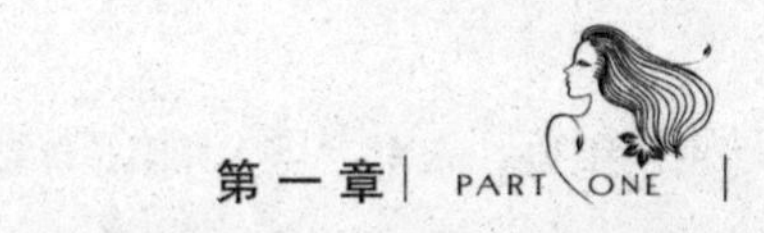

第一章 | PART ONE |

我的朋友怀孕了

01
约一半以上的流产是因为胚胎染色体异常

年后，被我从急诊厕所直接推进手术室、开刀救命的宫外孕女孩小妍的妈妈打来电话，说了一大堆感激的话之后，希望能请我在王府饭店吃顿饭，顺便把我借给小妍的1300块钱还了。

我本能的反应是拒绝，因为我妈打小教育我，拿人家手短，吃人家嘴短。她常说，处于剧烈震荡的利害关系之中的人，难免互相算计，在一起吃喝不香。一进协和，教授就一直教育我们，医生就是医生，病人就是病人，别把关系搞得不清不楚不明不白。但是，我心里始终不认为我和小妍一家仅仅是医生和病人之间那么简单，又想到与协和一条煤渣胡同相隔、富丽堂皇的王府饭店，自己只在路过的时候去大堂洗手间尿过尿，享受过免费卫生纸，就简单推辞后，爽快地答应了。

其实，最重要的原因是，吃完饭，就能拿到小妍她妈还我的1300块钱，解我“月光女神”的燃眉之急。

好姐妹有福同享，我打算让琳琳跟我一块儿去见识一下外面花花世界的精彩，而且借给小妍的钱里头，还有她出的500块。这500块不光救了小妍，更重要的是救了我。要是初出茅庐的小小住院医师一出手，就有病人倒地毙命，当场死在自己手上，职业生涯差不多也该就此嗝屁了。

下午四点半，我看完门诊直接回病房，先去人流室看琳琳有没有收工。

“哥们儿，还有几个人流没做呢？”我趴在人流室外大门的门缝处轻声地问。

“没了，下午的都做完了，不过刚才急诊打电话，说有一个胚胎停育难免流产的病人需要马上刮宫，我正等着病人上来呢。”

“那你先忙，别忘了晚上吃饭的事儿，下班我们回宿舍换了衣服，一起去啊。”

“嗯，知道了。”

我看了一圈自己的病人，又干了些杂活，听见有人用轮椅推着病人急匆匆进人流室的声音，于是放下手里的病例，赶过去帮忙。

这是一个32岁的女性，人流过两次，剖宫产生过一个女儿，平素月经规律，28天一次，停经5周的时候，尿妊娠试验阳性，目前已经停经8周，下午无诱因突发腹痛，伴有阴道出血，被同事送来协和急诊。

三天前，她在单位附近的医院已经做过B超。我翻看她的B超报告，发现只描述在子宫里看到一个形态不规则的胎囊，没有胎芽和胎心。按照早期胚胎的正常发育曲线，女性停经5周，B超应该能看到胎囊，停经7周，B超应该能看到胎芽和胎心搏动。停经8周的子宫，至少应该有1厘米以上的胎芽，而且胎芽上应该有原始的心管搏动。所以，这个病例基本可以诊断胚胎停育。女性的身体是很聪明的，一旦胚胎停止发育、失去活性，身体多会在第一时间进行识别，然后发动子宫收缩，将发育不良的胚胎排出子宫，让身体重新再来。

并不是每一次精卵结合的开始，都能以怀胎十月和足月分娩善终。人类的自然流产率占全部妊娠的10%~15%，其中80%以上是发生在3个月之内的早期流产。

很多早期流产的妈妈会像失去了真正的孩子一样伤心，继而反思甚至责备自己做错了什么，例如连续加班、晚上唱了卡拉OK、办公室装修、饭桌上被动吸烟、喝了两口红酒，等等，这时她们常悔恨不已，甚至陷入深深的抑郁。实际上，以上这些风吹草动都不是导致流产的致命性因素，胚胎染色体异常才是大部分流产的主要原因。针对早期流产物的检查发现，大约一半以上的胚胎都有严重的染色体异常。

此外，母亲患有严重的全身性疾病时，例如心力衰竭、严重的贫血、高血压、慢性肾炎或者严重的营养不良，聪明的身体也会主动采取丢卒保车策略，首先屏蔽掉的就是生育能力。即使意外或者勉强怀孕，随着妊娠的进展，到身体无法耐受之时，发生自然流产的风险也是极高。其他导致流产的因素还包括母亲的内分泌异常，例如黄体功能不足、甲状腺功能低下、严重的未得到满意控制的糖尿病等。

胚胎是综合了父亲和母亲双方遗传物质的一个新生命个体，对于子宫来说是一个外来物，它需要母亲的身体化为一个容纳和接受的温暖怀抱，才能彻底扎下根来。一旦母亲的身体出现免疫功能异常，例如母儿血型不合、抗磷脂抗体综合征等情况，都可能使胚胎受到排斥而发生流产。

应该说大多数胚胎停育只是女性孕育胎儿过程中的一次偶发事件，一次流产后，大多数女性还是能够最终获得自己的孩子的。即使通过检查证明胚胎的染色体有问题，也不见得父亲或者母亲任何一方的染色体有问题。多数情况下，父亲的精子和母亲的卵子都是正常的，只是在减数分裂、染色体重新配对结合成一个新生命的过程中，出现了致命差错，导致胚胎染色体的数目或者结构异常。此外，早孕期间严重的感染、药物等不良作用也可能引起子代染色体异常。这些胚胎通常在前 3 个月发生自然流产，即使少数妊娠至足月，出生后也可能为畸形儿，或者有严重的代谢或功能缺陷。

自然流产只有连续反复发生超过 3 次或者以上，才有必要进行全面彻底的检查。在没有明显线索的情况下，只能逐一筛查排除，甚至需要全身上下地毯式搜索，犹如大海捞针。即便如此，仍有一部分流产是找不到原因的，更无从治疗。

这个病人已经发生严重腹痛和大量阴道出血，流产在所难免，这是妇产科急诊的常见病。通常，大多数女性靠自身机能也是能够完成整个流产过程的，但是往往耗时良久、出血过多、疼痛严重，身体极度痛苦，精神极度紧张。妇产科医生不会听之任之，一个几分钟就能完成的刮宫手术可以尽快帮助病人清理宫腔，终止出血和疼痛，将苦难的过程尽量缩短。

当时的协和急诊，是北京城里为数不多的可以进行妇产科腹部 B 超检查的医疗单位，但是还没有经阴道 B 超，病人做检查之前必须先憋尿，就算使劲喝水，肾功能相当良好，至少也要 30 分钟到 1 个小时才能完成满意的膀胱充盈。急诊医生看到外院 B 超的诊断明确，病人又捂着肚子痛得直不起身来，于是赶紧转送到病房急诊刮宫。

02
剖宫产后再怀孕，小心疤痕妊娠

去王府饭店这样的五星级酒店吃饭，我还是第一次，下班后怎么也要洗个澡，换身漂亮衣服，好好捯饬一下。为了争取更多时间，我赶紧帮琳琳写病历。

琳琳让病人小便后上床检查。

病人确实很痛，一直弯着腰，上完厕所好不容易才在护士的搀扶下上了检查床。

琳琳没有直奔我们妇产科的主题进行阴道检查，而是先测量了血压心率，除了心率超快，血压还算正常。这个可以理解，疼痛本身就会引起心动过速，我俩都没太在意。

接着，琳琳检查病人的肚子，没想到琳琳的手刚放到病人肚子上，病人就嗷的大叫一声，吓得琳琳把手抬起老高，对病人说："您真的那么疼吗？"

"哎呀，疼死了，尤其是这里，要命的疼，您别再碰了，求您了，快给我打麻药，让我昏过去好了。"病人满头大汗，一边指着小肚子，一边不耐烦地回答。

“一直在疼，还是一阵一阵的疼？”琳琳接着问。

“一直疼，一直疼，根本不歇着，快要疼死我了，大夫。”

按理说，流产之前肚子疼，是因为要把肚子里的孩子挤出去而产生的子宫收缩，这是非常正常的现象。这种子宫收缩在最开始的时候，通常是间歇性的，也就是说，肚子只是一阵一阵的痛，到了最后阶段，子宫会发生强制性的无间歇收缩，此时腹痛持续加剧，直至彻底排出子宫内的组织物。不管怎么说，病人出现持续性的激烈腹痛，伴有腹痛压痛是要引起重视的，情况可能不是流产这么简单。

琳琳没有退缩，而是对病人说：“您的疼痛非同一般，我要检查清楚，抱歉，还会有些痛，您要尽量配合我。”

琳琳又下压了她的小腹，每按一下都是一声尖叫，疼痛部位主要集中在耻骨联合上方的一块地方，琳琳按压腹部后，突然有意识地将手抬高，病人差点跟着跳起来。天啊，除了腹部局限性压痛，还有反跳痛，肚子里真的有情况。

“帮我记录一下：腹肌紧张，耻骨联合上方局限性压痛、反跳痛，没有移动性浊音，腹部听诊肠鸣音明显减弱。你再翻翻她病例，看有没有我们医院自己的B超检查。”琳琳对我说。

“没有，只有一个外院B超，需要紧急呼叫超声科医生会诊。”

我放下手中的笔，电话呼叫会诊医生。对方回了电话，答应立刻来做B超，因为她正在老楼开会，希望我们能到超声科亲自推机器，这样人机可以尽快在病房会合，节约时间。我看了一圈，病房里唯一的外勤人员带病人外出做检查了，三个实习医生下午上大课，不在病房，为了争取时间，我只能自己去推机器了。

我把机器推到 7 楼病房时，护士已经给病人抽了血，建立了一条静脉通道。琳琳已经做完妇科检查，火急火燎地跟我说：“你可回来了，整个子宫都有压痛，腹肌紧张极了，真怕是宫外孕破裂内出血啊，好在只是症状重，血压还算平稳。就等超声波了，没有这个，咱们妇产科大夫简直就是半个瞎子。”

进修医生老窦也进来了，他看了病人，也觉得有急腹症，不是流产这么简单，一定要重新做 B 超，决不能贸然刮宫。

B 超医生随后赶来，这台沉重的机器确实高级，有阴道探头，可以直接做经阴道 B 超，不用病人憋尿，看得又清楚，太好了，不枉我不到一百斤的小身板力工一般把这大家伙一口气推到 7 楼。

探头缓缓插入病人阴道的一刻，盆腔里的情况大致明了：首先，确实有一个胎囊，但是胎囊并不是乖乖待在子宫腔里，而是侵入了子宫前壁下段的肌层，子宫前部和膀胱之间，有个大馒头形状的不均质团块，像是局部出血后形成的一个大肿块。肚子里有游离液体，一半的子宫已经浸没在这些液体之中。

“她以前做过剖宫产吗？” B 超医生问。

“做过，6 年前剖宫产一个女儿。”琳琳回答。

“大事不好！胎囊应该是正好种植在上一次剖宫产的疤痕部位上了。而且，孕囊就要穿透这个薄弱部位，钻到子宫外头去了。现在盆腔里的液体高度怀疑是内出血，我没看到两侧输卵管附近有包块，不像一般的宫外孕破裂出血。如果做过剖宫产，需要高度怀疑疤痕妊娠，先兆子宫破裂。”B 超医生很肯定地说。

1998 年的时候，这种剖宫产后再次怀孕导致的罕见并发症，我只是偶尔听说，完全没有感性认识，更别提诊断和治疗了。琳琳和我一起出道，同样是一头雾水，我俩一起将目光投向临床经验丰富的进修医生老窦身上。

“疤痕妊娠？真是天堂有路你不走，地狱无门你闯进来！子宫腔里那么宽敞，种在哪里不好，怎么偏偏选择上次剖宫产疤痕这个部位呢？受精卵可不是省油的灯，不光要种植在子宫里，还要挖地三尺向深处侵袭，它要伸出无数触角将自己牢牢扎根和挂靠在子宫上，才能汲取足够的营养生存下去。所以说，孩子都是前世造的孽，今世的要账鬼儿。他妈这块薄弱贫瘠的土壤，眼瞅着就要被这倒霉孩子钻透了，我们得赶紧开腹探查，否则要出人命。”老窦给我和琳琳讲解着。

“刮宫简单，肚子可不是随便开的。我们还是先做后穹窿穿刺，如果能够抽出不凝血，就可以诊断内出血，才有开腹探查的手术指征啊。”琳琳说。

“对了，我们还得赶紧报告病房的主管大夫，钱老姐下午去计生委开会了，车娜下午看门诊，我走的时候她还有十好几个病人呢。不如我们先穿刺再汇报，别弄出假情报，那可丢人了。超声波只能看到液体，看不到是红的血，还是白的水，无法明确性状，万一是腹水什么的呢。”这时，我们俨然三个臭皮匠，我当然要尽一己之力，让我们团伙的总体智商尽量接近诸葛亮水平。

后穹窿穿刺是妇产科常用的一种检查方式。子宫和直肠之间的陷凹是人体直立时腹腔的最低部位，肚子里一旦有积血、积液或者积脓都会积存在这个地方。阴道后穹窿顶端与这个陷凹紧贴，只有薄薄的一层阴道壁组织，在此处进行穿刺术和抽吸，就能明确积存液体的性状，是血是水还是别的什么，一目了然。

说干就干，琳琳用宫颈钳牵拉宫颈后唇，暴露后穹窿，局部消毒后，将长长的针头果断刺穿阴道后壁和宫颈交界部位的顶端，深入腹腔。随着注射器的活塞向后缓缓拔动，我们三个同时看到暗红色的不凝固血液。

不能拍手庆祝，因为此时下结论还为时过早，穿刺是盲目的，谁也看不见针头到底扎到了哪里，万一刺入的是盆腔大血管，照样会抽出血液。鉴别的办法是，大血管里的血液会自动凝固，而内出血进入腹腔的血液，因为腹膜的去纤维化作用，不会自动凝固。

琳琳将穿刺出来的5毫升血液缓缓注入玻璃瓶，静止5分钟后，拿起来摇晃，仍然是暗红色不凝固血液。“这可是我第一次独立进行后穹窿穿刺，血液不凝固，说明我没有误穿血管，腹腔内出血诊断无误。”琳琳在我耳边小声地肯定自己的判断，眼中闪着兴奋的光，又是穿刺成功后的小成就、小激动，又怕病人听到自己是个初出茅庐的新手有所忌讳。

车娜在电话里听了琳琳的汇报，让我们紧急联系手术室，准备开腹探查，只要有可能，尽量保留子宫进行保守治疗，但是必须向病人和家属交代最严重、最恶劣的后果，那就是手术可能切除子宫。还有，术前要抽血进行人绒毛膜促性腺激素的测定，这是保守治疗术后最好的疗效观察指标。她还有几个门诊病人，看完后尽快赶到，如果晚了，就让老窦带领我们先开腹。

通过短暂但是紧抓重点的交谈，我了解到，这是一对关系和睦、都在尽力为对方着想的二婚夫妻。病人6年前剖宫产的女儿，是和前夫生的，后嫁的男人是初婚，还没有自己的孩子。

听完我们对病情的分析和讲述，男人首先表态，一切以救老婆的命为主，实在不行就切除子宫，现在的女儿虽然不是亲生，但是共同生活了几年，非常有感情，自己不在乎是不是一定要有亲生骨肉。女的则比较坚决，反复拜托我们，只要有一线生机，一定尽量保留子宫，原因不言而喻，她还年轻，想和现在的男人再生一个孩子。

我说："我们会做最充分的准备，尽最大的努力，但是医患双方都要做最坏的打算，您一定要有充分的心理准备。"

病人哭了，她一边握着丈夫的手，一边握着医生的手，说不出一句话。她的爱人真是不错，话虽不多，但是非常镇静，他一边安慰自己的妻子，说："不怕，咱们一家人现在就很好，我们永远在一起。"一边鼓励身边愣头青一样的小医生："手术的事儿就都交给大夫，全权拜托了，我们家上两辈的老人都是在协和走的，我们信任协和。"

完成一堆的医疗文件后，我和琳琳急匆匆赶往手术室，路上琳琳还一个劲地唠叨："太后怕了，幸亏我没有贸然刮宫，本来子宫就哗啦啦大厦将倾，马上快被撑破了，你说咱们的探针、吸管或者刮匙，这些铁家伙戳进去，哪一个不是雪上加霜啊？"

"是啊，哪一个都会将先兆子宫破裂变成真正的子宫破裂，你丫又捡一条命，晚上一定要喝两杯替你压压惊。"

03

无论面临什么险境，都别轻易放弃子宫

刷手消毒之前，我们再次接到车娜的电话，说门诊还有两个病人比较复杂，需要花些时间，让老窦带我们先开腹。

肚子一打开，和我们超声波下看到和想象到的景象完全一样，胎囊突出子宫表面，子宫下段疤痕部位有一块大血肿形成，局部细小的血管正在缓缓向外渗血。

下一步怎么办是手术的关键，将胎囊等妊娠物彻底清理掉、修剪子宫的破口、将子宫整形缝合，还是将这个破烂子宫直接切除？我和琳琳两个菜鸟完全没有想法，老窦是当地医院的中年骨干，专门来协和镀金的主任苗子，应该有自己的判断，但是以他沉稳的性格，我猜他不会贸然出手。

果然猜中，老窦没有轻举妄动，他要了一块大纱布，轻轻压迫渗血部位，防止病人进一步出血，同时示意我们，耐心等待车娜的到来。

手术台上的等待是漫长的，虽然只有短短的几分钟，但因为无所事事，两

条腿不能乱走，两只手不能乱摸，感觉就像整整过了一个世纪。

这时，刷手间的门开了，车娜举着刷好的双手进入手术室，接过器械护士递过来的擦手巾擦干双手，麻利地穿上无菌手术衣，戴好手套，上了手术台。

“确实是疤痕妊娠，子宫马上就要撑破了，我们试试病灶切除术，尽量保留子宫吧。”车娜轻轻拿开老窦压在子宫上的纱布，全面探查了盆腔情况后说。

我们自然没有异议，老窦说：“两年前，我收治过一个比这个还严重的疤痕妊娠病例，胎囊和绒毛不仅穿透子宫，还进一步侵入了膀胱，病人除了剧烈腹痛，全程肉眼血尿，结果子宫没保住，还请泌尿外科医生上台，协助切除了部分膀胱。这个病人的情况还可以，我完全同意你的意见，咱们试试保留子宫吧，毕竟她还年轻，二婚后和现在的男人还没有孩子。刚才谈话签字的时候，我觉得这两口子是正经人家的讲究人，不要有太大压力。”

“是啊，是啊，好久没见到脑子这么清楚、临危不乱而且深明大义的男人了，他应该有个自己的孩子。”琳琳在一旁说到。

车娜没理琳琳，我想她下台后肯定会批评琳琳意气用事，教育她医生的医疗决断应该客观公正，不应该掺杂太多个人感情之类的。

于是我勇敢提出自己的异议：“将来再生的话，胎囊还可能种在这个新的疤痕部位，同样的悲剧还可能重演，还不如连子宫全端了清静呢。我们女人干吗非要拼了自己的命，给男人生孩子？保留子宫有可能后患无穷呢。”

车娜也没理我。我只好咂巴两下小嘴，继续拉钩和拭目以待。

车娜简单地清理了一下子宫前方的血肿，手持电刀，按照病灶浸润的范围，像挖苹果上的虫子洞一样，将陈旧破裂的子宫疤痕连带发育不良的胎囊以及下方糟烂的绒毛组织，一并进行切除。

怀孕的子宫本来就血脉喷张，绝对不好惹，敢在它身上动刀，它可是要给你颜色看看的。切下去的智能电刀虽然附带强大的凝血功能，但是所过之处，子宫的创面咧着嘴、跳着脚滋滋地往外飙血，都放直线了。

敢情车娜是主刀，下刀的力度和方向都精准地掌握在她自己手里，切完了她知道往哪边躲，我和琳琳这种站在旁边拉钩、探脑袋傻看热闹的，都被迸了一口罩的血。

糟了，切除容易，止血麻烦，这么大的创面，出血这么活跃，这可怎么办？我在心中暗怕。

还是车娜艺高人胆大，敢捅马蜂窝的人，手里一定有金钟罩。她让我们用一大块干纱布狠命压住伤口，自己向护士要了一根小拇指粗的无菌止血带，在宫颈两侧的无血管区打洞，将止血带紧紧勒在子宫和宫颈的交界部位，这相当于把两侧子宫动脉的上行支给扎住了。真绝，就跟拧上水龙头一样，血"唰"的一下子就没了。之后，她用大针一号线飞速进行缝合，老窦配合也是天衣无缝。

我都看傻眼了，怪不得平时做手术车娜老让我们加快速度，别磨磨蹭蹭的，关键时刻真得医生眼疾手快啊，决断越快，动作越快，病人出血越少，损失就越小。

血豆腐一样的病灶挖除了，子宫保住了，我们都松了一口气。车娜转过头问我："牡丹带领妇女儿童渡河之前，知道嘎达梅林跟她老婆说了什么吗？"

"这个，呃，不知道，我只知道嘎达梅林这个人好像和草原有关，其他细节一概不知。琳琳，你知道吗？嘎达梅林咋说的？"我把问题推给了琳琳。

"我哪儿知道啊，现在每隔 5 年就是一代人，我们 70 后和 60 后有代沟，这得问老窦。”琳琳又把问题推给了老窦。

“哎呦，还有你俩小人精不知道的事儿？”老窦一边缝合腹膜，一边趁机修理我俩。

“快说吧，别卖关子了，叫你大哥好了。”琳琳白了他一眼。

“嘎达梅林说，只要有草原和女人，就有希望。”说完，老窦大笑着脱了手术衣，摘了手套下台了。他不是偷懒，他这是将难得的腹壁缝合机会留给我和琳琳，我们都在心里暗自感谢他。

“留着子宫就有生育的希望，切了子宫，就彻底断了生孩子的念想。虽然下次还有疤痕妊娠的风险，但不是必然的，人家夫妻有自主选择是否冒险一试的权利。切子宫没什么高深的，过两年你们就都学会了，但是子宫只能切除，没法再接上，子宫要是没了，多坚强的女人都难免自卑，多开明的男人都难免怨恨。而且世事难料啊，现在好好的夫妻，谁知道几年后什么样子？一个子宫可能决定着一个女人的命运，一个家庭的悲欢离合，你们这些还没结婚、没生过孩子的黄毛丫头懂个屁。”

我和琳琳被车娜训得不敢吱声，悄悄地站到了主刀和助手的位置上，车娜站到一边监督我俩，顺便帮忙拉钩剪线。我和琳琳配合，一板一眼地缝着肚皮，完成最后一针后，我忍不住兴奋地说：“没被白白迸一脸血，今天又开眼界又练手，晚上还能喝酒，真是太有意义了。”

“确实是难得一见的好病例，就是代价太惨重。肚子一开一关，子宫保住了，无菌衣一穿一脱，手术结束了。可是送完病人写完记录两个小时也活生生地过去了，耽误我自己的大事儿了。”琳琳好像有心事。

“你有什么大事儿呀，有白马王子介绍给你相亲吗？”

“算了，不说了。”琳琳嘟囔了一句，脱了手术衣，到隔壁刷手间洗脸。

* * *

王府饭店只能说不难吃，我是东北人，口重，就是觉得饭菜都没什么滋味。不过环境确实挺好，服务也好，据说端端盘子上上菜铺铺餐巾这么点破事儿，还要收 10% 的服务费，我都恨不得来这儿打工了。

后来，随着对人生和生活的不断体验，也就是吃喝了一定数量的五星级饭店后，我总结，五星级饭店做不出什么真正好吃的东西来，无非是没滋没味儿，又挑不出什么大毛病来，谁都能吃但是谁也不觉得好吃，不如只卖一两种拿手好菜的路边小吃店有人情的味儿，更不如妈妈亲手做的菜有亲情的味儿。

回来的路上，我打着饱嗝，借着两杯啤酒壮起的小胆，优哉游哉地背着小手，一边回味美食和星级服务，一边哼哼着小曲，沉浸在满满的小幸福小成就之中，全然没有发现，下了手术之后琳琳一直就没怎么说话。

04
恶心、头晕、嗜睡和尿频，这些都可能是早孕反应

一个月后的一天晚上，我端起床下的脸盆，招呼琳琳道:“走，一起洗个澡去。”

琳琳愣愣地坐在床边不动，对我说:“张羽，我已经延后两个多礼拜没来月经了，而且这几天开始恶心、头晕，还总莫名其妙地犯困，老是睡不醒，你说我是不是中弹了？”

月经规律有性生活的育龄妇女，一旦月经过期10天以上，首先应该考虑的就是怀孕。如果从最近一次月经的第一天算起，琳琳已经停经8周，怀孕的可能性更大。琳琳提到的恶心、头晕还有嗜睡，统统属于早孕反应，半数以上的怀孕女性都会有，说不定这丫头真中弹了。

“你是不是还尿频啊？这几天我发现，每个上午你总要从人流室跑出去两趟，是去卫生间了？”

“嗯。”

尿频，多是怀孕后增大的子宫压迫了膀胱，导致膀胱的充盈能力受限，憋尿能力下降所致，越是前位的子宫，怀孕后尿频越明显。再加上怀孕后中央调集一切兵力支援地方，盆腔血管充盈，血脉喷张，也是发生尿频的原因。有停经、有各种形式的早孕反应，还有尿频，我估计她十有八九是有了。但这只是估计，本着科学的态度，怀没怀孕最终是要化验检查说了算的。

“这事儿我哪儿说得清楚，我又不会号什么喜脉。走，陪你买试纸条去，明儿大清早把它插到你第一泡尿里，做个验孕检查。有还是没有，验一下不就知道了，干吗大晚上坐这儿愁眉不展，一个劲儿地瞎猜！”

我和琳琳成为协和正式编制的住院医师后，都有公费医疗，按理说，到卫生科开个化验单，再把一杯晨尿送到检验科等着化验报告就 OK 了，一分钱不用花。但是因为琳琳还没结婚，我俩心照不宣，穿上外套，拿好钱包，乖乖地去药店，自费买试纸条。

为了避免被熟人撞见，我俩没敢在东单一带的药店出手，而是一路走到东四，东瞅瞅西望望，确认没有险情后，才拐进一家药店。

别看我们都在协和落地生根，算是科班出身、根正苗红的妇产科医生，平日里一天不知道开出去多少张“尿妊娠试验”的化验单，但是到了药店，面对五花八门的验孕工具，我俩还着实有点慌神儿，小手里攥着钱包，凌乱了好一阵子。

最便宜的是那种窄窄一条的单包装试纸条，8 块，深圳一家什么生物制药公司出的。

还有 10 块钱的，上海生产，包装大气一些，看不出和 8 块钱的有什么差别，可能就是大厂家的名牌产品。

正不知如何选择的时候，售货员又拿出另外一种，人民币25块，包装精美，看盒子上的图片，有点像刚刚流行起来的电子体温计，有粉红色的塑料边框。

售货员说："这是日本进口的验孕棒，里面有接尿的一次性塑料杯，还有吸管，排尿后用吸管把尿杯里的尿样滴到检测孔上，直接看结果就行了，更方便和卫生，很好用。买的人很多，都是公司白领，来一个吧？"

还有一种更贵的，好像40多块钱，也是进口的，倒是没有杂七杂八地送这又送那，只有一根电子体温计样的东西。

售货员说："这个更高级，德国的，直接对着吸尿孔撒尿就行，尿完了往眼前一摆，就知道是不是怀孕了。还附送一次性手套，免得尿手上，老外想事儿就是全面，设计的东西也人性化。不过有点小贵，一个月卖不出去多少，挺大的盒子摆着还特占地方，再卖不动的话，我们老板就要给厂家返货了。"

我俩在玻璃柜台上把这几样东西摆弄了半天，认真读了每一种包装上的产品介绍，还是不知道买哪种好。

我说："琳琳，快点吧，买完赶紧走人，免得夜长梦多。万一被谁看见就麻烦了，咱们科有个技术员好像就住礼士胡同，要是被她看见，明天地球人就都知道了。"

琳琳突然显得很不耐烦："就买8块钱这种最便宜的吧，我看咱们医院检验科用的就是这种，普天下用的都是同一个化验原理，不就是检测尿里头的hCG吗？根本没什么高科技含量，哪儿用得着那么多花样。"

"还是买这个验孕棒吧！高端大气上档次，用在自己身上的东西，还是别省了。"

“这不就是把试纸条装到塑料框里头了吗？用完不也就随手扔垃圾桶了，还能留着当牙刷使咋的？有什么呀！一泡尿就把三个夜班费给哗哗出去了，太不值当。”

琳琳给了钱，把试纸条攥在手里，揣进大衣口袋，另一只手拉着我出了门。

“别当宝贝似的攥着了，你是有人疼的姑娘，手心儿热，小心试纸被你捂得变质，用的时候就不准了，弄一个假阴性可糟了，肚子大得地球人都看出来了，自己才发现是怀孕，出大笑话了。”

我把试纸条从她手里拽过来，装进自己的钱包夹层。“咱俩坐公交车吧，回东单要两站地呢，到了都该十点多了。”

“别，走着吧，本来我就头晕恶心，坐车非吐了不可。”

这时，天开始下雪，路面很滑，我扶着琳琳的胳膊，生怕她摔倒。

琳琳说：“别扶着我，摔一跤倒好，直接摔没了就省心了。”

我一把挎住她的胳膊说：“摔个完全流产当然省心了，就怕摔得没那么彻底，一个屁墩儿弄个难免流产、不全流产什么的。半夜里你大出血不止，就得去急诊室刮宫，那不是被逼上梁山了？到时候一切都败露了，逞什么能啊你！”

琳琳不再说话。

东单北大街恢复了北京城深夜的宁静，我俩一路拉扯扶将，几乎走得不成直线，经过灯市东口、米市大街一路走回东单协和大院的19号楼住院医师宿舍。

老协和的灰墙碧瓦和雕梁画栋静静地隐藏在无边的夜色中，只看见高高的中式屋脊、翘起的飞檐、昂首列队的小兽。琳琳肚子里可能有了一个新的生命，但是我俩一脸的倒霉晦气样，一副迎向死亡的凄惨，一点都不美。

05
哪怕是妇产科女医生，也会避孕失败

上楼梯的时候，琳琳说："别等明天早晨了，回去咱俩就试试怎么样？"

"急什么呀，最好化验晨尿，在膀胱里攒了一晚上的尿液中 hCG 值才最高，不容易出错。"

"你就是教条，你看来咱们计划生育门诊验尿的，有几个留的是晨尿？而且我月经特准，要是真怀上了，从末次月经第一天算起，这孩子都已经有 6 周了，照 B 超都能看到胎囊了，再过一个礼拜都能看到胎心了，哪儿有那么多假阴性。"

"试吧试吧，谁拗得过你！"

"你去病房给我弄一个尿杯回来行不？我特恶心，还头晕，让我歇会儿。"

"敢情你图省钱买简便装的，遛我的狗腿儿啊！"

"医院就是我的家，医院有啥我有啥，我家没啥到医院拿。快去吧，少废话，你那狗腿儿被协和遛一晚上才 8 块钱，顺个尿杯用不了几分钟，省两个 8

块呢，明儿请你吃麻辣烫。”

“酸儿辣女，估计你怀的是个丫头片子，将来和你一样爱欺负人。”

我正从书包里掏钥匙，就听见宿舍里头滴滴滴一阵 BP 机狂响，紧接着门咣当一声开了，是黄菲。她一边从门口的挂钩上拿白大衣往身上套，一边把长长的马尾辫子从白大衣里甩出来，急匆匆地往外走。

“怎么了？有急诊？”我问。

“不是急诊，是外宾病房，有病人胸闷憋气，氧饱和度直线下降。”

“下班的时候听你说外宾病房刚收了一个特别年轻的下肢深静脉血栓病人，蓝眼睛的，不会肺栓塞了吧？”琳琳问。

“闭上你的乌鸦嘴！ DVT（深静脉血栓）病人最怕的就是这个，你可别咒我！”黄菲一边使劲按掉不断发出刺耳声音的 BP 机，一边三步并作两步窜向楼道。

我把琳琳送进宿舍，几分钟后，从病房顺回一摞尿杯。

琳琳说：“幸亏黄菲这丫头被 call 走了，否则咱俩就失去最佳作案地点了。”说完，拿着尿杯去了卫生间。

不一会儿，她用事先准备好的报纸挡着尿杯，小心翼翼地把尿从公共卫生间端回宿舍。我俩仔细阅读说明书后，打开试纸条的包装纸，把有箭头的一侧插进尿杯，不让液面超过黑色的标志线。只见尿液在虹吸作用下缓慢爬上试纸条，很快，一道红杠出现了，液面继续上升，又一道红杠也出现了。

两道杠，粉红色，很清楚，上面一条是对照线，不论是否怀孕都会有这条线，如果没有，说明试纸条过期或者质量不合格，需要重新检测。下面一条是检测线，琳琳这回不折不扣地阳性了。

"唉，姑娘我打小叛逆，一天班干部都没当过，估计将来也是仕途无望，这回终于在被窝里弄出两道杠了，苍天啊！"

"都什么时候了，还拿自己开涮。你自己也不小心点儿！这床上嘿咻，就跟身上连保险绳都不系的高空王子阿迪力走钢丝一样，玩的是个心跳，但你别忘了，他手里可拿着一根又长又粗结结实实的杆儿呢。"

"他拿那玩意儿干吗？扑楞扑楞的，多碍事儿啊！"

"这你就不懂了吧！保持身体平衡呗。"

琳琳白了我一眼说："绕来绕去，不就是说避孕的事儿吗？我是高级知识分子，专业人士，我怎么会不知道避孕呢？轮不上你教育我。再说了，咱们入院合同倒数第二条'住院医师期间，女医生不允许怀孕'，白纸黑字写着呢，我敢随便乱来吗？"

"那你和李天用的啥办法？为啥失败了？你俩都20岁出头，从人群组成上来看，属于具有婚前性行为的性活跃分子。来协和之前你是北边北医的，他是南边湘雅的，之前都交过异性朋友，历史都不清白，最适合你俩的就是安全套，避孕又防病，保护自己也保护对方。处得好，就双双走进爱情的坟墓婚姻，处得不好，一拍两散，散买卖不散人情，谁也别牵绊谁，也别因为那几秒种的快感弄个湿疣、梅毒、艾滋病啥的毁了各自的大好前程。你不会不好意思去药店买那玩意儿吧？"

"切，这有什么不好意思的，现在街头巷尾满是大小药店，都有避孕专柜，一不看身份证，二不用单位介绍信，卖药大姐生怕你不好意思开口耽误了人家生意，一句多余话没有，一个异样眼神不带的。连超市的收银台都把安全套和口香糖、打火机、面巾纸摆一块儿卖，就等你顺手牵羊，完全是绿色通道无障碍。"

“正确使用安全套，失败率不超过 3%，那你怎么还中弹了？”

“家里杜蕾斯断货了，只有一盒印着性感女星大白脸和肥屁股的国产便宜货，不知道李天打哪儿买的。你妈不是教育你女孩子的外衣无所谓，整洁大方就行，内衣必须穿好的吗？姑娘我整天素面朝天，整个青春都给了病房，就用个安全套还不能使使进口的，让这上下都好受些吗？”

“国产安全套现在也都是天然乳胶、进口技术、电子检测，没你说的那么烂，聊胜于无，总比你什么措施都不采取要强吧。”

“一分钱一分货你没听说过？杜蕾斯超薄装 10 块钱三个，国产货 10 块钱能买一打，还送你不少花样。浮点什么的最坑爹了，我用过一次，跟狼牙棒似的，还有螺纹的，真跟螺丝疙瘩上的纹路一模一样。还带着劣质的香蕉苹果大鸭梨味儿，说什么增加情趣，我一闻就头晕脑涨恨不得上吐下泻。设计别的东西都可以极尽能事，唯独安全套这玩意儿，把自己设计得完全不存在那才真牛 × 呢，弄什么浮点螺纹，男人那玩意儿上面有麻点儿、疙瘩和纹路吗？只有青筋暴露！搞设计的把我们女人想得也太淫荡了。”

琳琳说的有道理，超薄又结实，安全防护的同时，尽量不影响双方的实景感受，换言之，让人感觉不到它的存在，才是安全套设计的极致。一些过于花哨和异形的安全套因为力学结构的问题，更容易因为摩擦和拉扯发生破裂，一些不合格的香味剂和润滑剂的使用，也容易影响安全套的寿命。

不过这丫头也真够矫情的，安全套套在男人的家伙上，她老人家还弄出这么一大堆意见来。

“看来不是人家李天不负责任，是你各种嫌弃抱怨才不戴套的吧？”

“不全怪我，我也就是要求超薄、无异味儿，别整那么多花拳绣腿，这也算过分？你说我们家李天也够逗的，隔靴搔痒都受了，可就是舍不得人民币享受一下高级靴子，为了省那几块钱，结果把我给弄怀孕了，真够倒霉的！我妈以前就说过，这种事儿，女人永远都是承担者，高兴的时候是俩人一块儿，遭罪的时候就剩女的一个人了，老话一点儿都没错。

"不过话说回来，李天一个外科的小住院大夫，还不如咱们妇产科奖金多呢，拿什么充大瓣儿蒜买名牌呀？值一个夜班才 8 块钱，来回坐个公交车，早晚两顿饭再怎么节省，加一块儿怎么也得五六块吧？剩下那块儿八毛的，还指着为我们将来的新房首付添砖加瓦呢，怎么舍得拿血汗钱换胯下几秒的高潮快感呢？我算知道了什么叫人穷志短、马瘦毛长，他妈的贫贱夫妻百事哀。"

"宁缺毋滥本是执着求真的好品质，你看你用错地方了吧？聊胜于无啊！那你们就什么措施没采取，干柴烈火凑一块儿去了？"

"你别瞎猜，我们还是采取措施了的，他根本就没内射。"

什么叫内射？

为了防止琳琳笑话我，我只好在心中暗自推断，内的反义词是外，没"内射"就是"外射"了呗！可能说的是"体外排精避孕法"，又叫抽出法或性交中断法。女的不上环、不吃药，男的不结扎、不戴套，两性水乳交融全程各种姿势各种演绎，只是把最后一刻的射精行为放在女性体外进行，和安全期避孕一样，是冠冕堂皇写进教科书的自然避孕法之一。

女性通过计算安全期避孕本来就不安全，失败率高达 20%。要是没有小妍同学计算安全期避孕的小精明，就没有大年初五的午夜惊魂，也没有那晚那顿王府大餐。

私下里，我觉得"体外排精"比计算安全期还坑人，简直就是让女性把自己的命运完全交到男人手上，更何况对象还是一贯被扣以“用下半身思考”江湖恶名的物种，而且还是在床上!

欲仙欲死的高潮来临之前，就算他舍得放弃快感的终端，声称只享受探索的过程、不注重极致的结局，又本着少给自己找事儿，也为对方负责的原则，果断拔屌外射，他也只能保证完成这个行为，没法保证不怀孕的结果。因为射精之前，个别刚强激进的精子很有可能溜将出来，奋勇前行，在暗中不屈不挠地执行延续种族的历史使命。

“一定是李天那小子没个把门儿的，还没射呢，就有精子流出来把我给弄怀孕了，一定是。”琳琳恨恨地说。

“带套不爽的话，你吃药呗！全新进口第三代避孕药才20多块钱一盒，能把大姨妈调教得乖乖的，到时候来，到时候走。还能缓解痛经，减少月经量，不会动不动就把床单裤子弄脏，省多少水费电费洗衣粉钱啊！每月少用半包卫生巾，不用再买超长夜用安睡装，坚持服用6个月，还能治你脸上的青春痘，省得每次领导去日本开会，你都烦人家去药妆店给你买祛痘膏。里外里算下来比买杜蕾斯划算多了，最重要的是还能还你俩一个轻松舒爽。

“要是对对方的性传播疾病感染状况互相不放心，就谎称给肝炎病人做手术时刀片划了手，或者抽血的时候被针头扎了眼儿，到卫生科把乙肝、丙肝、梅毒、艾滋病都查一遍，没事儿的话不就不用总弄一层隔膜互相防着了。正确服用避孕药，避孕效果比安全套还好，将近100%，而且最近有研究显示，避孕药还能减少盆腔炎的发生，预防卵巢癌呢。”

“啊？还有这功效？什么原理？”琳琳是典型的学术狂人，听到我讲现象，定要追问机制，一时间仿佛忘了身体里那个令她烦恼的小生命。

“我最近在写综述，刚看的文献，避孕药能够改变宫颈黏液的性状，使之在宫颈管内形成黏液栓，就跟个暖瓶塞堵住宫颈管似的，相当于无形中给子宫上了一把安全锁，阻止各种致病微生物往子宫和输卵管里爬。”

“这个好理解，盆腔炎多是致病微生物从外阴、阴道到宫颈、子宫最后顺着输卵管一路爬进盆腔的上行性感染，避孕药形成的黏液栓，应该是起了机械拦截作用。那预防卵巢癌是怎么一个原理呢？卵巢癌的发病机制不清，预防和早期诊断都是摆在全世界妇科肿瘤医生面前多少年的难题，一颗小小的避孕药就能预防了？”

“卵巢癌的发生机制是不清楚，是没有定论，但是最近有人提出排卵损伤学说，你知道吗？”

“不知道，什么意思？”

“每个月一次的卵子破壳而出，都是对卵巢表皮的一次损伤。有伤害就有修复，而修复就是一个细胞剧烈增殖分化的过程。众所周知，凡是活跃的、不稳定的、处于变化阶段的东西都是容易出错的，一旦细胞复制出错，接下来可能就是失去控制的异常增生，细胞分裂增殖机制失常导致的疾病，不正是癌症的定义吗？

“避孕药通过抑制排卵达到避孕目的，没有排卵就没有损伤，没有损伤就没有修复，一切静止的都是相对安全的，稳定压倒一切。使用避孕药的时间越长，患卵巢癌的可能性越小，就算以后不吃了，保护作用还可以持续很多年。另外，初步研究发现，避孕药对预防子宫内膜癌也有作用。”

“真是三天不学习，赶不上刘少奇，你丫懂得比教授都多啊。”

西医就是这么回事，你看了文献，就算你是一年级的小大夫，也能立马和世界接上轨，要是多少年不看文献，任你多少年的老大夫，有的也只是临床经验，说起新观念新技术，照样落在后头，得眨巴着眼听看了书的年轻人在前头白活。

“要是不漏服，吃药避孕是最保险的，你为什么不试试？别不是怕胖吧？”我问琳琳。

“胖我不怕，我又不是什么明星模特，胖那么一星半点儿的只有自己知道，别人谁会在意？而且我吃了几个月确实也没胖。避孕药不影响脂肪代谢，主要是引起水钠潴留，换言之长的不是肉，‘水胖’而已。还有一部分人胖，是因为药物中的孕激素成分导致食欲增加，自己管住嘴迈开腿不就行了，为了床上那点乐子，怎么也要在别的地方多付出一点不是，世间哪有不劳而获的好事儿。

“姑娘我也专门为这个看过文献，早期的一些研究确实提示避孕药导致体重增加，但随着不断扩大研究人群，并且进行年龄校正，后来得出的结论是体重增加并不显著。实际上，导致女性发胖的因素更多的是年龄和女性自身内分泌的变化。你看咱们的母亲，年轻时候都是高挑纤细的，现在不都成了大肚婆？我妈说她们那时候免费发避孕药，必须吃，她一粒没吃过都扔下水道了，所以才有了我弟，后来又有了我妹，再后来幸亏被计划生育部门上环了，否则，她还要继续生下去。”

“那都是过去了，国产的一二代避孕药早就跟随那个时代一起退出历史舞台了，新型避孕药里的雌激素含量越来越少，已经达到史上最少，而且还有不断开发出来的、号称最接近生理活性的孕激素，坚持服用的话，有效率超过 99.95%。既然不怕胖，你怎么不坚持吃呢？怕血栓和癌症？还是怕脑卒中和心梗？”

正说着，门口响起脚步声，琳琳示意我收声，并且赶紧把尿杯和试纸条塞到床底下，装作若无其事地看她那本《妇科手术学图谱》。

06
吃避孕药可能会得静脉血栓，但概率极低

果真，黄菲回来了。

“病房出什么事儿了？”我试图转移她的注意力，不让她发现琳琳床底下的秘密。

“腿上的静脉血栓脱落，一路游走进了肺动脉，靠，真被琳琳的乌鸦嘴说中了，深静脉血栓的蓝眼睛老外肺栓塞了。”

“我可不是故意这么说的。你怎么这么快就回来了？病人猝死了？是不是护士在料理后事，你英雄无用武之地了？”琳琳连忙解释。

“切，有我在，怎么会让这种病人死在医院里呢，那可是把我们协和人的脸丢到美利坚合众国去了。已经气管插管送ICU了，他们正在讨论，可能马上要组织溶栓。我回来是拿我的超长夜用姨妈巾，最近血崩，每次月经量都特大，这么一会儿工夫裤子就湿透了，白大衣也血染了。换了衣服我还要再去ICU看看，虽然不归我管了，但毕竟是我的病人。”

“病人多大岁数?”我问。

“我都血崩了你也不关心我，还问病人几岁，亏你还是妇产科大夫，一点职业敏感性都没有。病人36。”黄菲没好气地说。

女人都是不好惹的，琳琳在孕期不能惹，这个正处于经期，也不能惹，我不和她一般见识，自个儿说道:“明儿去病房找我，我让首席教授给你瞧瞧，我这种小大夫怕给你瞧坏了。你的病人才36，那么年轻怎么就静脉血栓了呢?”

“你就搪塞我吧，重点还不是想八卦我的病人?哼!告诉你吧，是旅行血栓症，国际航班的空中飞人最多见此病，这老美是个典型的白胖子，200多斤，BMI 32，一天20支香烟，有时还抽雪茄，陪父母跟一个夕阳红旅游团从旧金山机场出发来看北京的紫禁城，十几个小时的航程，下了飞机坐大巴，走在迎宾大道上就发觉左边一条腿又肿又痛，进了紫禁城还没看到皇上的珍宝馆就没法走路了。导游还真有经验，知道协和有外宾医疗，还离得最近，直接送咱们这儿来了。下午正好我值班，病人患肢明显肿胀，患侧皮肤温度低，足背动脉搏动几乎摸不到，Homan征和腓肠肌压痛试验均阳性，做了下肢深静脉彩超，DVT诊断明确，毋庸置疑。”

“BMI刚刚超过30，说实话，在欧美人堆儿里还凑合了，同一个飞机上比她胖的人肯定多得是，外国女人抽烟的多，都是同样窝在座位上不怎么活动，怎么单单就她一个人血栓了，夕阳红团里那么多老头老太反倒没事儿?”

“那我就不知道了，倒霉呗!谁说DVT都得落在老头老太身上。”

“她是不是坐靠窗的位置，实习呼吸内科时老师讲过，靠窗旅客的旅行血栓症尤其高发。”

“有道理，坐里边走动的机会少。这个我要收集一下资料，以后总结总结可以发表 SCI 论文呢。”提到科研和 SCI，黄菲的眼睛刷的一亮。

“牛！真是个学术脑袋，时时刻刻不忘 SCI，要是真发表了给姐妹儿弄个第二作者当当，风光一下，怎么说这也是我的创意，虽然来自无意。”

正当我和黄菲一来一去构建未来 SCI 蓝图的时候，一直没做声的琳琳抽冷子问了一句：“她吃避孕药吗？”

“哎呀，这个没问，这个怎么能不问呢？应该问，应该问！育龄女性，长期口服含有雌激素的复方避孕药是静脉血栓的高危因素，我怎么给忘了？我这就去问。”

黄菲是协和医大八年制的博士毕业生，一贯以临床思维缜密著称，公认的大内高手，私下里我们戏称她为“黄孝骞”。眼睁睁被一个主攻下三路、摆弄手术刀为生、线条粗大的妇产科大夫质问出病史采集方面的漏洞，黄菲多少有些挂不住。

只见她抿着嘴唇，二目圆睁，把马尾辫狠狠地按顺时针方向扭了几把，从笔筒里抽了根圆珠笔横着一插，旋即在头顶上盘了一个髻，二话不说，抄起桌上的呼机，摔门而去。

“还是你牛，琳琳，把大内高手整漏兜了。”

“还是你的贡献，刚才你不是正拿避孕药的那些罕见副作用拷问我嘛，怎么自己都忘了？”

一个内科医生在诊断女性血栓患者，尤其是老外的时候，必须想到口服避孕药，因为这是欧美国家应用最多的一种避孕方式。想不到就说明她的眼界还不够宽广，思维还不够缜密，狂妄有余之外，论真功夫，离张孝骞老前辈还差着十万八千里呢。

但是话说回来，在普通人群中，厘清口服避孕药到底和血栓性疾病有多大相关性这件事上，还是要客观公正的。否则，哪儿都写着口服避孕药和血栓性疾病有关，却没有专业人士站出来掰开了揉碎了好好给广大育龄妇女讲讲，自然令人谈虎变色。稍微有点知识的女性看了避孕药的副作用后都会想，就为床上那几分钟热血，愣是吃出一个下肢深静脉血栓或者肺动脉栓塞，后者还是个高致死性疾病，太不划算了吧！

1960 年，世界上第一款复方口服避孕药问世不久，即报道了用药后发生深静脉血栓及肺动脉栓塞的病例，20 世纪七八十年代我们国家自行研制的老一代避孕药，雌激素含量过高，这方面的问题也相当大，再加上当时对药物副作用的认识不足，对服用人群的管理和高危人群的甄别不够，真的吃坏了不少人。

随着新型避孕药中雌激素的含量越来越低，血栓的风险也降到了有史以来的最低。有研究表明，避孕药可使深静脉血栓的风险增加两倍，但是这结果因为存在统计学偏倚，仍然存在争议。就算真的增加两倍，也要先弄清楚，普通人群中血栓性疾病的发病基数实际上只有万分之一，增加一倍以后是万分之二，仍然非常低，属于实实在在的小概率事件。

以上所有的这些都是白种人的统计数据，感谢老祖宗，我们黄皮肤的亚洲人整个种族都属于血栓发生的低风险人群。

实际上，只有年龄大于 35 岁、每日抽烟超过 10 支、因为特殊疾病必须长期卧床、有静脉血栓病史或家族病史的女性，在服用避孕药的时候，才需要考虑血栓风险。

琳琳年方三八，才 24 岁，不抽烟不喝酒，虽然她后来学会了抽烟，身材苗条，体格健壮，没有既往病史和家族史，热爱运动，而且我们妇产科的工作又忙又累，整天急诊、产房和手术室地上蹿下跳，连续卧床 8 小时简直就是做梦，所以，完全可以忘记血栓这件事。

她和李天虽然没有结婚，但是属于比较稳定的一对一性伴侣关系，吃药其实是最好的选择，比安全套还好，不仅便宜、高效，还能防癌、祛痘，让大姨妈老老实实，减少月经的流血量，最重要是还不影响双方的性趣感受。

“避孕药是好东西，在国外已经安全使用了快 40 年，但真的吃起来还是挺烦的。你是不知道，开始是总想不起来按时吃药，我从小身体好，又没生在大观园，完全没有那种有事儿没事儿弄个冷香丸吃吃的习惯。再加上咱们住院大夫的夜班最勤，除了产科，其他部门都不让下夜班，动不动就俩晚上一白天的大连轴泡在病房，更想不起来吃药了。”琳琳躺在床上，脸一扭对着墙，一副不想和我诉说又很烦的样子。

“吃避孕药都有漏服的问题，及时补上就行了呗。人家说明书上写得很清楚，12 小时之内的漏服问题不大，及时补上就行，要是超过 12 小时，漏了 21 片药中的哪一片都有具体的补救方案，这个咱不是天天在门诊向病人宣教和提供专业咨询吗？”

“其实这个也不算啥问题，科学证明，当一个行为或动作每天都做，坚持 21 天，它就会变成一种习惯，如果坚持 90 天，那它就成为一个改也改不掉的习惯，到时候不吃药还跟丢了魂儿似的呢。”

“那你还不坚持吃？大姨妈规律，月经量减少，痛经缓解，一举多得，还能治你脸上的痘痘，预防卵巢癌和子宫内膜癌。你看那些住在癌组的晚期病人多受罪，找到协和又如何？有钱治病又怎样？生活质量和预后都太差了。”

“我告诉你吧，我吃避孕药，一不恶心二不头晕三不增重，就是性欲全无。我家李天说，这回可好，避孕效果百分百，我都不让他碰了，他都恨不得霸王硬上弓了。我不光性欲低下，连白带都没有了，估计就像你说的，都黏稠到一块儿，变成暖瓶塞堵在宫颈口了。吃了药以后，我真是两耳不闻床上事，一心只读林巧稚。人要是没了性欲真省心，我都恨不得一个礼拜只洗一次内裤。”

我的天！代谢异常、情绪改变和性欲降低等都是避孕药的罕见不良反应，我这哥们儿真够特立独行的，名副其实的小概率之王。

07
医生开给病人的第一张处方应该是关爱

“别说这些了，咱俩得想办法把这事儿尽快平了。”琳琳一骨碌爬起来，恢复了人定胜天的斗志。

“平啥？有了孩子你就生呗！你和李天赶紧登记，到时候把末次月经的时间往后改改，改到你俩的婚期里头，九个月后生一个足月的‘假早产儿’，你俩顺利晋升爸妈，谁也不会知道这是个婚前就种下的苗，婆家、同事都不会瞧不起你，多好呀！”

“你还挺会偷天换日那一套，生你个大头鬼呀！”

“为什么不生？怕工作合同吗？合同就是那么一签，新任院长不敢轻易抹了老一辈定下的文字规矩罢了，新时代的协和早跟过去不是一回事儿了，据说林巧稚前辈当年在协和签下的合同里，还不让女住院医师结婚呢。今非昔比，你看谁怀孕了被院长下令抓起来送去打胎的？

“院里和科里领导都以慈悲为怀，大不了说你不上进。只要身体好，熬到最后都是教授，早两年晚两年有毛关系！前两年一个在读博士怀孕，还没写出毕业论文进行答辩呢，就把孩子生出来了，不是也顺利毕业戴上博士帽了嘛。”

“谁呀？谁这么有勇气？”

“名字我没记住，其实有勇气的不是她，而是她的博士生导师。据说那老太太亲自给研究生院写信，说这个女学生自然流产三次，这次是她做妈妈最后的机会，无论如何不能打胎，课题如期完成就如期毕业，完不成就延期毕业，总之要先把孩子生下来。”

“确实是好博导，打着灯笼都难找。”

“你先别着急佩服人家的博导，我这是告诉你，别被什么劳动合同所困扰，孩子该生就生。”

“我不是怕这个。”

“那怕什么？怕李天不跟你结婚？”

“也不是，只是以前李天特意和我聊过孩子的事。我是完全无感，觉得离自己十万八千里呢，无所谓，但你知道吗，李天是个坚决的丁克主义者。”

“为什么？看不出来呀，他不喜欢孩子？”

“他一直不想生小孩。李天说这社会太操蛋，要是生他之前征求一下本人意见，他绝不来世上走这么一遭。他还一直坚持他的那个父母无恩论，说自己不过是父母荷尔蒙冲动后的衍生物。他一生下来就被父母扔给了农村的奶奶，从小体弱多病，父母忙工作，而且很快又在混乱和毫无理智的性冲动支配下有了不期而至的弟弟和妹妹，根本无暇照顾他。每次父母回农村看他，就是一大包衣物、一小包药物、一小小包糖果和一卷人民币。

“小发烧小感冒奶奶就连哄带骗地捏着鼻子给他灌药，结果他现在一口灰黄带黑的四环素牙；大感冒大发烧就背他去卫生所，不是打庆大霉素就是青、链霉素，一打就是一个月，打到后来腿疼得没法走路，都是奶奶背他回家。结果现在落下个‘臀大肌痉挛’的后遗症，两个膝盖保持并拢他就没法下蹲，他说自己就是半个残废，别人看不出来罢了。这个我只告诉你啊，你可别告诉别人，他挺在意这个的。”

小孩子发烧感冒是常事，绝大多数都是病毒感染，打消炎药根本没用，更用不着动不动就打一个月的针。把屁股扎成“臀大肌痉挛”也没啥，找外科大夫在局部做个松解手术就搞定了。李天应该感到庆幸，那些药物没有持之以恒地把他打成神经性耳聋，没有把他那两个小肾脏直接弄衰竭了继而终生透析，他就烧高香吧。

从李天童年的遭遇，足以看出过度治疗在我们国家是有着深厚的群众基础和悠久历史传统的。我实习感染科的时候，感染科泰斗王老太曾经专门和我们谈过过度治疗的问题。

她非常严肃地警告我们这些马上要被撒到临床一线、开始执掌处方大权的预备役大夫说：“当大夫的要记住，人吃五谷杂粮没有不得病的，很多时候机体有着强大的自我修复和愈合能力，治疗的原则是能不吃药就别吃药。我有个老年病人，就是躺床上吃大丸药愣给噎死的，结果一问家属，说老太太消化不好常年吃山楂丸，这种万金油不吃又能耽误什么大病?

“能吃药解决的问题就别打针，万一这一针扎到坐骨神经上病人就惨了；能打针解决的问题就别输液，输液那是要在静脉上做小切口，把不属于身体的东西直接输注到血液里，就算输最简单的葡萄糖或者盐水都可能发生罕见的输液反应，抢救不及时的话是会死人的。当大夫要学治病，但更重要的是知道自己有几斤几两，知道自己能干什么，不能干什么。很多病人不是被大夫治好的，只是没让大夫治死而已。”

最后一句，引得我们一群学生哄堂大笑。大家在嘻嘻哈哈之间就散课了，可能并没有太多人把老教授几十年行医生涯总结提炼出来的一番语重心长放在心上。

有时候，我们并不是学得太少，上了这么多年的医学教育课，细细回想，那些指导我们大是大非的方向性问题和关键性语句老师都有涉及，但是因为没有亲身的经历和体会，我们并不见得会往脑子里去，不见得会用心思索和琢磨。

很多时候，我们是忘却的太多，多少前辈大家的金玉良言远远赶不上年轻咕咕叫的肚子想去食堂吃饭的心情来得迫切，多少警世恒言都耳旁东风一般消逝得无影无踪，而当我们在疾病面前吃亏上当幡然醒悟之时，才回想起这些警告曾经多么真实和恳切地来过我们身旁。

大学毕业后，我回老家过最后一个暑假。东北的夜晚凉爽极了，我和爸妈看完电影牵手散步回家，路过人民医院时，听见一个妇女在号啕大哭。第二天才知道，她的独生儿子已经念高二了，因为发烧来人民医院看病，医生说应该就是普通感冒，想快点好不耽误功课就打针吧。家长怕耽误孩子学习，又不想看孩子难受，于是很快就划价缴费从药房领回一针安痛定、一针地塞米松，还有一针青霉素。结果，主药还没用，一个极小剂量的青霉素皮试，就出现强烈的过敏反应瞬间索走了高中生的命。

多年来，那妇人凄厉的哭号直指天庭，时刻震撼着我的内心，从我正式执业以来，每一次我的圆珠笔在中间垫着复印纸一式两份薄薄的处方纸上龙飞凤舞之时，我都在心里反复问自己，这药是不是必须？有没有给病人过度治疗？不吃药是不是也可以？吃了药以后的副作用会不会得不偿失？有没有更好的办法？

老主任说，医生开给病人的第一张处方是关爱，对于初出茅庐的医生来说，除了关爱，应该还有一张更重要的处方需要时刻谨记在心，叫作“不要伤害”。

一个医生即使已经开始她的职业生涯，虽然成年，但并不成熟，她仍然在职业道路上成长和奔跑着，她所见到、她所遇到、她所听到和所想到的都无时无刻不在历练、锤炼和磨炼她，影响她的人生观、价值取向以及世界观，并且最终使她成为一个如此那般模样的医生和女人。

08
紧急避孕药的服用方法不当，作用等于零

琳琳站起来，从床底下拿出洗脸盆，又从晾衣竿上扯下毛巾说：“走，别说这些烦心事儿了，洗澡去。”

我跟在她后面问：“不要孩子，将来就你们两个过日子吗？”

“对，不可以吗？丁克就是duouble income no kids（DINK）的意思，他说只想把爱给我一个人，不想把孩子带到这世上，也不要孩子的牵绊，就我们两个，工作的时候努力开创事业，生活的时候想去哪儿拔腿就走。古有‘修身齐家治国平天下’，我们的目标是‘瘦身成家挣钱游天下’，将来有了积蓄我们就走遍名山大川，吃遍天下美食。趁着胳膊腿好使，早点退休，周游世界，得癌了也不治，走到哪儿算哪儿，青山处处埋吃货。”

童年留给人的伤痕总是很重，过往像利刃一般刻进骨子，如同窑火将颜色烧入泥胎，永远无法去除，并且在潜意识里左右你和现实世界相关的一切决断。

病人生病从不挑时辰，病魔不休息，医院的工作自然也无法停歇，护士三班倒，还分前夜和后夜，医生白班夜班再加上没有准点的应急和加班，作息时间可谓五花八门，这导致什么时候从医院返回宿舍睡觉的人都有，协和的热水也永远是 24 小时提供。

水压巨大，炙热的水柱击打肩膀和后背的感觉就和按摩浴缸一个效果，当然了，后者是我从图片和电影的感官经验中揣摩出来的，我还没有机会体验真正的按摩浴缸呢。

我瞟了一眼旁边水龙头下的琳琳，她两眼发直，正用一条黄色的毛巾机械地搓着肚皮，一副想把肚子里的孩子搓出来、再顺下水道冲掉的样子。

穿衣服的时候，琳琳还是不说话。

我说："买杜蕾斯你嫌贵，吃避孕药吃得你性欲全无，你还没有嫁人没有生娃，带环也不适合你，但也不是没有别的招儿啊！你还可以使用杀精剂，性生活之前塞在阴道里，精子射进你身体的一刹那，只需三十分之一的剂量就足以剿灭一次射出的全部精子，一个都别想钻进子宫和输卵管，就算进去了也跑不了多远，就算跑到了输卵管也是贼能力全无，正确使用，避孕效果在 95% 以上。"

"唉，你就别烦了，你一个完全没有实战经验的理论者，还总教育我。你当我俩那个出租屋是避孕药具专柜呢，想来啥就有啥吗？感觉一上来，两个人干柴烈火的，上哪儿现买去？而且就算买回来，还得预先放进阴道，利用身体的温度让药片预热融化才行，箭在弦上，实在等不及，你不懂。这玩意儿我以前也试过，买的还是进口的，我用完下身灼热，痒痒，难受极了，我觉得自己可能是对药物或者其中的辅剂成分过敏。"

“你真是名副其实的小概率之王，书上没怎么描述的副作用你都有，牛！”

“这算什么，我要是再告诉你一件事，准保你立马对小爷我的超强生育能力顶礼膜拜。”

“啥？”

“其实，我怎么会不知道那个体外排精不靠谱呢？那之后的两天，我总是后脖颈子冒凉风，觉得要出事，为了万无一失，我都买毓婷吃了，结果还是中弹了。”

毓婷是事后紧急避孕药的一种，是在无保护性生活后，或觉察到避孕措施失败（避孕套破裂、滑落等），或者发生非意愿性性生活（被强奸等）后采用的一种“紧急避孕”措施，目的是预防非意愿妊娠的发生。它的有效率高达98%，失败的2%大多是由于人为的使用不当，例如，首次服药时间越早越好，超过72小时无效；呕吐后必须及时补服；一次毓婷只对最近一次的性生活负责，之后再有性生活必须另外采取有效的避孕措施。

有的年轻人性生活不规律，性伴侣不稳定，根本不避孕，兴致来了就毫无保护措施地打一炮，事后吃两片毓婷灭火，更有甚者在短时间内连续多次服用毓婷，这样的避孕措施都是不正确的，避孕失败的可能性极大。连续多次服用毓婷还有害身体健康。

女孩子永远要记住，从科学避孕的角度，事前自己买套戴的男孩子，强过事后给你买药吃的。

可琳琳是在事后两天，也就是72小时内吃药的，我知道的这些，她也同样知道，为什么还失败了呢？

“你是不是服药后呕吐了，没有及时补药？”我大胆猜测。

“说对了，我是头一次吃这药，传说中孕激素引发的恶心、呕吐真不是盖的，任你有多强大的意志力都没用。吃完药后，好不容易忍了十分钟，但最后还是连胃里的东西一股脑全吐出去了。”

“那你再吃两片，补上啊！”

“本来打算抽空溜到东单门口的药店再买两片补上的，结果，因为一台急诊手术，生生把时间给错过去了。”

“哎呀，我想起来了！就是车娜带我们做的那个疤痕妊娠急诊手术吧，咱俩去王府饭店吃饭那天？”

“对，算你记性好，会联想。”

“你怎么不早说呢？就算毓婷来不及补上，还有最后一个补救方法呢。无保护性生活之后120个小时之内，请医生在子宫里放置一枚含铜避孕环，能有效阻止受精卵着床。”

“我知道，放环不是动静太大嘛！当时我算了算日子，觉得应该不是最危险的日子，也就没管那么多，唉，还是大意了。

“说一千道一万，我就是活该加命苦，确实是走钢丝忘带杆儿了。现在回想起来，敢情我这是把自己的命运完全交到别人手里去了，而且还是一个头脑发热、荷尔蒙上窜、意乱情迷、正处于下半身思考中的男人。就算这个男人一百个靠谱，他那些小虫也不是个个都听他指挥啊。唉，脚上的泡都是自己走的，没有小束缚，定有大伤害，你瞧，这不都在这儿等着我的嘛！”

“我不射在里面”堪称全世界男人的极品弥天大谎。世间最具摧毁力的谎言往往是最具诚意的，因为说谎者连自己也一块儿给骗了。开始可能只是“我家没人，上来坐坐吧，我真心尊重你，我们喝茶聊天，哪怕多看你一会儿都行”；

然后就是“你真美，让我抱抱吧”；之后是“我只在外面，不进去”；再之后是“我轻轻地，一点都不疼”；“我不射在里面，保证不会让你怀孕”。最后，两人一起神情沮丧地出现在妇产科诊室，共同面对试纸条上的两道杠和化验单上的阳性符号。

人类的性欲是随时随地就能风起云涌，不需要按照季节轮替的。据说除部分灵长类动物以外，人类是唯一只为快感、不以生育为目的而进行交配的动物。

避孕是世界性难题，除非禁欲，否则女的结扎、男的绝育都可能再弄出小孩，连科学家都不能百分之百搞掂的事，甜蜜冲动的爱侣，又如何能在不借助外力和工具的情况下，做到只享受快感而不承担后果呢?

09

戴安全套是一种现代文明

我和琳琳互相吹干头发，正打算睡觉。咣当一声，门开了，黄菲从病房回来了。

她把BP机往桌上一扔，气急败坏地说：“被你们说中了，白种人，胖子，一天20支烟抽了18年，16岁第一次有性生活，不间断服用避孕药20年，十几个小时的长途航班，坐在靠窗的位子，为了少去洗手间，一杯水没喝过，血栓没跑儿。”

“真够严谨的，回去补充病史去了？”琳琳问。

“妈的，这么一会儿，卫生巾又湿透了，我裤子又脏了。”

“你月经过多，明儿赶紧去看妇科内分泌吧。”琳琳说。

“我做过B超，子宫内膜不厚，也没肌瘤，我这是特发性月经过多，遗传我妈，她一来月经就不敢动弹，否则大血块儿呼呼地顺着腿往下流，我姐和我妹也这样。”

“你应该吃口服避孕药，至少减少 50% 的出血量，长期这样下去你会贫血的。”琳琳说。

“我还没男朋友呢，吃那玩意儿干什么？”

“避孕药除了防止生孩子，还有很多非避孕益处，减少月经量，缓解痛经，特殊种类的孕激素能对抗你体内过盛的睾酮，祛除青春痘，而且还能预防子宫内膜癌和上皮性卵巢癌。”琳琳说。

这死鬼，还挺会现学现卖的。我暗想。

“我不吃！你让一个刚从死神手里夺回因为吃了 20 年避孕药而发生肺栓塞病人的内科医生主动去吃罪魁祸首，简直是与虎谋皮，你让我情何以堪？”

“那么怕血栓，有本事将来别怀孕、别当妈！”

“这和怀孕有什么关系，扯远了吧？我妈还让我将来至少给她生三个外孙呢。”

“如果我告诉你，健康女性怀一次孕的血栓风险是服用避孕药的 5 ~ 10 倍，你还敢怀孕当妈吗？”

“真的？”

“有文献数据支持的，谁跟你闹着玩儿？隔行如隔山，想当黄孝骞没那么容易，盲点太多不行。”

“我自己查查文献再说吧，得洗洗睡了，困死了。”黄菲拎着换洗衣服和洗澡篮子去了浴室。

* * *

只要不打算生育，一定要避孕，没有最好的避孕方法，只有最适合自己的避孕手段。一切不以生育为目的又不避孕的性交都是耍流氓，一切不以生育为目的又不避孕的性伴侣都是“小竖子”，不足与之为谋。

下次再和男朋友约会的时候，我打算事先在包里藏好安全套，随时有计划有准备有预谋作案。我的命运要掌握在自己手里。在四处奔逸的思维中，我迷迷糊糊地睡着了。

中间，我听见黄菲洗澡回来了，她总是那么大动静，风风火火地，不像个内科大夫。

后来，我又听见琳琳叽里咕噜的梦话：“你说，我还美吗？还美吗？”

“美，你是天下最美的姑娘，生不生孩子你都美，未婚先孕你也美，打过胎你也美，你是因为我而伤痕累累，你在我心中是最美。”不知为什么，我的眼睛有点湿润，我在心中暗暗回应她。

但愿，男人的心里也是这么想的；但愿，李天也是这么想的。

＊ ＊ ＊

每天清晨，听到闹钟不停吵叫的一刻，我总是萌生这样的想法，一个不能睡到自然醒的人，活着毫无意义。

揉着惺忪睡眼，我朝对面床铺瞄了一眼，琳琳在啪啪啪毫不留情地往脸蛋上拍擦脸油。再看黄菲那边，早已人去床空，这是一个睡得比你和狗还要晚，起得比你和鸡还要早的人。

协和就是这样一个平台，放眼望去，身边的同事不论智商情商都比你牛 ×，可怕的是，这些天资就比你高得多的人，还个个都比你勤奋。你完全没的选择，除了把姿态低到尘埃里，还必须在这群精英奔跑留下的暴土扬尘后面奋起直追，指望着哪一天终于也轮到自己开出一朵小小的花来。

我和琳琳在食堂一角找了位置坐下。自从我在萧峰手下当实习大夫，在手术室晕台现眼以后，我俩就都养成了吃早饭的好习惯。我是吃了豆才知豆腥味的主儿，琳琳比我强，看到别人经历的风雨，轻易便能找到自己的彩虹。

长大以后，我觉得我妈说的好多话都曾经是那么千真万确。例如我妈说，人生经验无他，就是吃一堑长一智；我妈还说，摔跟头不怕，哪儿摔的就哪儿爬起来，最怕的就是吃一百个豆，还不知道豆腥味。

我妈其实还跟我说过好多话，都是她苦心教育我的实证，可我都记不大清楚了，当初都把它们统称为“无用的唠叨”。在和她长年的斗智斗勇中，我渐渐学会了阳奉阴违，很多事我并不同意她，但我也不反驳，唯有如此，才能让她话少点，自己的耳根子清净点。例如，我一直认为，反正都摔倒了，不如就地歇会儿，懒懒地晒个太阳顺便发个呆。人生是长跑，比的是耐力，不能总在起跑线上憋足了劲，整天蓄势待发地跟别人抢跑。路上还不能跑太快，这样会不小心落下灵魂，那将是很糟糕的事。而且，跑太快你就看不到一路风景，终点撞线的一刻人生即将嗝屁，再辉煌又有多大意义？

实习的时候，琳琳在《读者文摘》上看到一篇二战后日本人每天一袋牛奶强壮大和民族的心灵鸡汤，为了用有限的金钱最大限度增强体质，我俩决定每天早晨喝牛奶。可是奇了怪，早晨喝完牛奶，整个上午都不消停，不是放屁、打嗝就是肚子疼、拉稀，必是跑到厕所一顿稀里哗啦才算完事。

我俩自认穷苦命，无福消受牛奶这种洋玩意儿。

有天早晨在食堂碰到营养科的于康老师，我俩才知道还有中国人的肠道大多对乳糖不耐受这回事。于老师告诉我俩，吃一片面包或者咬两口大馒头再喝牛奶，或者把牛奶放在一餐的最后享用，而且不要一次喝太多喝太快，这样可以减轻乳糖不耐受症状。我俩如法炮制，果然解决了问题，牛奶、油饼外加一个白煮蛋的土洋结合，成了我和琳琳多年的早餐标配。

我和琳琳接受传统医学教育，在医科大学念书时根本不知营养学为何物，眼里只有手术台上呼风唤雨的外科大刀、全院大查房妙语连珠逻辑条理无懈可击的内科大牛。

每每在楼道、电梯偶遇于康老师，只是礼节性地打个招呼，压根没把他放在眼里，总觉得他一米八几的大个子，也是正经的医科大学毕业，整天躲在临床大后方的营养科，就为糖尿病人配个糖尿病饮食，为高血压心脏病病人弄个低盐低脂菜谱，这谁不会，能搞出多大名堂。

牛奶事件后，我俩一致认为，随着改革开放，人民的生活水平不断提高，饥饿了很多年的中国人在吃饱以后，势必吃撑，势必吃出诸如高血脂高血糖等富贵病。

“吃”总有一天会成为人民生活中的头等大事，虽然不能把吃出来的病再吃回去，但是指导人们吃什么、怎么吃、如何科学地吃却可以实现“上医治未病”的最高境界。

不出所料，十年后，于康老师红遍大江南北，成为少妇壮男，尤其是中老年人的全民健康偶像。

* * *

琳琳的早孕反应不是一般的重，根本没有食欲，她把油饼扔给我，牛奶也没喝。我怕她顶不住一上午的工作，准备把牛奶倒给她一半。

“不要。”琳琳快速地把饭盒挪到一边，“水都不想喝，喝多了更想去厕所。”她一边剥着白煮蛋的蛋壳，一边显露出又不耐烦又不领情的臭德行。

鸡蛋，从外面打破只是食物，从里面打破就是生命。不是所有生命都带给母亲喜悦，比如琳琳子宫里那个意外生发的豆芽，就让她从心到胃再到膀胱，一根经脉上哪儿都闹腾。

据说青春期、月经期、妊娠期和更年期的女人都是不可理喻的，我干脆收回饭盆，将牛奶一饮而尽，问琳琳：“李天想丁克，你就跟着他丁克？你有没有问过自己到底想不想当妈？”

“我每天都和自己的心灵对话，这个还用你提醒我？可我的想法有个屁用？我和李天还住出租屋，两个苦逼小大夫，一个人的工资都给了房东，另外一个人的工资勉强对付吃喝拉撒和百无一用的精神生活，拿什么养孩子？美妙的孩子来了，还意味着一个保姆或者一对隔着 18 个代沟的老人同来，我往哪儿放他们？”

“我们现在挣这几个钱，确实没条件养孩子，不过我们父母那一辈不也是一穷二白就生下我们和兄弟姐妹，我们不也都幸福健康地长大了吗？”

“幸福可以肯定，这东西纯粹是一种主观感受，和物质生活完全不搭边儿，而且不随物质生活水平的提高而与日俱增，没法说被父母锁在家里玩电子游戏的孩子就比在阳光下撒尿和泥的孩子幸福。

“但健康就是另外一码事儿了，我喝米汤长大，1 米 55，A 罩杯，瘦枯干瘪；我妹喝奶粉长大，1 米 65，C 罩杯，发育得那叫一个标致，每次看到她的波涛汹涌，我就恨我妈把我生太早；我弟全母乳喂养，都 5 岁了，院子里疯够了跑进屋掀起我妈衣襟就把人奶当解渴饮料喝，小伙子内心阳光灿烂，身体壮得跟个牛犊子似的，哪儿说理去？”

琳琳一番话，令我不由审视起同样瘦小干枯的自己，别看我出生时8斤高高的，无非是我妈妊娠糖尿病孕期血糖过高催生出来的外强中干“巨大儿”，看着白白胖胖，一掐都是水，整个就是脆弱、不堪一击的虚胖“石膏儿”。我比琳琳强点儿，我是喝大庆牌奶粉长大的，因为没好好吃上几天母乳，等我把“二十三还窜一窜”的后劲都用完了，还是没长到1米6，终极身高还不如我妈。这不仅反证了“先胖不算胖、后胖压倒炕”这句老话，还为那些生下来不到8斤，但是先天健康、后天营养充足的孩子间接印证了“有苗不愁长”的道理。

10
所有医生都不想碰上的杀手：羊水栓塞

我妈生性好强，以事业为重，避孕措施得当。她年轻的时候有个好朋友叫戴淑兰，戴阿姨生第二个孩子的时候，我妈才生我这个老大。我妈说要不是避孕失败，在已经开始倡导“少生孩子多种树，少生孩子多养猪”的计划生育政策初期，她这种又红又专的时代女性绝对不可能再生出我弟的。

我妈和戴阿姨是一个中学的老师，前后脚怀孕，早晨一起上班，上午给学生上课，中午捧着从家带来的饭盒吃饭，下午一起备课，周日有空一起逛街，几乎形影不离。

下课的间歇，两个人各自手心里攥着一块那个时代特有的粉红色卫生纸，一边聊着天，一边按对角线最短原理，走过学校巨大的长方形操场去上厕所，那是她们逝去的青春。

我妈预产期比戴阿姨早一个月，生了我还没坐完月子，就赶上戴阿姨肚子疼。

我妈不顾我爸的劝说，一定要陪戴阿姨生孩子，她说自己就算帮不上什么忙，也是精神支柱。20世纪70年代初，很多人还是请接生婆到家里来接生孩子。于是，我妈抱着我去了戴阿姨家。

戴阿姨生过一个女儿，这是第二胎，从肚子疼到宫口开全进入实战的第二产程，平均只需6～8个小时，她宫缩强，开指也快。我妈说抱着我刚到一小会儿，就听戴阿姨说有那种憋不住想大便的感觉。

我妈说："太好了，那你现在快使劲儿啊！生孩子就跟拉屎一样，双脚蹬住炕沿，等屎尿都出来了，孩子也就呱呱坠地了，我生小羽的时候就这样。"

每一次宫缩来了肚子疼，戴阿姨就深吸一口气，然后闭嘴瞪眼，胸肌腹肌肛提肌全跟着子宫平滑肌一起使劲，我妈在一旁大喊一二三加油。

大概生了小半个时辰，孩子还是没露头，戴阿姨满脸大汗直喊口渴，我妈去拿暖水瓶给她倒水。我妈端着印有"毛主席万岁"字样的搪瓷缸子，刚从厨房迈腿进屋，就见戴阿姨身下一道青龙鱼贯而出，又听戴阿姨一声尖叫，之后她好像被什么东西噎着了喉咙，又好像被什么东西呛着了，喘不上气儿来。

我妈吓得一哆嗦，搪瓷缸子顿时打翻在地。她连忙跑过去给戴阿姨摩挲胸脯顺气儿，正好赶上下一阵宫缩又来了，一下子戴阿姨整个人变成了一个大长条的紫茄子。

我妈后来说："哎呀妈呀！那紫青色太吓人了，难以形容，看过之后印进脑海，抠都抠不掉。"

戴阿姨两眼上翻，烦躁不安，和她说话也不理，好像谁都不认识了，身体还一下一下地抽搐，而且越来越喘不上气来，再后来，别说使劲生孩子了，干脆整个人瘫软在炕上。

接生婆没有了刚才耀武扬威、指点江山的气势，除了上掐人中、下捏虎口，什么都不会了。大家问她怎么办，她颤巍巍地说："不知道啊，没见过呀，我接生跟我姥姥学的，她碰上难产的时候就唱'大柜小箱开了口，娃子才敢往外走'，快，大家快把家里带盖的家具都打开，有门的物件都敞开，快，快去！"

一群男女老少还真听她的指挥，七七八八叮叮咣咣地开门、拉窗、掀箱子盖，连戴阿姨4岁大的女儿为了救她妈也一边哇哇大哭着，一边跑过去用力拉大立柜的门。

戴阿姨仍然不省人事，接生婆又出主意："找铁秤砣放醋里架锅烧，再放产妇鼻子底下熏，原来碰到生孩子晕过去的，都是这么一熏，人就醒了。"

戴阿姨的男人彻底慌了神，抽身就要去找秤砣，我妈一把拉住他说："老吴，出大事儿了，咱别瞎折腾了，赶紧送医院吧。"

她家男人浑身力气正不知道往哪儿使，听了我妈的话恍然大悟，一把卸下半扇门板，街坊邻居七手八脚把戴阿姨往人民医院送。

好不容易折腾到抢救室，医生摸了摸戴阿姨的脖子，又听了听心脏说："没希望了，人都死就生儿了，趁热乎赶紧穿寿衣、料理后事吧。"

我妈还算懂些医学常识，壮着胆子翻开戴阿姨的眼皮，两个触目惊心的大黑瞳孔跳入眼帘，她心一沉，心想这下没救了。生孩子本是喜事，竟然转眼变成丧事，可怜的娘亲和她那没见天的倒霉孩子一起走了，这才真是"黄泉路上无老少"。

"戴淑兰的小孩就是被那道青龙带走的，青龙也带走了她自己的魂儿。"我妈眼睁睁看着一个好好的大活人生孩子愣给生死了，打那以后，她本来不多的奶水彻底断了流。"儿的生日，母的难日。"我妈讲完戴阿姨的故事之后脱口而出这句话。那一刻和那以后，这话一直华丽丽地击中了我。多年来尽管生活并不宽裕，但每年9月生日的那个煮鸡蛋，我都是主动递上，让我妈吃第一口。

* * *

学医后，我猜戴阿姨死于“羊水栓塞”。胎儿在妈妈子宫里只是喝羊水排小便，不吃不拉不喘气，营养全靠一根脐带连接的胎盘输送。胎盘是挂在子宫上的发动机，源源不断地进行母胎之间的物质交换。胎儿被胎膜包裹，游弋在羊水之中。胎膜不厚，像煮沸晾凉后结出的奶皮，分两层，靠母亲的一层粗糙，叫绒毛膜，靠胎儿的一层薄如蝉翼，叫羊膜。

分娩过程中，胎膜多因子宫腔产生的压力自然破裂。我妈说她看到戴阿姨用劲的时候，有青龙从下身腾跃而出，这一定是羊膜破了。此时，宫腔内压力巨大，甚至高过人的动脉血压，如果你回忆一下电影里人抹脖子自杀时，割破颈动脉一腔热血狂飙而出的情景，就可以想象破膜时羊水喷涌的速度和模样，而且羊水是青白色的，可不就像一道青龙飞出嘛。

我们这些菜鸟刚进产房的时候，总是早早穿好手术衣，戴好消毒手套，然后一双眼睛死盯着病人屁股随时准备接生。因为全部注意力都集中在阴道口，自然破膜的瞬间，我们常被喷得满脸满身的羊水，又不敢瞎咋呼乱叫唤，只能坚持到胎儿胎盘娩出，检查软产道有无裂伤，最后缝合完侧切伤口再下台清洗。除了被喷，过去的产科医生还使用玻璃吸管清理新生儿鼻咽部的羊水，用力不当或者羊水太多的话，很可能直接把羊水吸进嘴里。

羊水的气味就像京城五月的槐花，产房里永远弥漫着精液一般的味道。

破膜瞬间的压力，不仅超过动脉压，更大大超过母体静脉压。大部分羊水随胎膜破裂，从阴道喷涌而出，这时，一小部分羊水可能被挤入破损的微血管，进入母体的血液循环。足月妊娠的羊水并不像纯净水一般清澈透明，而是略显浑浊，其中除了水分，另有无机盐、白细胞、白蛋白、尿酸盐、大量的激素和酶，还悬浮着很多片状有形物质，包括胎儿表面如雪花膏一样的凝脂、胎儿不断长大后脱下的皮屑，以及柔软的胎毛。

这些有形物质就是羊水栓塞的元凶，它们一旦跟随羊水进入母体血液循环就会引起剧烈的过敏样反应。羊水栓塞 1941 年由 Steiner 和 Luschbaugh 首先提出来。羊水栓塞起病无因，来势汹汹，短时间内心肺功能迅速衰竭，全身血液进入无法凝固状态，全身皮肤黏膜出血，身上很小的切口或者打针的针眼都会大量渗血，产妇肾功能衰竭，很快进入尿毒症状态。

羊水栓塞非常罕见，平均每 8000 至 80000 次分娩才可能出现一次，更精确的数字是每 20464 次分娩才可能出现一次。绝大多数产科医生在整个执业生涯中，可能从未经历过羊水栓塞。北京市每年都会有一两例，年头不好的时候，甚至会有孕妇死于羊水栓塞。此病死亡率 80%，和子宫破裂、脐带脱垂、产后出血并称为产科四大穷凶极恶杀手。

一个妇产科大夫要是一辈子没在这四大杀手面前栽过跟头死过人，金盆洗手之时，必须上高香，感谢祖师爷关照。如果在每一次的遭遇战中，都能第一时间识别，并且组织实施有效救治，最后还能化险为夷、有惊无险，可谓圆满收山的产科大家。

11
初乳赛黄金

我妈27岁生我，我出生时候8斤,31岁生我弟，他生下来的时候7斤8两，都够重的。52岁那年，我妈在老家被人民医院的权威妇产科医生诊断为“轻度子宫脱垂”。

她在电话里鼻涕一把泪一把的，把脱垂全赖在生育和拉扯我和我弟这两个要账鬼儿身上。极力安慰正大闹更年期的老太太之余，我也帮她分析了脱垂的原因，生孩子累的是主要原因，我俩难辞其咎。随后，我又把她月子里不好好休息，自己子宫还没复原好，就去看人家生孩子，还跟着喊号子的陈年旧事给揪了出来。

听到这个，我妈立即转移话题说：“唉，也怪我，人家生孩子，我站旁边喊号子的时候，真是不由自主地跟着往下使劲儿。小羽，你说我动的那是丹田之气吧？”

“是啊，我们在产房接生的时候，都这样。产妇宫口开全后，宫缩一来，我们就喊‘深吸一口气闭上嘴，手往上拉，脚往下蹬，使劲儿！使，使，使，使……’，一口气连喊十几个‘使使使’以后是‘深呼吸，换口气再来！使，使，使，使……’。一天里生多少个孩子，我们就跟着喊多少回号子，就跟着间断频繁地运多少回合的丹田之气。您说您脱垂了找我诉苦，我将来要是脱垂了，找谁哭去？”

“哎呀我的女儿，那你可悠着点儿，你这才多大岁数，孩子还没生呢，别老了跟我似的。”听了这个，老太太不再顾影自怜，开始关心自己的亲闺女。

“放心吧，我们干妇产科的都有保健妙方，教授们身体都棒着呢，60多岁了还照样站手术台。她们年轻时候还不是跟我们一样，整天在产房里喊着号子接生，也没见谁子宫脱出来。”

“什么妙方？快告诉我，我也试试。”

我说的妙方就是持之以恒地练习会阴收缩运动，也叫凯格尔运动，是美国洛杉矶一个叫阿诺德·凯格尔的医生发明的。说白了就是小便到一半的时候，能够中断尿流的那个动作，或者收缩上提肛门，停止排便的动作，是女性预防和治疗子宫脱垂，阴道壁膨出，预防老年人尿裤子的绝佳方法。

“唉，老妈，说的是那个动作，不是真正让您憋尿憋尿啊！最好是没屎没尿的舒适状态，比如等公共汽车、读书看报，或者坐在沙发上看电视的时候做。每次坚持5秒钟，用力收缩5秒然后放松5秒，这样重复4~5次为一组。之后根据个人能力，逐渐加强运动强度，每次收缩和放松延长到10秒，每天可以做很多组，你和我爸可以互相监督，一起做，据说男的做，还能治疗前列腺肥大，增强性功能呢。”

“越说越不像话，得了，我知道了，你好好工作吧。”我妈那边咔地挂了电话。

* * *

戴阿姨死后不到半年，她家男人就又找了一个黄花大闺女，这导致我妈常年把“男人都不是好东西，离开女人没一个能守住”的口头禅挂在嘴边。

地球自转加公转，一切都没变。这个因为生产死掉的女人，不仅连累自己4岁的女儿没了亲娘，还吓得我妈没了奶，间接断掉了我的黄金口粮。

虽然没被母乳滋养，但我还算庆幸，吃到了人世间最珍贵的初乳。

初乳是人类来到世上的第一口粮食，初乳滴滴赛珍珠，初乳蛋白质含量高，热量足，容易消化吸收，虽然量不多，但特别扛饿，足以喂饱新生儿栗子大小的胃。

初乳更含有母亲在过往时日经受雨雪风霜各种自然洗礼，躲过一场场诸如水痘、麻疹等疾病侵袭后锤炼出来的抵抗力，这些防御力以抗体连同补体、免疫球蛋白的形式，通过初乳传给孩子，保证弱不禁风的小生命在出生半年之内几乎不生大病。

产后头几天的初乳堪比软黄金，中国民间却有种说法，说产妇最开始下来的奶是脏的，并冠名“灰奶子”。也不知这俗名是我们中华民族哪一辈活祖宗给取的，听上去就恶心，让人索性把它挤出去泼到石头上，也不想喂给孩子吃。

此时，汉语强大的祈使功能暴露无遗，听到“灰奶子”三个字，要不是学习型或者天生强悍型的辣妈，再没个主心骨遇事站不稳脚跟，被迂腐老人、邻居大妈或者冒牌月嫂一忽悠，真可能就把这软黄金一般的好东西挤掉，扔了。

我妈生我的时候，姥姥奶奶因为各自的原因，都没来伺候月子。我妈一直把这话把儿攥在手里，时常拿出来数落俩老太太，不过塞翁失马焉知非福，没老人伺候月子，我倒受益良多。

除了如期喝到初乳，我还逃过了“挤奶头”可能导致的急性化脓性乳腺炎。民间一直有这样一种说法，女孩出生后不挤奶头，长大后会变“瞎奶头”，也就是“乳头内陷”，将来当妈也没奶喂给自己的孩子。

我更没有被老人拿硬布蘸香油擦牙床上的“马牙子”，或者用烧红的钢针扎牙床上那些无辜的小白点，从而逃过败血症以及日后乳牙萌出受损等悲剧。

话说“一辈辈的傻妈带娃学外婆”，那年代为了防止孩子罗圈腿或者外八字，流行用长布条捆腿，把孩子打成“蜡烛包”，其实这样反而容易造成孩子髋关节脱位。当时没人教我妈，她也学人家弄了两个红布条子比划半天，却怎么也绑不明白，被我爸一句“百无一用是书生”调侃后，我妈发了一通脾气索性放弃。结果，我自由生长的两条腿长得也挺直溜，还跑得不慢。

* * *

因为工作，或者称为事业，这些当时看似没有比之更重要的东西，以及我妈因为罕见的羊水栓塞被惊吓得只剩水没有奶的“乳房现状”，我们母女间的粮食供求关系彻底中断。于是，我被我妈毫无顾忌、名正言顺地丢给了姥姥看管。

这一甩手，就是7年。

直到上小学，我才从姥姥家回到城里。脚踩刷着红色油漆的水泥地面，胆怯地摸着大衣柜上木雕的花纹，我被抽屉上拧着的五彩玻璃把手晃得眼晕。我妈怀里吃奶的弟弟，我爸脚上的塑料拖鞋，一切对我而言陌生又新奇，和我在农村整天摔泥炮儿的生活如隔岸的灯火，遥远，疏离。

在隔代老人的照顾下，我过得还算轻松快乐，但这导致我无法补偿的母爱缺失，我甚至不敢主动拉我妈的手，对于母亲偶尔为之的主动搂抱也总是唯恐躲闪不及，并且会在突然之间生出浑身的鸡皮疙瘩。无数个暗夜，我一个人睡在小木板床上，独自渐渐长大。内心里，我无比渴望温暖，但表面上我从不动声色，也不主动表白，这造就我一生的矛盾性格，越是真爱的东西，我越是搞不定，只能默默折磨自己。我不愿说出内心真实的感受，包括痛苦，因为，说了也没用。

有诗人说，人生就像彗星，头部密集，尾部散漫，最集中的头部代表人的童年时期，童年经验决定人的一生。回顾童年，你会发现其实很多东西早已决定，后来我做医生，救病，有时候，也救命，夜深人静的时候，我在高处俯视另一个自己，发现自己也是一个急需救治的病人。

满月后，我靠大庆奶粉和五谷杂粮熬成的各种稀饭米粥完成生长，姥姥说奶粉里要加很多白糖，否则我会把奶嘴儿往外吐，支楞着小脑袋不肯喝。不知道是不是因为缺乏母亲的拥抱和乳房温暖柔软的安慰，我每晚必须抱着奶瓶饱喝一顿，含着奶嘴儿才肯乖乖睡觉，这导致我一口乳牙很快烂得只剩一排黑黑的小牙根。

那时候还没“奶瓶龋齿”这词，我姥把这事告诉我妈。我妈说乳牙迟早要换，没事。殊不知，乳牙一旦龋齿，又得不到及时治疗的话，甚至会影响日后恒齿的萌发。

时间的流逝，帮我换掉了一口小黑牙，但是因为没吃多少母乳，我自小孱弱多病，和李天的命运大同小异，我也是大病打针，不是青、链霉素就是庆大霉素，小病吃药，不是磺胺、新诺明就是四环素。我没病死，也没肾衰、耳聋和过敏性休克，却换得满口70后极富时代气息的四环素牙。

小时候，老师总说我们是时代的宠儿，祖国的花朵。长大后，我觉得没那么严重，除了完成人类延续这一重大历史使命外，我们还在义无反顾地充当时代的小白鼠。

美国60后的海豹儿，拯救了70后的全胳膊全腿儿；中国70后的四环素牙，拯救了80后一口相对整齐洁白的牙齿；80后、90后也没跑，一样要承担他们被迫学习奥数、练习钢琴的历史命运，并且无从体会什么是一奶同胞和手足情深。

实验室被施以“拉尾断颈法”的小白鼠临死之前还挣扎嘶叫、手蹬脚刨，而我们所经历的这一切都是在人类自以为征服了自然、改造了世界，一副人定胜天的扬扬得意之中安然完成的。病痛不是惩罚，死亡不是失败，活着也不是奖赏，个人那点爱恨情仇到最后都是浮云。

人世间诸多因果轮回，医生也不知道，也许只有如来佛祖知道。

12
患者之间随便换病床可能引来“杀身之祸”

吃完早饭，我和琳琳到洗手池洗饭盆漱口，抹了把嘴巴以后直奔病房，两点一线的生活马上就要开始。

“即使一切物质条件具备，我心里也没准备好。有了孩子以后，肯定不能像现在这个活法儿了吧？整天围着孩子就忙活他那两头了，喂完奶就是伺候屎尿，这种完全没有自由的生活，起码对目前的我来说是难以想象的。再说了，我们的事业刚刚起步，才开始住院医师轮转，我就去休产假奶孩子，不知道要被人家甩下多远，1 万米长跑都要被扣圈了。

“怀孕当妈哪是那么容易的一件事儿？金发碧眼唇红齿白，在美丽的乡村别墅微笑着安心照顾粉嫩婴儿的母亲，那都是广告画面和美国大片。无数的难眠之夜，哭叫不停的孩子，喂了奶、换了尿布又极尽能事地连哄带抱之后，仍然不知道他为什么哭得沮丧，这些情况有多少人在当妈之前想过或者知道？”琳琳把饭盆放到公共碗架上，接着和我吐槽。

“呃，这个我就不知道了，你又是怎么知道的？好像养过孩子似的。”

“车娜说的，有一次我俩值夜班，做完手术后缝皮的时候，她和台上台下两个也都当了妈的护士叨叨的。

“她说现在特别愿意值夜班，值班等于变相休假，被呼机 call 起来的时候，大多数问题她都能应付，可半夜被她家闺女无休无止的哭闹声 call 起来时，她完全手足无措。她说最抓狂的一次，她抱着孩子从客厅到卧室转了几百个来回，孩子还是一个劲儿地哭，撕心裂肺的哭声像锋利的猫爪把万籁俱寂的深夜扯成碎片。

“她想求助老公，但是想到他加班到深夜，明天还要上班，就不忍心了；她想求助婆婆，但想到婆婆白天带了一天孩子已经筋疲力尽，明天她上班这小祖宗又要交到老太太一个人手里，就不忍心了；转念一想他妈的自己第二天也要上班，还有三台超大型肿瘤细胞减灭术等着自己，她顿时崩溃得想抱孩子跳窗户。”

“天啊！有自杀倾向，得劝劝，是不是产后抑郁症？这可不能小瞧，很多新妈妈都是刚刚造出一条人命，又弄出一条人命。我有个高中同学，生个孩子哪儿都好，就是三天没见拉屎，一检查是肛门闭锁，肚子里头小肠大肠直肠都好，就肛门那儿多了一层膜，和咱妇产科常见的处女膜闭锁差不多，做个小外科手术就能解决问题。

“结果人言可畏，邻居同事交头接耳，说什么祖上无德之类的才会生孩子没屁眼儿，不仅公公婆婆，连她亲妈都跟着唉声叹气，结果我同学整天以泪洗面，最后抱着孩子跳楼了。”

“别以此类推，你同学那是产后抑郁，车娜这个我觉得不是，她就是焦虑，真正的抑郁是对什么都提不起兴趣，即使是对过去十分感兴趣的东西也一样。你看车娜上了手术台就跟打了半罐子公鸡血似的，她要是抑郁，咱都别活了。你丫别一知半解，连个精神科医生执照都没有，动辄给人家乱扣这种帽子。”

对百舸争流之中不肯落后，又一贯以极度自我、组织性和高效率为骄傲的知识女性小愤青来说，这孩子来的可能真不是时候。进了电梯，我还想开腔，琳琳把示指准确地竖在鼻唇沟和唇中线处，示意我收声。

出了电梯，琳琳说：“你丫以后小心点，私事千万别在电梯里说，想害死我？电梯就是一个暂时封闭的小社会，隔人有耳，还有你的视野范围根本无法达到的四个死角，谁知道是不是躲着莫不做声的主任或者专门搬弄是非、听风就是雨的八婆同事。”

“嗯嗯，不说，不说。”我附和着。

“除了自己的私事不说，别人的私事也别说，科里的是非更不能说。你可能觉得站在旁边的都是病人和家属，即使有个穿白大衣的也是皮肤科的，和咱妇产科完全不搭嘎，说什么无所谓，可谁知道他是不是咱们科谁谁的亲戚朋友，和掌握我们生杀大权的领导有什么千丝万缕的关系。”

我一边嗯嗯回应着，一边跟琳琳进了病房，心想，这家伙肯定什么时候在电梯里大放厥词吃过亏。这次我也进步了，虽然没瞧见她经历的风雨，也看到了属于自己的彩虹。

* * *

我和琳琳一进病房大门，就见护士长脸红脖子粗地站在六人间病房门口，一脸凝重、气恼外加哭笑不得。

原来，昨天下午住进来的两个新病人，一个想挨窗子睡，一个想靠门睡，半夜里俩人一商量，擅自抱着枕头被褥就换了床位。

这两个病人一个是习惯性流产进来保胎的，一个是胎儿先天愚形大月份引产的，都得吃药，药性却完全不同，保胎的吃黄体酮胶丸，堕胎的吃米非司酮。

早晨，护士按照医嘱，把病人各自的口服药装到标有床号的小药杯里推车发药，走到床边核对病人姓名，才发现病情、病人和药物都不对路。要是没有严格的“三查七对”制度，或者发药时病人不在床边，护士把药杯随手往病人床头桌上那么一放，后果不堪设想。

敢情病人把住医院当住酒店了。怪不得护士长抓狂跳脚，当这种“每个小错儿都可能铸成大祸”的临床一线小头头，真不省心啊！

13
女性最佳的生育数是 2 ~ 3 个

这边护士长刚消气，那边护理员脚步匆匆，推着轮椅跑进病房，只见病人整个瘫软在轮椅上，脑袋歪在一边，旁边的家属一边小跑一边嚷嚷："快抢救，休克，休克了！"

这不是我昨天收下的不孕症病人吗？这对夫妻结婚六年，前四年挺潇洒，一心要过二人世界连做三次人流，后两年忽然父性母性齐发却造人未果。上上下下一查，女的两边输卵管都积水了，这次住院是等着做宫腔镜和腹腔镜联合检查。我们打算在腹腔镜下将双侧输卵管开窗整形，把牛郎精子和织女卵子之间的天堑变通途。如果手术能够成功分离输卵管伞端的黏连，输卵管内部又没有遭到严重破坏，哪怕一边输卵管能用，她都有机会怀孕；如果不行，也能给病人一个痛快话，让他们彻底放弃自己努力的念头，趁年轻赶紧去做试管婴儿。

本来打算明天手术，谁想到，昨天下午病人突然打喷嚏、流鼻涕、浑身疼，临下班又发起烧来，还不停咳嗽。

晚查房时，我们都觉得她的症状像病毒导致的急性上呼吸道感染，说白了就是感冒。很多病人都这样，马上要做手术了，谁不害怕呀，不光殚精竭虑还日夜忧愁，结果什么问题解决不了，还把自己免疫系统给弄乱套了。正气不足，邪必侵之，人类周围细菌、病毒无处不在，微生物作为世界不可或缺的组成部分，也要完成借助哺乳动物传宗接代的使命，它们选择目标时，大多是挑软柿子捏。

她一下子烧到 39 度，为了慎重起见，我们决定今天给她拍胸片，这才有了刚才的一幕。

我和琳琳还有病房里已经来上班的大夫护士赶紧把病人转移到床上，我摸了她的脉搏，规律、有力，测量血压心率正常，听心肺也没问题，再看病人满身都是汗，病号服都湿透了，她不是休克，是虚脱。

护士迅速抽了血，输上液体，送血样到急诊生化室做紧急化验，低糖低钾是病人晕厥最常见的原因。

家属大喊："为了今天早上抽血，病人昨天晚上十点以后水米没打牙，我说让她吃点东西再去拍片，护理员说啥不同意，说去晚了排不上队，耽误了她不负责。结果排队一等就是半个多小时，好人都受不了，何况她还发着烧。我说回去吧，护理员愣是不同意，说这是大夫医嘱，必须执行。张大夫你说是人命重要，还是拍片重要？我老婆要是出什么事，我跟你们没完，连你们院长一起告到法院。"

平时出了什么事，都有琳琳帮我解围，这次倒好，她老人家躲在护士站开化验单，也不吱声。她可能是泥菩萨过河，正为自己肚子里那点事闹心呢。

这时病人醒过来了，只是还非常虚弱。大人和小孩生病不一样，很多小孩感冒动不动就烧到39、40度，但是烧一退，照吃照玩，跟没烧过一样。但是对大人来说发烧是一件非常难受的事，骨头关节连着肉一起酸疼不适的感觉难以名状，我有切身感受。

平时采集病史都是一张桌子隔着俩人，我一边问一边奋笔疾书；查房时我两手背在身后，或者插进白大衣兜，要不就是双手抱肩。看到她气若游丝的样子，我想不出更好的办法安慰她，索性拉起她的手问："好点了吗？"

她微睁着眼睛浅浅地点了点头。

因为临床时间尚短，下一步，我也不知道该干什么了。

从医疗的角度看，她没休克，生命体征平稳，该抽的血抽了，该输的液体也输了，我该去忙自己的事了。做医生每天都离不开给病人做检查时的身体接触，但那是隔着橡胶手套。此刻拉着病人的手，皮肤实打实的接触，让我的心房发生轻微的颤动，这种感觉很难形容，总之是浑身上下不自在。

没想到，她反倒紧紧握住我的手，像抓住救命稻草一样哭着说："张大夫，我好害怕，你别走。"

两手的赤裸紧握传递了炙热的依赖，一阵阵的滚烫让我不知所措，最终，我还是单方面本能和主动地松开了她的手。

但是我没有走开，我把她床头挂着的毛巾拿到热的水龙头下，拧了几把，给她擦了擦汗，顺手把她前额的刘海往一边整理了一下。我学着我妈给我试体温的模样摸她的额头："好像不太烧了，别着急，输点液就有精神了，一会儿再给你喝点热水，吃点东西就好了。平时不太发烧吧？刚才你都烧糊涂了。"

她的爱人看她好了，自然消了气。护士已经手脚麻利地帮她量了体温，琳琳帮我做了突发事件的病程记录。

病人和家属的好坏虽然没写在脑门上，但医生大多能在短时间内迅速判断其性格特点，是偏执的、多疑的，还是变态的、狂躁的，差不多都能做到心中有数。这位家属不是无理取闹的人，他只是不懂虚脱和休克不是一回事。我这才想起“交代病情”的事，这是医生应尽的义务。

我说：“刚才的事儿，我给您解释一下。”

他连忙摆手说：“不，不，不用解释了，我都眼看着呢，她没事儿就好。我刚才太着急，原谅我大喊大叫的。”

“那您……不会到院长那儿告状了吧？”

“告什么呀！我就是心疼老婆，才一时气急的。张大夫，不瞒您说，我爹妈死得早，就老婆一个人疼我，现在因为要给我生孩子让她受这份罪，我能不着急吗？刚才您摸她额头，我想起自己小时候也是爱发烧，我娘就是这么摸我脑门的，本来烧得头晕脑涨，娘一摸头，再拉到怀里搂一会儿，什么难受劲儿都没了。”

我看到，他的眼中有泪光闪动。

* * *

除了怕自己的病人挂掉，医生最怕的事就是被告状和投诉。家属走后，我和护理员聊了几句，希望她工作不要那么教条，病人情况如果不好，应该尽快推回病房，要是半道上出了什么事可如何是好？

没想到她一口的满不在乎：“有什么大不了的，休克我见多了，不是她这样的，好不容易排上队了还没拍上胸片，下午不还是我的事儿吗？”

“别瞎说，小心被护士长听见，你不想干了？”

“怕什么，还不到1000块钱找我这种身强体壮，门诊病房里外门儿清，还懂护理知识的人做苦力，你们协和占大便宜了！我要是一走，你们病房瘫痪一大半，护士长都得抱大腿求我留下。别说我不想干了，护士长早都不想干了，你才来几个月，慢慢就有体会了。”

我是科里最年轻的一年级豆包，她虽然年龄比我小，但是算工龄，她已经是工作很多年的老辣椒了，平时手脚倒是麻利，有点医学知识，还动不动对我们开出的化验单指指点点说三道四，自然是不肯听我的。

她口中仍然念念有词，我本想说服她，却被她说得一愣一愣的。在我也就二十出头的个人世界观里，早已抱定“生是协和的人，死是协和的魂”的坚定信念，并且打算咬定协和不放松，决意要把这牢底坐穿，我还当谁都跟我想的一样呢！

琳琳把我拉到一边说：“走，交班去，理她干吗！这种人注定一辈子做外勤，性格人品决定命运，这道理难道你不懂？别见谁都想拯救，当自己是圣母玛利亚啊？”

哈利路亚，不管怎么着，这事总算过去了。

* * *

平了这事，我们都到会议室早交班。

昨天夜班没有特殊情况，在夜班护士和值班医生絮絮叨叨流水账一般的交班中，记忆的脚步再次将我带回童年。

小时候，回到我妈身边以后，我最喜欢两件事，停电和生病。

因为供电不足，家属区经常拉闸限电，我妈点上蜡烛，就着微弱的烛光，在钢板上写蜡纸，再油印后发给学生们做题签。我在一旁没事做，也点上一根小烛头，那天我穿着一件白色的确良连衣裙，手托蜡烛无聊地在地上转圈玩。

我妈抬起头看见我，说："像个小天使。"

我心中一阵激动，我在书上看到过天使，那是个漂亮的小孩，有白色的翅膀，代表圣洁和可爱。

那以后，我便夜夜盼着再做她眼里的小天使。谁知厂里有了自己的发电机，我妈再不用忍受昏暗跳动的烛光，我的心却陷入失落。孩童的想法总是幼稚，就像村里发大水，我们坐在高高的屋脊上，甩着小腿，拍着巴掌看顺水而下的破桌子烂椅子，觉得好玩，全然不知灾难的到来和大人脸上的愁苦。小孩子的心里，好像只有自己和自己在意的周围，没有世界。

那时候我一生病就发烧，我妈最常用嘴唇试我的额头，看看还热不热。我爸说摸额头咋不用手？放着体温表不用，有毛病。我妈说成年人的手掌经历太多，早已粗砺不堪，哪儿还感觉得出冷热？生病的孩子总能得到比平时更多的关爱，比别的兄弟更多的照看。我妈温暖的嘴唇贴在我的额头上，身体相互靠近的一刻，我能闻到她身上温热、香甜、略带少许汗味的母亲味道，浑身的难受就好了大半。

我曾熟记每一种体温测量方法，口表、腋表、肛表，也能熟练背出每一种测量方法测得人类体温的范围，还能背出稽留热、间歇热、弛张热、回归热的特点，更知道如何通过特殊热型找出发热背后的真凶。而剑拔弩张的一刻，这一切都没派上用场，我只是用了从母亲那里感受到的一种方式，一条擦汗的温热毛巾，一只放在病人额头上的医生的手。

医生的手，不光可以隔着橡胶手套给病人开刀，带着浓浓的消毒水味给病人做身体检查，其实，它也能像妈妈的手，不仅感受病人的体温，更拉近人和人之间的距离，传递关爱，拉近距离，抚慰焦躁，驱除恐惧。

自己也当妈妈之后，我照着育儿书上的方法，用肘部感知女儿洗澡盆中热水的温度，学着母亲的样子，用嘴唇感受女儿额头的温度，体会那句“不养儿不知父母恩”的同时，也不免暗恨我妈当初怎么就那么狠心地把我放下。

放下，可能是因为我妈不懂童年对一个人的重要性。现在，仍然有很多人不懂这一点，或者即使懂，也无可奈何。放下孩子的一刻，自以为放下了沉重的负担，没承想也放逐了孩子的童年，放纵了母爱的逃逸。

我尽可能多地拥抱我的女儿，见缝插针地亲吻她，再难也要把她带在自己身边。我想让她从里到外彻头彻尾地感到安全，有安全感的人就不胆小、不纠结、不缩手缩脚，长大以后，即使脱离妈妈的怀抱，她也能安然面对人间的百态。

为此，我妈总是笑我溺爱孩子。

我默默地想，我为什么不溺爱她呀？等她将来走向社会，得有多少人欺负她，得有多少讽刺挖苦尔虞我诈肮脏丑陋等着她呀！

我妈说，不吃苦中苦难做人上人，你这样养女儿，将来她就是温室里的花朵，如何出人头地？

我默默地想，我为什么非要让她出人头地呀？王朔说，成功不就是多挣几个钱，然后让SB们知道吗？做什么作业，不做！我可不指着你将来成什么，你当我女儿我谢你还来不及呢！你将来就是享受。你是书香门第的小姐，将来太有钱了。我叫你一辈子不为钱工作，只干自己喜欢的事情。

当然了，这些都是我默默地在想。

否则我妈一定指着我的鼻子说，你以为自己是谁呀？有本事先成为王朔，起码有名有钱，再学人家怎么养女儿。

其实，我就想让她做一个温柔可人的女孩，要多读书，但不要多高的学历，早点结婚，然后，起码生仨孩子。

大志问："为啥是仨？"

"为啥？因为我很久以前看过一篇英文文献，说女人的最佳生育数目是2.4个，这样可以保护子宫内膜，减少子宫内膜癌、乳腺癌还有好几种癌的发病率。"

对于说话总是有理有据的我，大志只有翻白眼的份儿。

第二章 | PART TWO |

阿弥陀佛，我拿掉了她的孩子

01
注意：你怀的可能是“坑爹、坑娘、坑大夫”的“三坑胎”

在北京冬天最寒冷的月份，我和琳琳马上就要功德圆满地完成三个月的计划生育病房轮转了。

所谓功德圆满主要是针对人工流产而言的。

人流一怕子宫穿孔，弄不好要进大手术室切子宫，那脸可丢大了。跟病人也交代不过去，人家就是没有避孕，或者避孕失败，大多数来做人流的，还都是响应国家计划生育政策的好公民，只因为这么屁大个事儿你就把人家子宫给弄丢了，说不过去。

人流二怕妊娠残留，也就是没做干净，还剩了点绒毛在里头。虽然这样的事主观上没人愿意发生，每个医生都想刮干净，但是每隔一段时间，总会有一个这样的病人找回头来。刮一半剩一半在消费者眼里就是“商业欺诈”，再刮一次的手术费、误工费、营养费还有精神损失费，全要跟着费一遍心。最怕的是病人让我们签字画押，保证不耽误她以后生育。

交完班，计划生育病房在钱老姐的带领下，开始了浴血奋战的一天。

钱老姐是工农兵大学生，换言之，她能学医当大夫，并不是因为天资聪颖择优录取。初中文化的她因为她妈是妇女队长，凭借着群众推荐、领导批准和学校复审相结合的中国独有方式，她被招收为“工农兵学员”，上了大学。正规的医科大学本科至少要读五年才能毕业，钱老姐只用了短短三年就出徒了。这短短三年的时间，还要除去她因为基础差、底子薄，一边吃力地补着高中文化课和英语、念着大学的同时，一边还要管着大学，并用毛泽东思想改造大学的时间和精力。

虽然钱老姐辉煌一时，告别了下乡干农活的泥腿子生活，满心感谢主席感谢党的也算上了大学，并且分配到协和医院，但是在科班出身、根正苗红、血统正宗、高级知识分子扎堆人精云集的协和，很快，她就成了末等人儿。虽然钱老姐业务能力不错，资格也老，但终究改变不了自己和妇科肿瘤、妇科微创、妇科内分泌一系列“高贵专业”彻底绝缘的命运，只能干外人眼里妇女队长就能主抓主管的“计划生育”工作。这导致钱老姐她妈甚至一度改变了人生观和价值观，总是逢人就说，人生无奈，奋斗无望，自家闺女绕了这么大一个圈，好不容易进了协和，到头来却是回到原点，干着和她差不多的妇女队长营生。

药流、人流、上环、取环等普通计划生育工作主要由计划生育服务站完成，不需要太高学历，不用会外语，不用会玩统计魔术，不用算出期望和理想的科研数据，不用写能在外国杂志发表的SCI文章，确实是一个妇女队长带着一群中专毕业的医生护士就能搞定的活。但这并不是说计划生育工作中没有疑难杂症，对于我们这种一落地就到协和的小妇产科医生来说，成长就是被人类疾病之花的朵朵奇葩一路吓大的过程。

就拿做人流来说，协和病房里，一半以上的人流是别的医院解决不了的复杂病例。

人工流产有什么复杂？就像得了一场重感冒，街头小诊所不都能做吗？其实不然，人流有两难。

一是难在病人本身有严重疾病。别看病人身体不咋样，却还没影响到生殖系统，也不耽误床上运动，一旦避孕失败不幸中弹，就会陷自己和医生于两难。

肾功能衰竭不做透析就一滴尿没有、满口氨味的病人怀孕了要人流；上两层楼就心慌气喘，一生气就捂住心口窝的心脏病人怀孕了要人流；血小板只有几千、刷个牙都流血不止要死要活的白血病人怀孕了要人流；处于哺乳期，子宫又大又软像个面袋子，刮宫的话子宫穿孔了医生都全然不觉的奶妈怀孕了要人流；长着几十甚至上百个肌瘤，子宫犹如巨大榨菜头，子宫腔被肌瘤挤压得七扭八歪，宫颈管极度扭曲，世间唯精子可泅水而过的肌瘤病人怀孕了要人流。这些都是让医生头痛的疑难病例。

二是难在女的本人没啥毛病，怀的胎却是“坑爹、坑娘、坑大夫”的“三坑胎”。

正常情况下，输卵管壶腹部是精子和卵子结合的洞房，子宫腔才是人类首个“一居室”。精卵结合后，本该开始从输卵管向子宫腔移动的蜜月之旅，但是路途坎坷，保不齐哪一步出错，最终酿成大祸。

盆腔炎症最容易导致输卵管狭窄和蠕动功能异常，输卵管要是双双被堵死倒也省心了，直接成了不孕症，最害怕是半通不通、通而不畅。精子能通过宫颈宫腔进来，卵子从卵巢排出后也能过来，但是结合后成为受精卵就过不去了，受精卵不能如期回到子宫腔，便在输卵管安家落户，成为宫外孕，犹如一枚不定时炸弹，不知道在什么时候引爆，造成内出血、休克甚至死亡。

有的受精卵不是朝着子宫方向游走，而是向着伞端漂移，而且从输卵管游出去就不回来了，在腹腔里种植下来，形成罕见的腹腔妊娠。它可以种在肝脏，种在脾脏，种在大网膜或者肠系膜等任何一个部位。有病人停经，验孕阳性，可子宫内外都找不到胎囊，突然有一天腹部剧痛，送到急诊，被外科医生诊断为脾破裂内出血，开腹探查才发现，受精卵种在了脾门部位。这是罕见病例，几率大概只有几亿分之一。

有的受精卵刚一出输卵管，可算是见到了梦中的子宫，完全忘了该有的矜持和镇静，立马安营扎寨，它哪儿知道，自己根本没走到地方，里头宽敞着呢，于是成了“宫角妊娠”。对于这种怀在犄角旮旯的胚胎，不长眼睛、不会拐弯的吸管和刮匙有时候根本够不着，最容易漏吸。一些病例甚至需要从腹部进行手术，将孕囊从子宫角部连着部分子宫和输卵管根部整个挖走，才能解决问题。

有的受精卵在子宫里溜达一圈，看哪儿都不顺眼，半天也没找到个自己满意的地方，结果愣是出溜到子宫体下方的子宫颈，把孩子明珠暗投到宫颈管那一小段狭窄黑暗、毫无前途的地方。怀在子宫里的胚胎被刮出来之后，子宫依靠天然的收缩功能，将埋在子宫肌层中无数小弹簧圈样的子宫动脉血管全部闭合，能自然起到止血作用。宫颈管却没这个功能，机械刮出胚胎后，因为局部无法收缩止血，人流做完了，大出血找上门来了。

输卵管里的宫外孕是漂泊落难的公主。宫角妊娠属于青涩没定力，刚一拉手、拥抱、亲脑门，就急火火嫁了的主儿，结了婚才发现，两条腿的蛤蟆没有，两条腿的活人哪儿都是，这才哪儿到哪儿啊？敢情那时候太年轻，根本不懂男人和爱情。宫颈妊娠是阅人无数的痴情种，众里寻他千百度，蓦然回首，嫁了一个最差渣男。

还有人的子宫位置奇特，属于先天“骨骼清奇”，不是极度前倾前屈就是极度后倾后屈，分别向前或者向后拐着90度的大弯，医生的家伙什儿可能刚刚通过宫颈管，还没碰到胎囊，就把子宫给捅漏了。

还有病人每次人流都大出血，每次都要输血抢救，病史一说出来，多少家医院都主动认怂，说我们这儿庙小不敢收治。其实她可能就是个子宫动静脉瘘的病人，这种病人需要先到放射科，在数字减影血管造影机器的监视下，穿刺大腿根部最粗的股动脉，顺进一根极细的管子，一直插到子宫动脉，然后注入水泥一样的东西把双侧子宫动脉堵上，让它生气动怒也无血可流，医生再动手去捅马蜂窝。一个普通人流100块，不用住院，5分钟搞掂，这个可能需要上万块，住院一个礼拜，病房里全家老小齐上阵。

病人要是理解还好，千恩万谢，下回不小心怀上了，还来找你救命。病人要是不理解，往新闻媒体一捅，碰上有科学素养和起码责任心的记者还好，实地调查或者采访专业人士，都能真相大白。要碰上个别猴急想出名，又只能靠吸引眼球搏出位的记者，立马就有“黑心无良医院，百元人流要八千”这样的标题党，活活气死你。

再比方取环，看似小事一桩，宫颈口有尾巴的，用钳子夹住一拉就出来了；宫颈口没有尾巴的，用特殊的取环钩伸到宫腔里一钩也就出来了，不是难事。有时候，往外拉到一半的时候，环断了，那也不怕，用宫腔镜到子宫里头找去，反正一共才5毫升的容积，没多大点地方。

最怕的是环异位。避孕环放进去的时候在子宫腔里，并不代表它会一直乖乖待在子宫腔里，因为它毕竟不是人体先天存在的东西，个别聪明不能受气的子宫，会通过子宫收缩向外排挤避孕环，避孕环从宫颈口掉进阴道，再随着大小便掉出体外，那也不算事。

更可怕的是避孕环被挤到子宫肌层里，或者干脆钻出肌层跑进肚子。再之后，像贝壳期盼小石子变成珍珠一样，避孕环或者被腹腔卫士大网膜当宝贝一样捡拾裹挟起来，或者深深躲到肠子缝隙里，即使开刀，翻腾个天翻地覆，把外科医生叫上手术台会诊，也未见能立马找到它。

除了人工流产、上环取环，计划生育工作的另外一个重点是结扎。这是一项不可或缺的计划生育技术，学名“双侧输卵管绝育术”，是目前为止最安全、有效的终生持久性避孕方法。结扎适用于已经彻底完成生育重任的女性，尤其适用于那些带环也怀孕，吃药也怀孕，恨不得被男人看一眼就怀孕的受孕能力超强，并且深受其扰的女性。身患重病，例如有先天性心脏病的女性，一旦怀孕，说不定哪天扛不住就心力衰竭要了娘亲的命，结扎更是不二之选，而且一劳永逸。

结扎最大的问题是反悔，越是年轻女性结扎，反悔率越高。好在妇产科医生还能把输卵管给接上，这是妇产科少见的几种重建性手术之一。

凡此种种，都需要计划生育病房来解决。

02
人流不是刮完就了事，漂到绒毛才算功德圆满

九点钟刚过，我已做完了三台人流，也就是说我已经用一根连着负压吸引器的吸管，和一把锐利的不锈钢刮匙，把三个刚刚怀了不到十个礼拜的胎儿，按照他们母亲的意愿和要求，从刚刚入住的人生第一套居室中清理了出去。

每一台人流结束后，我要将刮出物反复漂洗，根据临床经验清晰辨认后得出这样的结论：没错，就是它们，典型的早孕期绒毛和蜕膜组织，绒毛大小足够，说明没有残留，蜕膜量足够，说明刮干净了。之后，它们被我哗的倒入污物缸，最后流入化粪池。

多年以后，已经成为副教授的我接受医院委派，远赴澳门特别行政区仁伯爵综合医院做顾问医生。在一个将人工流产视为非法的地区执业，在一个将怀孕六个月出生的极度早产儿当成"有生机儿"进行全力抢救、即使花费数十万也不向产妇要一分钱的地区执业，我突然意识到，自己曾经就是一个在光天化日之下，拿着医疗执照合法杀人的刽子手。这让我很长一段时间内都充满内疚

和悔恨，每天下班后，一个人在议事亭前地的玫瑰堂静坐，祈求仁慈的圣母玛利亚宽恕我无心所犯的罪过。

而当时，作为一个跃跃欲试的新手，我整天期盼着有更多的人流让我做，好让自己快快成长起来，我整天期盼别有那些奇形怪状的怀孕，因为复杂手术会有钱老姐出手，轮不到我亲自做，我只有在旁边观摩和打下手的份儿。

来进修的老窦则不然，这是一个“病魔虐他千百遍，他待病魔如初恋”的主任苗子，他成天盼着病房有各种光怪陆离的怀孕、百年不遇的疑难杂症，要是碰上什么阴道斜隔综合征、阴道闭锁、残角子宫妊娠之类的病例，他都主动要求收治，唯有如此，他一年的进修生活才不会虚度。

他像一只时刻在病房上空盘旋打转的秃鹫，瞪着一双锋利求知的大眼珠子，热切地盼望和期待猎物的出现，以求在水深火热中千锤万凿出得深山，完成自己石灰一般的历练。

我对老窦的急流勇进和知难而上充满敬佩，琳琳则动不动说他“看热闹的不嫌事儿大”。

过去的三个月，我一直守着帘子左边的人流床。虽然病人面前的我，已经学会装作波澜不惊的样子，但是内心深处的那些惊涛骇浪只有自己知道，我如林黛玉初进大观园，处处加着一万分的小心，每每顺利完成一个手术，便松一口气，屁颠屁颠离开座位去找绒毛、漂蜕膜，然后洗瓶子、刷器械、写记录。刚开始独立做的时候，我按规矩，每次还把湿漉漉的绒毛拿给钱老姐核对，就像刚刚练习打猎的小豹子叼着猎物，或者得了100分的小学生拿着考卷，等着她的夸奖和肯定。

钱老姐总是眼睛一瞥，鼻子一哼说：“嗯，行，倒了吧。”就再没下言和二话了，这让我时常感到失落。

没有钱老姐在人流室里巡回和监工的日子，和我一帘之隔，坚守右边人流床的老窦就会偷懒，免去检查绒毛和蜕膜这一步。因为有着大把业余时间，再加上仗义疏财的本性，老窦经常请护士们吃饭K歌，还经常帮助护士的年轻姐妹们解决避孕上环人流阴道炎等问题，姑娘们都争着替他收拾摊子。

老窦先用大号吸管从子宫里吸出绒毛，用刮匙刮宫两周，换小号吸管清理残局特别是两个不容易吸到的宫角，然后潇洒地对床上的病人说："好了，起来吧。"手脚不是一般的利索，我经常看得目瞪口呆。

被钱老姐抓到现形的时候，他就打开玻璃负压瓶，用长长的不锈钢钳子在一片血肉模糊之中，手疾眼快精准万分地夹出那团绒毛，然后大眼珠子一骨碌，嘴角上翘，示威似的把绒毛举到钱老姐眼前晃动。

我私下里偷偷问他："你为什么不检查？对自己那么有信心？"

"那当然了，你刮一个和刮十个的感觉不一样吧？"

"不一样。"

"所以，像我这种刮过成百上千个的人的手感和内心那份孤独，你自然没法理解。"

"钱老姐教过，检查刮出物不光要看到绒毛，确认是否刮干净，还会有其他重要发现，例如绒毛水肿、细小的部分性葡萄胎等。"

"你都漂三个月了，有啥意外收获？"老窦反唇相讥。

"当然有发现了，有两个都是外院B超诊断宫内孕，说见到了胎囊，结果我没有漂到绒毛，进一步追查就是宫外孕。要是我不漂绒毛，刮完了就让病人出院，搞不好哪天宫外孕破裂，她们就会惨死街头。"我据理力争。

“切，还好意思说，那是因为你们协和的妇产科大夫都不会做 B 超，自然看不好超声科医生打出来的那张热敏图片。告诉你，B 超医生看到的子宫里的胎囊，可能是假胎囊，实际是增厚的蜕膜反应。我不是每个都不漂，我是有选择性地漂。我会做B超，更会解读B超,B超医生打印给我们的那张图片很重要，要学会看。图片上的胎囊有典型的双环征，囊内有卵黄囊，有胎芽胎心，病人没有出血腹痛，一边上床还一边恶心想吐，都是发育良好的宫内孕的有力佐证，自然不用看绒毛。要是图片上的胎囊不典型，形状不规则，没有胎芽胎心，病人早孕反应不明显，还有少量阴道出血，即使没有肚子疼也不能排除宫外孕，碰到这些情况，我检查得比你仔细。”

“那我以后是不是也可以学着适当偷懒了？”

“别，哥都干了快 20 年了，凭的是过硬的技术、敏锐的直觉和严谨的判断，以及比你们协和大夫多一招的 B 超技术。你才哪儿到哪儿，还是踏踏实实按规范和指南来，这是保证你和病人都安全的法宝。协和的正宗好苗子，别让我给带坏了。”

03
人流并发症虽是小概率，落在你头上就是100%

摘了令我透不过气、捂得我下巴上青春痘前仆后继的一次性口罩，扯下把我心爱的板寸压得立体造型全无的一次性帽子，我走出人流室，去配膳室拿水杯泡了一大杯茶，顺便到办公室看看午饭前还有几个人流要做。

琳琳对面是一对大学生模样的青年男女，女孩子一脸紧张凝重，男孩子一脸满不在乎，一边不停地抖腿，一边拿一双机灵的大眼睛左顾右盼。人流室外的这些男孩子故意做出一副无所谓的样子，其实，他们比女孩子还紧张，心中还没数。

琳琳应该已经问好病史，写好病历，正用签字笔指着手术知情同意书上密密麻麻的人流手术并发症逐条讲解，只等他俩签字，然后把女的送进人流室，交给我开工。

琳琳一条一条地讲完各种最终都可能导致死亡的意外后，男孩子不抖腿了，女孩子神情更加凝重，两人低声嘀咕了几句，女孩子怯生生地问："大夫，出血是什么意思？术后需要大补吗？”

“刮宫是把已经深深扎根子宫的胎儿机械性清理出来，相当于起重机强拆房子，大树连根拔起，当然要出血。但是只要手术顺利，一般出血不多，还不如你来一次大姨妈的量呢，健康人一次流血400毫升一点问题都没有，所以根本不用大补，补完了都变肥膘贴你脸上。”

“那感染呢？会得盆腔炎吗？”

“人流是医疗器械通过宫颈进入子宫，把里面怀孕的东西弄出来，如果器械消毒不严格，或者生殖道本身有潜在感染，或者手术后流血时间长又不注意个人卫生，就有发生感染的可能。你做过阴道分泌物检查，协和医院的消毒你尽管放心，人流器械和进行心脏手术的高端器械都一样严格按程序消毒，医生操作的时候也会小心，不会轻易将外面的脏东西带进去，手术后还会预防性地给你吃几天消炎药，不用太担心。”

“我听人家说，吃消炎药不好。”

“啥好不好的，做人流还不好呢，那不是没有办法的办法吗？没病谁会让你吃药？我们开药又没回扣。”

琳琳的解释通俗易懂，从医生的角度也算仁至义尽，但是，我感觉她正在慢慢失去耐心。

虽然整天面对差不多的病人，说差不多的话，是人都会烦，没人能整天带着微笑耐心解释，但琳琳还是训练有素的，她清楚自己的职责。

“大夫，那子宫穿孔是怎么回事儿？穿孔了会怎么样？”

琳琳说：“上了人流床，什么都有可能发生，子宫穿孔相对少见，发生率大概千分之二。”

“子宫穿孔了，是不是以后再也不能生小孩了？”

“谁跟你说的？”

“我……”女孩子支支吾吾地低下头，但她很快又扬起一双明眸认真地盯着琳琳，希望眼前这个比她大不了几岁的医生给她说清楚。

“当然不是了！最容易造成穿孔的是医生最开始时用来探子宫腔长度和方向的探针，那东西很细，和圆珠笔芯差不多，只要穿的不是要害部位，医生能够在第一时间发现，病人经过休息观察，大多数都能自愈，不影响以后的生育。”

“那……您说的少数情况会怎么样？”女孩子穷追不舍。

“少数情况要多惨有多惨！要是穿孔在大血管经过的地方，就会发生内出血，医生要把你拉到大手术室，打开肚子进行止血和修补子宫，要是能顺利止血和修补，结果还不算太坏，要是修不好，或者出血不止，为了救你的命，就有可能切掉子宫。

“最可怕的不是探针穿孔，而是带着负压吸引力的吸管发生穿孔，更可怕的是穿孔已经发生，但是医生浑然不觉。这时，吸管会穿过子宫进入腹腔，甚至把大网膜和肠子通过子宫和阴道拽出来，要是肠子拉破了，就得开刀补肠子。伤的是小肠还好办，当场缝上就行，大不了切除一段再接上，要是伤了直肠，有时候就得先做造瘘。造瘘懂吗？就是把肠子截下来，接到肚皮上，大便改道从肚皮排出，没有肛门括约肌，粪汤子随时产生随时往外流，等一个月以后，再开一次刀把肠子送回去，悲剧吧？谁摊上谁倒霉，病人、大夫都倒霉。”

琳琳一通发飙，男孩和女孩都被吓住了，不做声，也不签字，大眼瞪小眼，一起没了主意。

“快签字吧，做手术就跟过马路似的，每个人都有被车撞飞的可能性，但那都是小概率事件。没事儿咱在家好好待着，谁来来回回过马路玩啊？当然不用冒这些个风险，明不明白？”

俩年轻人还是不吱声，也不签字。

琳琳抬头看见我，说：“我去趟卫生间，你帮我向领导汇报一下，这病人我搞不定，不签字没法做人流，赶紧办退院。”

钱老姐今早交完班就不见了，护士长说她去人事处办理出国开会的事去了，我上哪儿找她汇报去？

我四下环顾，不见钱老姐回来，本想上前和解一下，说几句平时常劝那些犹豫不决、患得患失、难下决心的女孩子的话。例如，别怕，快签字吧，那些吓人的意外确实有可能发生，但还是相对少见的，医生手术的时候都会尽力做好。或者是，快签字吧，上午要是做不上，就没法赶在下午办出院手续，晚上你就得住在医院没法回家了，怎么和家长交代？

还没等我开口，只听咣当一声，办公室最里头洗澡间的门开了，顶着一头湿淋淋的头发扭着胖屁股的钱老姐从里头出来了，她虎着那张喜马拉雅猫一样的胖脸，极其不爽的样子。

计划生育办公室是三人间病房改造的，房间最里头是卫生间，卫生间里有一个淋浴喷头，永远有医生、护士或者护理员在各个时辰湿淋淋地从里面走出来。她们或丰腴或骨感，或手里拎着洗澡篮子，或怀里抱着洗脸盆子，或者还滴着水的长头发拧成一个古式的发髻顶在头顶，或者短头发湿漉漉贴在前额和脑瓜皮上，光脚趿拉着各式批发市场最常见的塑料拖鞋，啪啪啪一路小跑，快速穿过庄严肃穆的办公室，看得前来谈话签字的男家属张口结舌面红耳赤，一愣一愣地不知道是看好，还是不看好。

钱老姐一有烦心事就洗澡，这是她独有的强迫症，估计是在人事处办事不利，受了什么闲气。她刚刚在洗澡间穿衣服的时候，肯定把办公室里头小医生和大学生的一来二去都听了个明白。

她把装着洗发水沐浴露梳子毛巾的塑料篮子往办公桌上一摔，说："你们没完没了地问这些干什么？当初干什么去了？连避孕都不懂就敢上床瞎整，这得有多大胆子撑着，怎么现在又怕这怕那知道谨小慎微一步三回头了？这就是无保护性生活的代价，必须承受，怕也没用。就算医生一五一十都给你们讲清楚了又能怎样？你们有选择吗？这人流能不做吗？难道大学不上了，回家生孩子去？有那勇气和胆量吗？"

钱老姐干了几十年的计划生育，耐心就像她一去不返的青春，早已被彻底熬干。

"没有。"女孩一边嘟囔着，一边低下头，用涂成粉红色的手指甲抠我们的木头办公桌。

"那还考虑什么？你们拿什么本钱考虑？从什么角度考虑？你们俩的考虑有什么用？从上次月经第一天算起，你现在都怀孕9周加5天了，肚子里的孩子一天不停地在长大，你们要是再回去考虑两个礼拜，普通的电吸人流都没法做了，就得钳刮加碎胎，碎胎懂不懂？就是先把已经成型的孩子在子宫里头绞碎夹烂，再一块一块钳出来，这是逼我们医生作孽呀！"

"钳刮加碎胎"听得一对年轻人同时咧嘴。

"赶紧签字做手术，今儿周五，趁周末好好休息两天，周一还有课要上吧。"

"嗯，阿姨我听您的，我怕疼，做的时候能手轻点儿吗？"女孩子说。

“就你怕疼，谁不怕疼？我们这儿没有手重的大夫，就算有不怕疼的，我们也不下狠手。”

“阿姨，我不是那个意思，您别生气。”

“放心吧，我让小张医生给你做，她手最轻了，再说还打麻药呢。”钱老姐又没管住自己的嘴。她应该感觉到了自己的尖酸刻薄，赶紧往回补。

一听要打麻药，女孩子的问题又来了：“打麻药会不会影响智力？我还在上大学，将来还要考研究生呢。”

“我的妈呀！年轻人，你们都是听刘伯承元帅不打麻药剜眼珠子的故事中毒了吧？还是关公光着半个膀子边下棋边刮骨疗毒的故事听多了？就打点麻醉药睡一小觉，影响不到智力，况且咱就做个人流，离脑袋远着呢。再说了，你上大学需要脑子，人家大街上拉车卖菜的就不需要脑子？瞧你们这些大学生，怎么都被教育成这样，就知道以自己为中心，真把自己当祖国的花朵人民的财富了？”

这倒霉孩子，一句“将来还要考研究生”又把钱老姐惹毛了。

俩小孩总算痛快地签字画押，转眼被移交到了我的手里。

那时协和还没有常规开展静脉全麻人流，无痛人流对专业人士来说也算个新鲜词，只有个别 VIP 可以享受。现在倒好，地铁、站牌和公交车身上不是无偿献血、科学避孕、防治性病、杜绝吸毒等公益宣传，而是充斥着无痛人流、男科医院、性病不孕等医疗广告，这就是生机盎然、春风十里的国际化大都市——我深爱的北京。

我没有精力去研究有关人流的医学史，但从 1978 年拍摄的著名医学惊险片《昏迷》中得知，早在 20 世纪 70 年代的美国，人流就已经使用全身麻醉了。不让病人在疼痛和恐惧中接受创伤性检查和治疗，是现代医学对人体最基本的尊重。我们学得西方医学的皮和毛，很多重要理念却未得骨肉精髓。

和片中同一时代的中国女性，做人流都是“生刮”。手脚麻利的医生只需要几分钟就可以搞掂，一阵撕心裂肺的疼痛，伴随各式嗷嗷乱叫和哼哼唧唧之后，久经考验、吃苦耐劳的妇女同志一骨碌跳下人流床，穿上裤子，回家继续劳动。

人流的特点是做的时候疼，做完立马不疼，即使有些不舒服，也只是些微的酸酸坠坠。子宫内里的伤口修复差不多需要两个礼拜的时间，还没等好了伤疤，早就没了疼。所以，男有“一夜九次郎”，女子也当仁不让，太多的“一流一沓子（一辈子做过 12 次人流）”，甚至还听说有“一流二十四次”，不过我没见过。

协和还算人道，在没有充足的人力物力常规开展无痛人流的年代，就已经常规使用杜冷丁进行止痛，药物推入静脉后相当于半麻，大部分病人效果还不错，晕晕乎乎地手术就做完了。有些人效果差些，床上病人大呼小叫外加张牙舞爪，床下医生或者柔声细语或者大声呵斥，总之，连安慰带哄骗，医生和床上的病人一样，嘴上手上两不闲，最终几分钟搞定手术。

04
宫颈癌是一种性传播疾病

大学生上了人流床后，护士给她推了杜冷丁和非那根。我准备给她做内诊摸清子宫的大小和位置，手刚碰到，她就触电似的往回缩屁股，我一直说放松放松，才好歹摸了个清楚。护士也是好说歹说，才勉强完成了外阴阴道的冲洗消毒。

我铺好有洞的手术巾，用窥具轻轻撑开阴道，看到宫颈。局部消毒后，钳夹宫颈前唇，借此抓持子宫，我将细细的探针顺着宫颈口轻轻探向宫腔，了解宫腔的深度和方向。这时，不适和紧张导致她的身体不停扭动，任我怎么劝，她还是哇哇乱叫。

我坐在手术椅上，扭头看钱老姐，一双眼睛从帽子和口罩之间发出道道无助和求救的光。

钱老姐一扭一扭地走到我身后，一双胖手重重搭在我肩膀上，意在让我稳住，然后冲着床上粗声粗气地喊道：“别动！铁家伙前头没长眼，子宫要是穿孔医生可不管。"

女孩子果真被钱老姐的狮子吼吓住，在我眼前的屁股终于不再乱扭。计划生育的人流室，钱老姐一直是人鬼共镇。几个月来，我眼看上床就乱嚷乱叫、混不吝的大妞们是如何一个接一个被钱老姐喝住，顺利做完手术后，再一骨碌爬起来，给她递烟、留电话，还称兄道弟。这小姑娘就像黄嘴丫儿还没褪尽的小麻雀，治她根本不在话下。

我抓紧时间，从小号到大号使用扩宫棒，一点一点地扩张宫颈管，扩张到7号半时，已经可以将小指粗的7号吸管顺利探入宫腔，在马达的带动下，吸管像一台小型电动吸尘器，开始对宫腔内容物进行逐排抽吸。

最开始是胎囊局部的滑溜感，之后是蜕膜的绵厚感，再之后，是碰触子宫肌层时，手挠石灰墙一般的生涩感，这就是传说中的"肌声"，伴随这种特殊手感的出现，医生就知道吸得差不多了。我撤出吸管，改用锐利的刮匙清理两个不易清理干净的子宫角部，再换6号吸管，降低负压，做最后一次清理。整个人流手术，从探宫腔、扩宫颈，再到吸宫、刮宫，都是盲目操作，子宫里面的情况一点看不见，全靠医生的手感，可以说我就是在闭着眼睛"瞎刮"。

床上的小丫头虽然身体不敢乱扭，但我仍然听见她非常克制的苦痛表达，开始只是隐隐约约的呻吟，逐渐升级到她无法忍受的程度时，她都会在模糊不清的发音之后，跟闹猫一样，又像婴儿的啼哭，揪心地喊出一个"妈"字。这让我心中一颤，手却不敢停下。

钱老姐教过我，做人流要快，不可妇人之仁，快刀斩乱麻赶紧做完手术才是对病人真正的仁慈，因为人流一结束，病人立马不疼。

那以后，无以计数的没有全身麻醉的人流手术中，我听到最多次数的呼喊都是“妈”或者“娘”，几乎没有人喊“亲爱的”“宝贝儿”“老公”或者什么“达令（darling）”之类的，偶尔听到有姑娘喊一个听上去颇像男人名字的字符，姑且认为那就是她的爱人吧。

在遭遇这一自己找上门，虽然内心恐惧万分却又无从躲闪的疼痛时，在孤零零最无助时，带给女性最深安慰的不是男人，而是母亲。一代又一代的女性注定要经受这些苦痛，或者长痛娩出生命，或者短痛扼杀生命，千百年来的梦魇轮回，似乎从未停歇。

我摘下手套，站起身来看到她煞白的小脸和额头上一层细密的汗珠，因为杜冷丁的作用，她的眼睛半睁半闭。我说：“做完了，感觉好点没？”

她不回答我，好像还在朦胧状态，接着喊：“妈，好疼啊。”接着又是一声“妈”。

我愣在那里不知如何是好，这时钱老姐一声喝令：“她没事儿，很快就不疼了，你赶紧收拾摊子。碰上效率高的，俩月以后你们人流室里又见面了，说不好还能成朋友。”

“有那么快的？也太不知道小心了，真是好了伤疤忘了疼。”

“少见多怪了不是，我手里就有20多岁流过10次的，平均3个月一次，子宫还极度后倾后屈，民间都说后位子宫不容易怀孕，都是胡扯。每次刮宫，我都心惊胆颤手脚冰凉，生怕刮穿了。

“人流做到第11次，不知道碰上个什么倒霉男人，愣是怀出一个葡萄胎，我可松了一口气，可下子把这烫手山芋转绒癌组去了。后来祸不单行，她葡萄胎又恶变了，化疗了十几个疗程，因为脑转移先到神经外科开颅去了一块骨瓣，脑袋顶上有一个地方始终是软的，又因为肺转移去胸外科切了右边一个肺叶，才好歹捡回一条命。没想到治愈后三个月，她又怀上了，真是天底下最经折腾最有活力的子宫，活生生亮瞎我一双绝世老眼。”

“职业性的吧？小姐？”

“还真不是什么特殊职业，你别瞧不起人家小姐，那是千百年来中华民族绵延不绝的重要工种，妓女被小鬼抓到阎王面前，阎王都要怜她‘为没妻室者解渴应急，方便孤身’，发她回阳间延寿一纪呢。再说现在小姐都有劳动保护，夜总会免费发避孕套，素质高的老鸨宣教防病避孕知识，不比咱妇产科大夫逊色，否则手底下的姑娘三天两头梅毒艾滋怀孕的，这不是毁坏劳动工具嘛。”

“看来不是小姐。”

“小姐懂的事儿多着呢。最怕这种天生形骸放浪，没脑子又没心的良家妇女。”

“那后来呢？”

“后来，得了风流绝症，不到35岁就死了。”

“艾滋病？”

“艾滋病哪儿那么好得的？就她那姿色和文化，一句英格力士都不会说，长得还没我好看，哪儿捞得着得那洋病。再说，艾滋病现在都能治了，前段时间荣归故里的美籍华人何大一不是来咱医院讲他发明的那个鸡尾酒吗，据说对付艾滋病特棒。”

“不是艾滋病是什么？梅毒？梅毒更有的治啊，早期发现的话，大油青霉素一打就好，皮肤性病老师讲过。”

“还大油青霉素呢，啥时候的提法了，你性病老师还是青楼文化专家？”

“我性病老师说，他知道的人间百态比青楼专家还多，足以写一本《只有医生知道》。”

“不是艾滋病，也不是梅毒。告诉你吧，是宫颈癌，妇产科唯一算得上性传播疾病的恶性肿瘤，99% 以上的致病元凶是高危型人乳头瘤病毒（HPV）。你看，她把高危因素都占全了，她不得谁得？禁果尝得早，性伴多，HPV 频繁接触的机会多，本来正常女性生殖道具有自动清除 HPV 的能力，可那女的还抽烟，每天两包，这是最最破坏宫颈和阴道局部免疫功能的，雪上加霜啊！经年累月，在病毒的持续刺激下便长成了癌。

“也怪咱协和的宋鸿钊老前辈，研究一辈子，愣是把癌症之王的绒癌给攻克了，救了无数年轻女性的命不说，还保住了她们的子宫，让她们不仅活着，还带着子宫有尊严地活着，癌症治好了还能生儿育女。要是这个病人先去基层医院治病，轮上哪个胆大手欠的妇产科大夫，一刀先把她子宫咔嚓掉了倒好，可能就不会得宫颈癌了。

“说一千道一万，还是她倒霉，年轻时候折腾得太厉害，葡萄胎恶变，鬼门关走一遭。等到总算找到了人生的真谛，嫁了个好男人准备安心过日子的时候，她又怀不上了，也就再没看过妇产科。她单位效益不好，自己也没自费体检意识，突然有一天阴道大出血来急诊，已经是宫颈癌晚期了。那天正好我二线，小大夫把我叫下去一起检查，我的天！一朵大菜花把宫颈口堵得死死了，半个阴道都长满了，肿瘤溃烂坏死，搞得诊室里臭气熏天，差点儿把我一个跟头顶南墙上去。

“你说她是不是倒霉催的，她要是把强力怀孕这本事进行到底也行啊，好歹来我这儿做人流的时候，总得用窥具撑开阴道看看宫颈吧？说不定就有机会给她早期诊断，说不定就有救了啊！”

“确实够倒霉的，还把人家绒癌化疗后治愈病人的远期存活率给降低了。”我说。

“行了，别瞎琢磨了，你们这些大学生整天想着科研数据，脑子都坏掉了。赶紧收拾家伙，外面还有病人等着呢。”

05
没有消息就是好消息

为了避免污染其他相对清洁的器物，我摘掉染血的无菌手套，换上一次性手套，抠掉吸瓶上厚重的橡胶塞，把血肉模糊的战利品从巨大厚实的吸瓶中倒进弯盘，再加清水漂洗。很快，一团白白细细的绒毛组织和厚薄不一、颜色灰红的块状膜状物映入眼帘，白的绒毛将来会变成小孩和胎盘，厚的膜状物是供它植入、栖息的蜕膜组织。

除此之外，水泡，我看到了水泡！一堆细细密密的、隐藏在绒毛一旁的水泡。

三个月来，我真的没有白漂，找到了，发现了！我完全忘了人流床上的女孩，像发现了蛛丝马迹的侦探，内心狂乱又兴奋。

“钱老姐，葡萄，小个儿的，我发现了葡萄！”我大叫着。

钱老姐一改平时扔给我那“鉴定性一瞥”时的心不在焉，挪动她肥胖的身躯，三步并作两步来到聚光灯下，仔细辨认后说：“嗯，是葡萄，还是小葡萄，有绒毛和蜕膜，应该怀疑部分性葡萄胎，送病理检查，病理单要描述清楚。唉，真是说嘴打嘴，怎么又碰上一个。快去办公室叫人，让大家都来看看，这种小葡萄现在不多见了，不在灯下仔细检查还真难发现。”

老窦、琳琳还有其他医生、实习大夫、进修护士闻讯后，呼啦啦赶来人流室。

老窦用随身携带的相机一边抓紧拍照片一边说：“行啊，小样儿，虽然有时候你考虑问题有点死心眼儿，但干活实在，还真让你抓到宝了，以后老哥听你的，每个过手的绒毛也都好好漂一漂。”

琳琳在一旁揶揄到：“窦哥，除了罕见病、疑难病和危症重症，您更应该学习我们协和人做人做事的规范劲儿。”

“终于轮上教训窦哥了是不是？”老窦不以为然，仍然不失时机地变换身形，从各种角度拍摄盘中以绒毛和蜕膜为背景的主角“葡萄”。

“医生就是这样，你懒，疾病就从你眼前溜走，你不懒，答案自然跳到你面里，这下子高兴了吧？”钱老姐一边夸奖我，一边指着那些闪烁在绒毛和蜕膜之间晶莹的“小葡萄”教导几个实习生和进修护士。

得到这么赤裸裸的夸奖真是不容易，我满心欢喜，不由得把自己刚进人流室的时候，钱老姐给的那些刁难刻薄全都丢到九霄云外。

刚来计划生育科室的那几天，除了站在别的医生身后看，就是各种打杂。

手术开始前，练习摸清子宫位置和大小，替护士消毒外阴和阴道，退后。

后来，替手术医生铺好洞巾，将塑料管弯折后用脚踩负压泵，达到理想压力后将管子打直，听到“扑哧”一声，证明装置严密，负压给力好用，再退后。

再后来学习摆无菌操作台，将窥具、宫颈钳、探针、扩宫棒从小号到大号一字排开，然后是大号吸管、刮匙、小号吸管，再退后。

手术完了，跟着手术医生学习检查绒毛，帮忙洗瓶子，刷器械。终于，一台手术学习结束，无后可退的时候，就可以上台了。

连续干了三天杂活之后，中饭的时候，我和琳琳在食堂碰到萧峰，萧峰问我们俩学得咋样了，有没有练成“吸宫大法”。

琳琳叹了口气说：“我俩倒是整天摩拳擦掌，胎囊的毛儿还没摸到呢，净干杂活了，真不知道啥时候才能学会这伟大的电吸人流术。”

“过去学木匠的小徒弟，入门第一年，师傅连正经家伙什儿都不让碰，就是为了磨你的人，磨光你的棱角，清空你的锐气，一切从零开始。过去老全聚德的伙计要想学烤鸭子哪儿那么容易，头几年根本不让你靠近那神秘的挂炉，先发河北养三年鸭子去，养完鸭子回店剥大葱，剥完大葱练习切葱丝儿，为的是让你全套门儿清。

“我来协和的时候，前俩礼拜根本不让你收病人开医嘱，先跟护士学护理，让你知道白衣天使，就是天天擦屎。熟悉了护理工作的流程，体会了护理工作的辛苦，才能更好地医护配合，才有资格学当大夫，这是老协和的传统。”萧峰安慰着我俩。

“我们是新时代的大学生，是社会主义的住院医师，和旧社会学徒是一回事儿吗？学徒靠师傅给饭吃给活路，我们是有身份证有工作证的人，作为教学医院和上级医师他们就有培训住院医师的责任和义务，扯什么呀？说白了就是杀光你的锐气，让你知道自己几斤几两，别动不动撅尾巴龇毛儿撂挑子。”琳琳总是一副愤怒青年的架势。

萧峰听得哈哈大笑:“别急,下礼拜肯定让你们上手,不会刮宫和人流不能值夜班,很快病房里的成手就受不了了,保证主动手把手教你们,不赶紧学会还要骂你笨呢。”

萧峰当时的话让我和琳琳多少恢复了点激情,但现实是,即使学会了吸功大法,杂活还是得我们自己干。

除了美容整形科抽出来的油脂,还有人流室刮出的正常胚胎,手术台上的切除物大都要送病理检查。吸瓶一人一洗,才能保证每个病人的东西不混,如果肉眼检查核对正常,就可以直接倒入废物缸,不送病理,为的是节省人力物力;如果可疑,例如根本没找到绒毛,或者绒毛不典型,才送病理。

把吸瓶清洗干净很重要,要是残留了上一个病人的什么东西,势必会混进下一个病人的刮出物,即使病理诊断 99% 的准确率也白扯,因为标本来源就有问题。吸宫开始前,要养成常规检查吸瓶干净与否的习惯,就像准备倒车之前,不管后边有没有人,都得看一眼倒后镜,好习惯铸就最大安全性。

曾经有博士研究生在计划生育科室轮转期间不好好洗瓶子,先给 20 岁大姑娘做人流,再给 60 岁绝经后出血的大妈做诊断性刮宫,结果老太太的病理报告中,愣是见到了妊娠期绒毛和蜕膜组织,闹出通天笑话。

做完人流,看了绒毛,协和的医生还要亲自刷洗器械,最后把器械泡到消毒桶里才算完事,因为一旦血迹结痂,护士就不好刷了,吸管是中空的,不好好维护保养就会堵塞或者很快锈掉。

老窦总说,不来协和不知道自己是井底之蛙。后来我有机会走出协和,才知道每个人都有自己的井底。诸如洗瓶子、刷器械、冲管子之类的杂活本不该我们医生做,国外的负压瓶是一次性的,绝不会混淆标本,杜绝了一切人为疏忽犯错的可能性。手术后的器械清理，都是护工、护士助理的活，医生甚至不用自己书写手术记录，录音后有助理帮助整理打印，因为雇十个助理的钱还不够雇一个专科医生。医生把最大精力放在手术和病人身上，医生以病人为中心，医院里的一切都以医生为中心，才是王道。

谁让我们是发展中国家呢，医院使用一次性物品，最终埋单的还不是病人，护理工作又脏又累又没有医生的前途和钱途，护士流失严重，人手本来就不够用，我们小医生不干，谁干？

拍照后，老窦用一小块麂皮很小心地擦了擦相机镜头，把相机仔细地装进相机包，走了。

一群实习医生和小护士在各自的小本子上各取所需地记下一些东西，叽叽咕咕了一阵子，走了。

琳琳翻了几下病历，又看了一眼弯盘中我的荣耀战利品葡萄，一副懒得搭理人的样子，走了。

钱老姐把病历翻到辅助检查一栏，指着 B 超单子最下方出报告的医生名字对我说："有空给这个 B 超大夫打个电话，沟通一下，问问这种不太明显的部分性葡萄胎能不能通过 B 超事先诊断出来，这样你俩都能进步。现在的年轻人不如过去临床做得踏实了，B 超科现在的大主任你知道为什么能当上主任吗？人家早些年给妇科肿瘤的病人做完 B 超，不是出完报告就完事儿了，而是记下病人的姓名、病历号以及具体的手术时间。手术打开肚子那天，人家亲自到手术台上去看，看看瘤子到底是什么样的，有没有包膜，有没有界限，里边有没有分隔，有没有乳头，实性、囊性还是囊实性的，具体到软硬质地都要戴上手套摸一摸，如此举一反三，你说人家出的 B

超报告能不靠谱吗？能不让人信服吗？这样做事的人要是不出息，那还有天理吗？

“还有，别忘了会诊的事儿。”说完，钱老姐也扭出人流室，走了。

在医生眼里，这是一个少见病例，大家都来看上一眼，为的是记住那些细小的、混在绒毛和蜕膜中肉眼不易分辨的葡萄，免得以后刮出同样的东西自己不认识，为的是自己不露怯、病人不漏诊，说穿了也是为了病人。但此时此刻，没有任何人打算看一眼人流床上的姑娘，更别提安慰了。

在杜冷丁的作用下，她糊里糊涂地睡着，一双黑黑的长睫毛不安地颤动着，全然不知醒来后自己将要面对什么。

等待她的，将是医生的病情交代，从头到脚的全身评估和每周两次的血液检查。

要是刮宫以后 hCG 按正常曲线递减，她就算逃过了一劫；要是 hCG 不下降反而上升，或者过两天来个大咳血肺转移，或者头疼颅内转移，就是恶变，就是侵袭性葡萄胎。虽然这几率不超过 5%，但一旦发生，不幸就是百分百地降临在她身上。

人流室里一下子安静下来，我在顶墙的小桌子上，一边写手术记录、病理单，开各种化验单和会诊单，一边等她醒过来，等着把这坏消息告诉她。

很多病人怪医生话少，其实，在医院里没有消息就是好消息，主动找上门来谈话的医生，大都带着坏消息，大都来者不善。

部分性葡萄胎的发生率远低于完全性葡萄胎，平均 1945 次怀孕中才会有一例。细胞遗传学表明，该病发生主要和父源性基因物质相关，也就是说，一个来自父亲的异常精子和母亲的正常卵子结合，长出了这坑娘的孩子。

她若知道自己可能面临的一切恶果，都是陪她来做人流的男孩子造成的，知道这一切都是自己不懂避孕而使自己的卵子和子宫无知又轻易地就接纳了一个隐含致命缺陷的精子造成的，知道现在和将来一切未知的苦难，都是床上那几秒钟激情澎湃的代价，得多后悔啊！

就算当时高潮迭起欲仙欲死，那也不划算，我想。

06
宫颈妊娠如何判定

送走葡萄胎的姑娘，我拿了下一个病人的病历进来：30岁，孕2产1，停经两个月，阴道出血三天，B超提示宫颈管里可见胎囊。

难道这就是传说中的宫颈妊娠？

上个月，全科月报会集中讨论过宫颈妊娠，佟医生总结了自己经手的4个宫颈妊娠病例。

这是一种罕见的异位妊娠，不能用普通的电吸人流术解决。

过去遭遇宫颈妊娠，都是刮宫后局部使用纱布填塞，有的甚至需要切开宫颈管，剥除胚胎，直视下充分止血，再褥式缝合宫颈成型。

佟医生学习了最新的文献后提出，病人经济条件允许的话，最好先做双侧子宫动脉栓塞再刮宫，否则一旦出现大出血的残局，难以收拾不说，还很容易造成宫颈损伤、狭窄或者机能不全等后遗症。

特殊病例，必须请示上级医生，我把病历拿给钱老姐，问她是不是要先栓塞再刮宫。

钱老姐说："光看病史和B超就能诊断宫颈妊娠吗？什么时候都要记得先看病人。"

又挨训了，训得对，活该，真不长记性！我在心中暗骂自己。

我让病人排了小便，上了人流床。

膀胱截石位是妇产科最常采用的体位，也是女性最难接受、最容易产生羞耻感的姿势。我反复劝说并安慰病人，她终于打开双腿，暴露外阴。我用窥具轻轻撑开阴道，暴露宫颈，钱老姐探头一看说："真正的宫颈妊娠不这样，紫蓝色的酒桶状宫颈你见过没？"

"没有。"我回答。

"没见过宫颈妊娠，还是没见过酒桶？"钱老姐又问。

"没见过真的宫颈妊娠，那种欧式酒桶也没见过真的，只看过照片。不过眼前这个宫颈和正常怀孕的宫颈好像没什么两样。"我回答。

"你有肚子疼吗？"钱老姐问病人。

"有，这两天一阵一阵疼得厉害，昨晚一夜没睡。"

"看，肚子疼，说明子宫有收缩，真正的宫颈妊娠病人很少肚子疼，都是悄没声儿地大出血给你看。"

"月经规律吗？"钱老姐又问病人。

"不规律，总是提前一个礼拜。"

"没人规定月经都得一个月一来，总是提前一个礼拜，那也叫规律，是属于你自己的规律。"

钱老姐不失时机地教育着病人，都是科学洁癖惹的祸，医务工作者做久了，容不得任何人对医学术语有半点的使用错误，不论对象是身边的朋友，还是病人。

我在旁边提着一口气，还好病人成熟识大体，否则，碰到年轻气盛的，两句话不对可能就呛起来了。

“你什么时候知道怀孕的？”

“我很早就自己验尿了，月经还没真正过期，我就知道自己怀孕了。”病人很配合地回答问题，可见她对钱老姐的粗暴纠正并未在意。她已经是一个6岁孩子的母亲，听得出医生反复追问是为了了解自己的病情。

“月经规律，停经8周，胎囊却只有1公分，还没有胎芽胎心，肯定是胚胎停育，我分析这胎囊并不是种在宫颈，而是流产后下移到了宫颈，应该很好刮。你做吧，我给你看着。”

“要是真的大出血怎么办？我们会措手不及的。”我嘟囔着，脑海中一直在回放月报会上佟医生讨论的那四个罕见又可怕的大出血病例。

“上次佟医生讲那四个宫颈妊娠的病例时，反复提醒我们小医生要提高警惕，如果有类似病例要立即和她联系，她要收集。对了，她给我们留呼机号码了，我要call她吗？”

“你哪儿那么多废话？协和是上级医生负责制，我让你刮你就刮，天塌了有比你高的我顶着，地陷了有比你胖的我垫着，怕什么？”钱老姐皱着眉头，粗声粗气地对我大吼。

果然，吸管伸进宫腔，感觉空空的，我逐渐往外退，就在宫颈管和子宫下段交界部位，感到滑溜溜的胎囊，我顺势向外一牵，没错，就是它，陈旧退化的绒毛。出血不多，手术顺利，三分钟搞定。

护理员把病人推出去了，我一边刷瓶子洗器械，一边问钱老姐："判断还真准，您为什么这么有底气？"

"无他，就凭吃的盐比你吃的饭多，过的桥比你走的路多。再说了，哪儿那么多宫颈妊娠，那是少见病，你们这些高材生都有这类问题，鉴别诊断的时候爱钻牛角尖。尤其是八年制毕业的那帮博士，净替病人想些个奇病怪病，医学思维完全和正常人两样儿。"

"钱老姐，这个我不同意您，诊断疾病有时就得不走寻常路，才能有建树。我最佩服的内科医生是实习时候带过我的留健勇老师，话说有个男病人，因为肺部阴影走遍大江南北，看遍全国所有的呼吸科名医，花了十多万，什么CT、核磁都不知道做了多少遍，都没搞清楚怎么回事儿，有的说炎症，有的说结核，还有说肺癌让他开胸的。到了咱们协和，留大夫仔细全面地询问病史以后，得知患者是南方人，喜食醉蟹，于是取了患者一口痰，一个人在显微镜底下找了一个多小时，最终发现罪魁祸首，卫氏并殖吸虫，绝对的罕见病。最关键的是，这诊断没花病人一分钱。"

"哎哟，瞧瞧，待的时间长了，知道的八卦事儿多了，敢顶撞你钱老姐了？"

"不敢不敢，不过刚才听您的是对的。幸亏我没call佟医生，她来了一看不是宫颈妊娠，还不骂死我。"

"她才不会骂死你呢，说不定还感激你呢。"钱老姐鼻子一哼。

"主任说这叫临床科研意识，临床科研重在收集，做好了不逊于基础研究，还让我们小医生都学习她，并且配合她收集病例呢。"

"瞎配合个屁，弄不好你就是助纣为虐。就拿这个病人来说吧，B超怀疑宫颈妊娠，医生顺水推舟，先把病人拉去做子宫动脉栓塞，之后再刮宫，肯定是个宫颈妊娠诊断和治疗都成功病例，写进论文谁知道是怎么回事儿？”

“她不会这么做吧？这不是科研造假吗？”

“闲着没事儿谁会造假？知识分子的平均素质还是高过一般人的，可就怕眼前有刚需、有诱惑。她手里那四个病例，最多写一篇‘病例报道’，评职称的时候不算论文。有了你这一例，总共五个了吧，可以写成‘论著’，算一篇正经文章。她本来挺优秀，去年没聘上副高，知道为什么吗？”

“不知道，这些高级职称聘任的事儿离我们小的还十万八千里远呢，我们不关心。”

“告诉你，不是她论文少，只是没有别人多而已。聘上的那个大夫，临床不如她，但是论文比她多一倍，人缘又好，她自然没戏。所以，今年她正憋着劲儿呢。题目我都帮她想好了，就叫《介入治疗在宫颈妊娠治疗中的应用》，贴近临床，跨界放射科，‘介入’又是当下的时髦词儿，丫外语好，再翻译成英格力士，一篇SCI顶五篇土鳖文章，医院还给发巨额奖励，一分的影响因子就给一万块钱，你们一年才挣多少钱啊，重赏之下必有勇夫。”

“谁那么牛啊，论文比别人多一倍？快告诉我，将来轮转到她手下好好取取经。”

“取什么经？她是妇产科的，她老公是心内科的，人家是夫妻店。论文都是些妊娠合并心脏病，围产期心肌病，妊娠合并心衰、心律失常之类的跨界文章。一篇文章里，他们两口子一个是第一作者，一个是通讯作者，结果两人评职称的时候都能用上，这才是一帮一对红，真正的革命伉俪双双飞呢。你说中国的知识分子多聪明啊，就是不往正道上用，每年国家资助的那些个基金课题动辄上百万，就没见研究出啥对临床真正有用的东西，整天跟在资本主义屁股后头，今儿养细胞，明儿折腾小耗子，画出点儿什么曲线，计算出个什么P值，还动不动说自己试验成功了，和美国日本得出的试验结果一致，你说说人家求你给验证了吗？

“所以我才不让你助纣为虐，你想过没有，你这一通风报信，病人就有可能被扣上宫颈妊娠的帽子，按照目前的流行趋势，就得先栓塞再刮宫。病人要承担什么？里外里多花一万块钱不说，还得白白接受放射线辐射，承担穿刺股动脉大血管造成的出血、感染、意外损伤等风险，栓塞后插着尿管在床上完全制动24小时后才能刮宫。临走时，还得对大夫感恩戴德，谢过避免大出血之恩。

“咱们科里这些大中小大夫，都是打我这儿出去的，都是我手把手带出来的，谁是什么人我最清楚。我虽然是没什么大指望的人，但我自己就是试金石，在我身上最能看出谁是不忘师傅不忘恩的实在人，谁是过河拆桥落井下石的小人。就说那个小佟吧，在我这儿做人流的时候造成子宫穿孔，还不是我给她兜着盖着，可现在，见了面连个招呼都懒得打，见了主任、副主任还有专业组长，哎哟那个满脸堆笑、屁滚尿流、花枝乱颤啊，看得我都倒牙。还不是你钱老姐手里没有投票权。将来谁能成大家，谁是沽名钓誉之徒，我一眼就看穿。刮宫好学，这些东西难懂，你自己慢慢体会吧。”

我没敢再接话茬儿，再说下去，又一个心目中科研意识浓郁、处于事业上升期的理想国美女医生原形毕露，实在是太毁“三观”。

“刚才您冲澡，是不是有啥不顺心的事儿？”我赶紧转移话题。

“别提了，人事处不干人事儿。我不是下个月去美国开会嘛，鬼子签证要单位出在职证明，负责出国管理的人端着架子为难我老半天，又问工号又查电脑，还要我填表等院长办公会批准，才给我出证明，这流程走一圈儿下来，黄花菜都凉了。结果后头来的是某科主任，哎呀，那态度，比川剧的变脸还快，直说您东西放这儿吧，盖好章我给您送去。”

“那您美国去不了了吗？”

“当然能去了，那位科主任咱熟，她儿媳妇前一段宫外孕，刚在我这儿做的药物治疗，她对人事处的人说，把钱老姐这份麻烦一块儿给办了吧。我这才借了人家的光。”

07
霹雳手段与菩萨心肠

下午我和钱老姐都出门诊。

长走廊大通铺的妇产科门诊，俨然一个大车店，嘈杂程度堪比火车站前大广场，再大牌的医生也没独立诊室，全科最高权威坐在靠墙把头儿的位置，算是黄金地段了。

每个医生周围都是一个由病人、病人家属、实习生、住院医生还有研究生、博士生组成的人墙，人墙将不同的医生隔开。医生诊桌后边一米之隔，一个白布帘子，挡着检查床上女性病人全部的自尊和隐私。

嘈杂而巨大的诊室里，医生和自己的病人只能依靠距离接近的优势，确保能听到对方的声音。

我坐在一进门的位置。我，住院医师,4 块 5 毛钱一个号，左边是知名专家，14 块钱一个号，右边是钱老姐，主治大夫，5 块钱一个号。

左右都很抢手，病人早在一旁排好队，不停有人伸头过来打探到没到自己的号，还有病友大妈自觉维持秩序。我则相对清闲，一般我们这种住院医师，要等两点以后才能来一些“打酱油”的病人。

诊桌左边的教授被病人、病人家属、自己的住院医师、研究生和博士生围得水泄不通，我啥也看不见，啥也听不见。我的诊桌右边就是钱老姐，她虽然资格老，但还是主治大夫，没有研究生，自然没人伺候她出门诊，所以，她这边的情况比较一目了然。

钱老姐：“你俩月不来例假，内分泌失调，得吃药。”

病人甲：“喝什么药好？”

钱老姐：“黄体酮，孕激素让你的内膜脱落，就能来例假。”

病人甲：“激素？会不会长胖？”

钱老姐：“不要谈激素色变，这个孕激素和你们老百姓知道的那个激素不是一回事。”

病人甲：“不喝药，再观察一个月行吗？”

钱老姐：“那你还来看什么病？回家观察去呗！你来医院就得听大夫的，我还能害你？缺啥补啥，你因为没排卵，不产生孕激素，才不来月经，就得补孕激素。”

病人甲：“我还是怕喝药，我想再等等，我虽然不来月经，但是也不难受。”

钱老姐忍不住了，用她一贯的大嗓门嚷嚷开了：“还等啥？等到大出血来看急诊吗？孕激素不是毒药，我自己闺女不来月经我都给她吃这个，我还能害我亲闺女？”

这一嘁，很多医生和病人都停了下来，整个大诊室突然变安静，大伙都循着这离奇少见貌似还发自医生的训斥和叫嚷声张望过来。

病人立马说：“大夫，别生气，我懂了，懂了，谢谢，谢谢您。”

再一看，钱老姐桌上的处方，被病人拿走了。

绝大多数医生不会像钱老姐这样爆发，一般该解释的解释，该开的药开，吃不吃药是病人的事，一切悉听尊便。钱老姐劈头盖脸一通骂，总算让病人把药方拿走买药去了。

病人乙：“我得了啥病？”

钱老姐：“你这不是简单的人流就能解决的问题，病理报告是葡萄胎，现在你双肺上都有转移病灶，得赶紧化疗。”

病人乙：“化疗？是不是掉头发烂嘴巴？”

钱老姐：“对，秃头后头发还能长出来，带卷的，又黑又亮。化疗当时是会烂嘴巴，停药就好了，没有烂一辈子的。”

病人乙：“听说，还会哇哇吐，太受罪了吧？”

钱老姐：“对，会哇哇吐说明你还活着，要是不治病，连哇哇吐都不会了，赶紧做决定，越早治效果越好，癌细胞可是一刻不停地在长。”

病人乙：“我家河北霸县的，没带钱。”

钱老姐：“赶紧回家筹钱，霸县的也不能吃霸王餐，下次别找我，我给你写一个滋养细胞疾病的专家门诊，专治你这病。”

病人乙：“哪儿那么快就筹到钱？这年头都是救急不救穷，我得回去卖房子才能再回来治病。”

钱老姐：“扯什么蛋？等你卖房子变了现钱，病就扩散了，神仙老子也救不回来。”

病人乙：“那就不治了，反正也是癌症。”

钱老姐：“癌症和癌症不一样，你要是得了晚期卵巢癌宫颈癌，有钱也难保能治好，回家等死我也不劝你。你这是侵蚀性葡萄胎，能治，治好了和好人一样，还能生孩子，我们协和专治这病。”

“可是我真没钱，为了挂号，我都排好多天队了，我对象和我连吃带住的，带的钱都花差不多了，现在我们都在肯德基打地铺。”病人哭开了。

钱老姐说：“你坐这儿慢慢哭，我去去就回，你别走啊。”

过了十分钟，只见钱老姐白大衣敞着怀，扭着她的肥胖身躯回了诊室，她把一个厚厚的信封啪地拍在桌上说：“这钱拿去，赶紧治病，治好了记得还我，这是我的私房钱，协和妇产科只有我一个人姓钱，不难找，治不好就算我白搭了。”

钱老姐就是这样一个大夫，工农兵出身，没有太深的学术造诣，上不了大台面。每天盯在没有大教授愿意倾注心血的人流室，面对社会上的形形色色和三教九流。

她嗓门大，脾气冲，缺乏温文尔雅的女性知识分子气质，可是发起善心的时候，又直接爽快不由分说。

在协和这样的高级医学殿堂，她手把手地带教着我们这群从零学起的小住院医师，做着最基本的、甚至有时被同行轻视、貌似最没技术含量的计划生育工作，却实实在在地解决着每个病人具体而细碎的难题。

她是协和大院里的一块不能再普通的基石，永远默默无闻、永远没有机会大红大紫。

08
铁打的协和流水的小兵

看完门诊已经下午 6 点，回到病房晚查房时，琳琳和老窦还在人流室埋头刮宫。

人家肿瘤病房都怕周末人手不足，对病人疏于照顾，历来把大手术排在星期一做。我们计划生育正好相反，星期五是一周里最忙的日子，因为很多女性都要求周五做人流，这样可以趁周六周日好好休息一下，周一还要继续上班。

虽然国家规定，每个女性都有 14 天的人流假，2 天的放环假，1 天的取环假，但是据我观察和不完全统计，真正找医生要病假条的人不到一半。

这其中包括很大一部分未婚先孕不敢声张的。即使已婚女性来做人流，也不是人人都拿假条休息。有人觉得做人流是一件不光彩的事，不好意思找领导请假，尤其是男领导。也有为生活所迫，一天不工作就一天没饭吃的人。还有休假代价太大，个人难以承受，又或挣钱没够的，比如一天不上班损失三百三的白领，俩礼拜不上班，一个基本款的 LV 就打水漂了。还有一部分人固执地认为，自己的岗位没有自己就会失灵，这其中除了一部分人确实位高权重，一部分人真的对工作极其认真负责，剩下的大部分都是属于没把人生到底咋回事想明白的。

她们不知道这地球离开谁都一样转，而自己的小身板，如果连自己都不好好珍惜和爱护，还有谁会真的在乎？天地对万物从未施得仁恩，也不求回报，只是让万物如刍狗一般自然走完由生到灭、从荣华到废弃的过程罢了，你还自己纠结个啥?

* * *

这个下午发生了很多事，小外勤辞掉令她“人饿屁多、人穷气大”的护理员工作，去特需病房一对一护理高干去了。原来干活按天算钱，吃住没人管，现在是按小时算钱，包吃包住出门还有公车。据说高干出院后她打算跟着回家，做一个有医学知识的私家保姆。

她的轮椅车上不再推令她厌烦的流水病人，而是一个可能在将来替她找个轻松体面工作的老干部。人就是这样，知足的做一辈子护理员，不知足的反倒能找到新的生机，人往高处走水往低处流，我也只能真心祝福她。

后来的一个护理员倒是虚心听话，可是做起事来，要多笨有多笨，说不完的话，费不完的口舌。人世间总是这样，什么岗位上都有好用的人手，可就是不省油。

这天下午，一个刚工作不久的小护士惹下大祸。一种口服的营养液和静脉输注营养液的外观设计极其相似，小护士愣是把口服营养液扎上输液管，倒过来挂在输液架上，再通过头皮针输到病人静脉里头去了。

这是一个避孕环异位到肠子里的老太太，我们开刀取出避孕环，因为修补了肠子，所以要禁食禁水一段时间，给予肠外营养支持。除了签字和手术那天见了她大闺女，就没有第二个亲人来看过她。这下可好，一听说出事了，呼啦啦来了好几个儿子侄子外甥，医务处来了几个工作人员，隔开哭哭啼啼的小护士和群情激奋的孝子贤孙，在交班室做解释和安抚工作。

行政单位处理这种事的方式想都不用想，赔钱、道歉、处分小护士、牵连护士长。

护士长一脸疲惫，正带领一群护士在治疗室翻腾药柜，核对剩下的口服液和静脉液，首先将它们分到两个不同的架子上，再把红色和绿色不粘胶剪成圆点，分别贴到口服液和静脉液的瓶子上，作为警示。

我问："病人还好吧？"

"病人没什么大事儿，只输了一点就发现了，但是错误是致命的，怎么赔就看家属饶不饶人了。"

"您也别太责怪她，是人就总会犯错，再说，这两种剂型的药瓶子除了那几个字不一样，其余完全一模一样，也不能全怪在小护士身上。"

"我哪有怪她，责任在我，她昨天夜班，本来今天应该下班休息，但是最近病房人手不够，今天治疗组的一个护士，妈妈生病住院，我就让她又顶了一天。其实这孩子很聪明，干活也踏实，可能是太累了，人疲劳的时候最容易犯错。"

"您也别太自责，谁都想把工作做好的。"

"你别安慰我了，说是这么说，可你犯了错，人家受了伤，凭什么用自己的生命安全去宽容和理解你？我就想赶紧把这事儿结了，我也不打算在临床一线干了，病房实在太琐碎太操心了，每个月多挣那千八百块，还不够将来生病买药吃的。”

后来发生的事让人又后怕，又啼笑皆非。据说病人儿子从老家招呼来三车医闹，眼看车要到北京了，却在途经河北高速路段出了车祸，侧翻一车，全翻一车，没事的那一车人本来还打算继续开往北京，此时车上的黑老大忽然开悟。据说他并不是突然明白了多行不义必自毙的古训，而是一番掐算后说，今天不是黄道吉日，于是打道回府了。

协和医务处还是有高水平的地方，平息纠纷后，不忘找来厂家，经过一番专业论证，厂商将口服液的橡胶瓶盖改为铁皮盖加塑料垫，这回好了，即便瓶子倒过来挂在输液架上，费上九牛二虎之力也没法滴流了，彻底杜绝了护士作为行为个体犯错的可能性，从根源上避免了这一大类医疗差错的发生。

出了问题向个体问责，是传统事业单位的一贯做法，小护士被发配到妇产科门诊留用察看。别看病人趋之若鹜，门诊永远一号难求，但对于医生来讲，没人愿意长期待在门诊，那里是众所周知的冷宫。除了老弱病残孕，就是吃斋念佛拜基督的，还有个别烂泥扶不上墙的，或者不会拍马屁不受主流价值观待见的，也有个别家中背景深厚、经济阔绰，不愿意自己拼死拼活，跟同事们急赤白脸地在僧多粥少的第一线抢食儿吃的。

年轻气盛的护士小姑娘自然不会让自己就此在门诊黯淡下去，树挪死人挪活，十年后，她成了某著名品牌家具公司的总裁，开着奔驰小跑从东单疾驰而过的时候，我无从猜测她对协和怀着怎样一种情感。

09
打算药流的，要先确认是否宫内孕

傍晚，琳琳从病房走出来，一脸的疲惫，她说怀孕这事太他妈难受了，不知道哪儿来的一股子疲劳，恨不得做两个人流之间那几分钟，都想找个空档倒地上歇一会儿。

我问她想吃什么。

“酸辣汤。”她脱口而出。

“好，咱去大学生。”

大学生餐厅是医院门口的一家家常菜馆，又厚又重的白色大力瓷餐具和又轻又薄吹弹即破的一次性塑料桌布是它的招牌配置。因为拿协和工作证或者胸卡吃饭可以打八折，医院 call 我们的时候我们还可以用前台电话回复，于是，这里成了协和住院医师的第二食堂。

琳琳要了酸辣乌鱼蛋汤，我自己要了腰果虾仁，这是我的最爱，虽然是水发虾仁，浑身透着一股子可疑的陈旧色泽，个别腰果也已散发出哈拉味儿，但是拌上米饭，相对我空虚的胃口和口袋来说，这一切让我非常满足。

琳琳说："我想好了，还是做药流吧，不声不响地赶紧把这烦心事儿给平了。"

这想法和我不谋而合。

琳琳这种还没结婚的大姑娘，肯定不敢光明正大在协和做人流。虽然好处是能打静脉全麻，完全无痛，钱老姐也会给面子亲自上阵，将手术的伤害降到最小。但这样做的结局是我们不能承受的，动静太大，再怎么特立独行，人言可畏这四个字，我们还是懂的。

要是去别的医院，比较近的府右街北大妇儿医院应该是个不错的选择，技术有保证，但他们也没有常规开展静脉麻醉，就是生刮。琳琳没生过孩子，人流也是头一回，宫颈管一定很紧，一点一点地扩宫就够她受的，更别提又吸又刮了。

甚至，我们连杜冷丁都没办法轻易搞到，协和对毒麻药的管理一向严格，每一只杜冷丁都在药柜里锁着，小钥匙在管药护士的裤腰上挂着，就算搞到钥匙也没用，每一只用过的杜冷丁安瓿，都要和病人的使用处方一对一管理，严格计数。

于是，药物流产貌似是最合适的选择。

药流的过程是，先自己在家吃三天米非司酮，每次一片，每天两次，最后一天去医生的门诊吃米索前列醇，三片一饮而尽。之后就在医生的眼皮底下，拿着医生发的弯盘溜达，每次上厕所的时候，用它接着排出物，胎囊多数会在当天排出，医生肉眼确认排出后，就可以回家了。

如果胎囊当天没掉下来，还可能在随后的两到三天里自然排出，再之后的两三个礼拜，为孕育胎儿而增厚的蜕膜组织也将陆续脱落。

药流的成功率高达95%，只要准备充足的姨妈巾，就能神不知鬼不觉、无声无息地将肚子里的孩子弄掉。

米非司酮的中文商品名叫“息隐”，多么排忧解难的好名字。

药流虽好，但必须吃对时机、用对人，成功率才高。也只有成功的那95%，才是真的好，不成功的5%就比较悲剧，无法自然排出的还要刮宫，就跟生孩子似的，生到最后生不下来拉去剖宫产，两茬罪都受了。

吃药之前，必须通过验孕检查和B超确定是宫内孕。要是宫外孕，吃药不光解决不了问题，还会掩盖真相，将问题复杂化。

另外，胎囊太大不行，最好不超过2厘米。从最后一次月经第一天算起，按照中国的政策，药流只能用于怀孕49天之内的早孕，在这个范围内，越早吃药效果越好。

最后一点，身体健康才能吃药，否则药物副作用将成为主要矛盾，令你一波未平一波又起。哮喘、痉挛性支气管炎、心绞痛、心律失常、心力衰竭、高血压、青光眼与肝、肾功能不全、溃疡性结肠炎，等等这些病人，统统不能吃药流产。

琳琳身体健康，没病没痛，停经6周，我们还有一个礼拜的准备和操作时间，一切都还来得及。

我说：“当务之急是找个地方做B超，确定是宫内孕。”

琳琳说：“我也在想这个，关键是B超室里也没个像你这样的铁哥们儿。一件事要想成为秘密，就不能让太多人知道。我的早孕反应特明显，尿频，还是第一次怀孕，以前又没盆腔炎什么的，应该不会那么巧就宫外孕吧，你说我不做B超行吗？”

“那可不行，做B超确认宫内孕，是药流之前最基本的原则。小妍还第一次怀孕呢，她也没盆腔炎，肚子里一点粘连没有，好好一个处女盆腔，不是也宫外孕，还差点丧了命？再者说，有早孕反应只能代表你的胚胎发育不错，个别宫外孕的胚胎也长得好着呢，很多怀在输卵管里的胎囊还有胎芽和胎心呢，跟在子宫里头一模一样。

“有一次做完手术，我剖开切下来的输卵管，我的天，输卵管里面的胚胎长得那叫一个标致。手术台上的病人多年不孕，花了十几万做了三次试管婴儿终于成功了，没想到大夫明明把胚胎种在了子宫腔里，那个受精卵竟然自己溜达到输卵管里头并且定居下来，这不是倒霉催的吗？你说要是有个什么技术，能把那熊孩子移植回子宫里头接着长，长成一个大胖娃娃该有多好。”

我说的句句在理，琳琳不再反驳，开始琢磨到哪儿去做这个B超。

想来想去，我们得出结论，为了让更少人知道这事，而且，本着花钱最少的原则，我们决定，自己给自己做B超，不就是看胎囊吗？反正只要确定那个东西在子宫里就行了。我们妇产科医生虽然不需要自己会做B超，但是整天面对和分析无数的超声报告，基本问题还是清楚的。

妇科B超分两种。

经腹部B超最常用，优点是无创伤，便宜，90块，但是需要患者事先喝水憋尿，目的是让膀胱充盈，保证医生能够清楚地看到盆腔深处的子宫和卵巢。

憋尿是个技术活，憋得太早，喝水太多，还没轮到你，恐怕你就因为不堪忍受的“内急”先到厕所把尿排出去痛快了。结果轮到你的时候，因为膀胱充盈不够，你还要重新来过。好不容易再次排队轮到你，医生又说“尿憋得太多，要排出一些”。这个“尿一半，留一半”还真是个技术活儿，或者说不容易控制那么好。

一般来说，腹部B超之前，憋到稍有尿意最好，并不像某些医生要求的那样，需要憋到极限，马上就要尿裤子的程度。一般在检查前一小时开始喝水就可以，过度憋尿会使器官的比邻失去自然的位置关系，也容易漏掉膀胱本身的小病变。

另外一种选择是阴式B超，因为更贴近盆腔器官，所以能够更清楚地显示子宫附件的结构，以及盆腔肿物的形态、质地。这项检查偏贵，150块。方便之处在于不需要憋尿，尤其适用于腹壁肥厚者、老年憋尿困难者。因为探头要放在阴道内，所以不适用于没有性生活的人群，同时，对于超出盆腔，也就是离阴道越远的肿物，诊断价值越有限。

琳琳先憋尿，我给她装满白开水的杯子里加了点白糖，这样利尿。

周六早晨八点，正是急诊医生大交班的时候，我和琳琳悄悄溜进急诊B超室，不巧的是，一进去我就发现门锁坏了，没法反锁。

于是，我在门口负责堵着门，避免有人闯进来。

因为经常带病人来急诊做B超，我们对这台机器还是比较熟悉的，凭着实习时候积攒的一点功底，琳琳顺利地开机，并且调整到腹部扫描模式。

她躺在检查床上，把B超显示屏扭向自己，接着，她往肚皮上抹耦合剂，把探头放在肚皮上，然后一边调整探头的位置，一边紧盯着屏幕。屏幕上什么也没有，黑洞洞的一片。这是巨大充盈的膀胱，琳琳这个尿包，年轻人就是产尿快。

“子宫在膀胱的下面，往下，往下。”我一边顶着门，一边小声建议着。

琳琳缓慢向下移动探头，看到了，虽然隔着一米多远，但我的视力超好，一眼就看到了圆圆的胎囊。琳琳赶紧锁定图案，打印照片，关机，擦净探头上的耦合剂，穿好裤子。

然后，我俩装作若无其事的样子，溜出了 B 超室。

这张照片应该说很不标准，没有摆正子宫的位置，无从辨别胎囊着床的具体部位，没有胎囊大小的测量，也没看是否有卵黄囊。但是管不了那么多了，以我俩三脚猫的功夫，就算想，也没那能力。总之，可以明确胎囊在子宫里。虽然不知道大小，但是我们拿尺子比较了胎囊和子宫的比例，估算还没有超出 2 厘米，结论是，可以做药物流产。

10
阴道清洁度检查是无良医生的惯用伎俩

宫内怀孕这事，算是基本确诊了。但是药怎么办？去哪儿弄药？

在协和，药物流产的药物统一归计划生育专科医生管理，不归药房管，不是弄个身份证，挂上号，拿了处方交了钱就能随便买到的。

于是，我们把触角转向了其他医院。那时候，很多公立医院周末还没有设立便民门诊，平常工作日，病房里的小大夫都是一个萝卜一个坑，琳琳不可能请假出去看病，于是我们决定去私立医院。虽然我们知道那时候的私人医院，尤其是看妇产科的，有很多猫腻和不正规的东西，但药物总归不会是假的，至于其他蒙钱的伎俩，我俩小心便是。

偷着做完B超，我和琳琳到病房查房，然后就直接出发了，私人医院在景山附近，坐东单门口的128路直达。

到了前台一打听，人家提供的服务都是各种套餐，什么阴道炎套餐、宫颈炎套餐、宫颈糜烂套餐、人流套餐、药流套餐。

药流套餐包括尿妊娠试验、B超、血尿常规、阴道清洁度检查，还有药物流产的药费和观察费。废了半天口舌，前台导医允许我们不做B超，但是血尿常规和阴道清洁度检查是必须选的，否则人家还不伺候我们俩了。

我俩一商量，反正这些也是药流前必做的项目，干脆在这儿都做了，免得再回医院检查。大马市一般的协和门诊，病人多，耳目也多，想找个清净地方把诊室门关上干点私事比登天还难。

护士先带琳琳抽了血常规，接着是到妇产科诊室化验白带和阴道清洁度。

私人医院的条件确实好，检查床不是无遮无拦地敞在诊室的一角，而是由一个温馨的粉色布帘遮挡，病人屁股底下的垫子都是一次性的，护士亲自垫好，才让琳琳上床。踩在小木凳上的时候，护士一直扶着琳琳怕她摔着，比我们的大通铺门诊强多了，不由让人心生好感，看来“一分钱一分货”的老话是对的。

20世纪90年代的协和妇产科门诊，问完病史后，都是大夫从椅子背上一摞白尿布中扯下一块，交给你，让你自己先垫上，脱两只鞋子和一条裤腿上检查床，至于那难度颇高的妇科检查床到底怎么一个上法，每个病人就只能按照自己的理解和思路，自己往上爬了。上了床以后，病人要把两条腿高高架在分开起码90度的腿架子上，暴露好外阴，耐心等大夫前来检查。

很少有大夫亲自指导你怎么上床，怎么摆体位，再耐心等待一切就绪后，才给你进行检查。他们基本都是继续埋头在一大堆病人和家属组成的包围圈里，利用这一小段间隙给下一个病人问病史，或者给上一个拿回化验单的病人看报告、开药方。

有限的几个护士，负责维持排队秩序，拿着大喇叭在一片嘈杂中发出尖锐的声音叫号，以及应付不断前来的各种咨询和问路，根本腾不出空来协助医生工作。面对全国人民上协和的热潮，有限的医生和护士也唯有如此，才能最大限度节约时间，才能在有限的时间段里尽量加号，才能尽最大能力多看几个病人，尤其是外地病人。

很多专家教授级别的医生已经不是自己亲自问病史，而是住院医师或者研究生在一边先问好写好，教授拿过来看看，个别没问到的，或者细节问题教授亲自问了再补充到病历手册上。教授检查病人后，会亲自解释病情，在病历本上简写要开的化验，要做的检查，要吃的药物，后边还有专门负责开化验单、检查单、处方和负责解释小问题的医生助手。所有这些一是为了培养年轻医生，二是为了节省时间，在单位时间内看更多的病人。

无形中，这种看病过程牺牲了很多东西，例如细致、体贴、隐私、关爱。从提供服务的角度看的话，客户体验几乎差到极点。

医生给琳琳取了白带，说很快就出结果，让我们在休息区等一会儿。马上，小姑娘护士递上一次性水杯，请我们喝免费矿泉水。

很快，报告出来了，导医把我们带回妇产科医生的诊室。

刚才柔情似水的妇产科医生，突然变得一脸严肃，她指着白带化验单说："支原体、衣原体都阳性，显微镜下还能看到霉菌，阴道清洁度也差，已经3度了，满视野都是化脓的白细胞，姑娘，你的阴道炎严重，得先治疗，然后才能考虑流产的事情。"

琳琳大眼瞪了一下我的小眼，我俩狐疑着，都没说话。

医生指着化验单上的白细胞说："你的白细胞高，正常人是一万以下，你都一万二了，要很严重的阴道感染才会导致全身的白细胞升高，一定要先治疗再做药流。药流是怎么回事你们可能不知道，吃完药并不是胎囊排出去就完事儿了，还要等待蜕膜组织完全排干净，至少两三个礼拜的时间，长的甚至需要一个月左右。在这段时间里，你会一直有阴道流血，胎儿流出来以后，女性的子宫口敞开，身体抵抗力下降，最容易发生感染。

“血液是最好的细菌培养基，你要是有阴道炎不事先治疗，潜伏在阴道里的细菌就会借着血液的营养大肆繁殖，然后顺着阴道往你身体里爬，爬进子宫就是子宫内膜炎，顺着子宫再爬到输卵管就是输卵管炎和附件炎，严重的还会导致输卵管化脓，将来输卵管堵了，就是不孕症，就没法再生小孩了。细菌要是从输卵管爬到肚子里头，就是盆腔化脓，严重的还会得腹膜炎，高烧不退肚子疼，那就遭大罪了。你还年轻，可要好好治疗，否则以后不仅没法生孩子，还会落下一辈子肚子疼的毛病，咱们做女人的，可要懂得爱护自己的身体。你们定的药流套餐里只包括检查和药物，另外的治疗要单独加钱，我让护士陪你们去缴费吧。”

本来，白带化验是这等结果，让我挺紧张的，心里一愣的时候，甚至想到“性”可真不是什么好东西，怎么琳琳好好一姑娘一下子招了这么多病？要知道支原体、衣原体可都是性传播疾病啊！可是听到后来，说什么白细胞高是因为严重的阴道感染，我心里就有谱了，甚至为最开始无端怀疑自己的好友感到自责。

我倒吸了一口凉气，原来我们真的进了传说中的“黑店”。这大夫蒙人蒙得还真掏心掏肺、语重心长，流产后盆腔感染的发病机制解释得也很清楚，看来是科班出身。最后把女人要对自己好一点的心灵鸡汤都连锅端出来了，真是遇到流氓不可怕，就怕流氓有文化。

健康女性怀孕后，白细胞都会有一定程度的增高，这是妊娠再正常不过的生理表现。白细胞从早孕期开始升高，直到怀孕 30 周达到高峰。非妊娠女性白细胞多在四千到八千，怀孕时可以升高到一万四，甚至一万六，临产和产褥期还会有更显著的增加，增加的主要是中性粒细胞，这和普通人细菌感染后的血液学变化非常相似，但在孕妇身上，这是再正常不过的反应，只要没有感染证据，绝不需要任何治疗。

为了证明他们是骗钱的过度治疗，我假装很害怕的样子，怯生生地问："大夫，问题严重吗？只要能达到最好的治疗效果，我们不怕花钱，您能告诉我们大概需要多长时间吗？我朋友还在念研究生，还要上课的。"

"研究生的课有什么重要？咱国家的硕士博士都是严进宽出，考进去了不管研究成什么样子，只要老板根基稳，都能混个学位毕业，怎么能和自己的身体健康比呢？现在有病不治，将来想要孩子的时候怀不上就惨了，上哪儿去买后悔药？我们这里的治疗非常系统，我退休之前也是三甲医院的妇产科主任，这是我多年摸索出来的一套治疗方案，疗效特别好。"

"遇到您真是我们的福气，太谢谢您了，您快说怎么办，我们一定配合治疗。"我继续假装诚恳。

"每天来一次，十天一个疗程。首先是用中药洗液进行彻底的阴道冲洗，我们使用的都是名贵中药，包括苦参、百部和蛇床子，不光清理细菌、病毒各种有害微生物，将白带和上次治疗留下的药渣子彻底冲洗干净，还能提高阴道局部免疫力和抵抗力。然后大夫亲自把药物放进阴道的最深处，同时配合微波进行热疗，促进局部血液循环，让你的毛细血管全部打开，药物最大程度渗透进入身体，治疗特别彻底。

“为了加强疗效和避免复发，要配合输液，你的支原体和衣原体都阳性，还有霉菌感染，要多种消炎药同时输液。我们这里都是特效药，头孢菌素、阿奇霉素、灭滴灵联合大扶康，一定能把阴道里有害微生物一网打尽。

“你们可能不知道，这妇科炎症的治疗必须是一次去根，否则会死灰复燃反复发作，一旦诱发耐药就麻烦了，再去301、协和都治不好。治疗期间，自己的饮食也要控制和调整，迈开腿，到医院积极配合医生，管住嘴，切忌辛辣生冷，全方位配合效果才好。”

11
阴道也有高智商

一听要每天进行阴道冲洗，还有什么静脉输液，我心里更加有谱了，这医生一定是骗人的。

听说过女孩子每天要洗脸洗屁股，没听说要自己每天冲洗阴道里头的。再说了，那地方不借助外力哪是轻易就能洗到的？

女性的输卵管和卵巢外挂在子宫两侧，子宫连着宫颈，宫颈下边接着阴道，可以说整个生殖系统和外界直接相通，似乎很容易受到细菌病毒微生物的入侵，但事实上，只要保持健康生活方式，正常女性很少得妇科病。

这一切源于女性聪明机警，具有超强自我防御功能的生殖系统。

阴道本来就不是一个绝对无菌的环境，她里面可能存在多种微生物，性生活又随时可能带入任何一种致病菌。但是这样一个阴暗潮湿不见天日的内环境，为什么不发生感染，而是历久弥新，还极富创造力呢？

造物主伟大，就在于人类的生理结构和行为方式永远是协调同步的。处于生育年龄的女性，性生活活跃，雌激素水平也高，阴道上皮在雌激素作用下增生肥厚，皱襞横生，极富延展性，这一切最适宜两件事：性交和生育。

外阴和阴道，都由鳞状上皮构成，抵御能力强大。两侧大阴唇平时处于自然合拢状态，像一对柳叶形门神，严丝合缝地贴合在一起，将阴道口和尿道口遮盖，森严守卫和保护着泌尿和生殖系统的两大终端器官。

由于盆底肌肉的牵拉作用，阴道口并不像解剖挂图中小喇叭一样地时刻张开，也是处于自然闭合状态的。性生活时，阴道变长变宽成为一个长筒形结构，生小孩时，阴道和子宫下段联合宫颈口，共同扩张成为一个宽阔到足以允许胎儿通过的康庄大道。日常生活中，阴道也并非空心，它的前后壁自然服帖地合在一起，平素并无腔隙，这最大程度减少了外界微生物入侵的可能性。

最容易将微生物带入生殖道内部的行为就是性生活，激烈的活塞运动难免造成女性生殖道黏膜肉眼看不见的细微破损，这时，致病菌便有机可乘。但是别担心，阴道分泌物中含有大量黏蛋白，它们像细密网状的小栅栏一样，保护受损上皮，拦截致病微生物。

阴道内还有数量庞大的乳酸杆菌，它们像手持长矛的卫士，将阴道上皮中的糖原逐一刺破，并且分泌大量乳酸，维持阴道的酸性环境。各种微生物长期在这样一个强大的酸性环境中博弈，最终达到平衡、和谐共生。

此外，宫颈管分泌黏液，形成黏液栓，宫颈内口平时处于紧闭状态，这些都是堵住致病微生物从宫颈进入子宫的重要关卡。子宫内膜周期性脱落，形成每月一次的月经。随着子宫内膜的剥脱和经血的排出，旧内膜脱落，新内膜长出，也不利于病原菌的扎根繁殖。

由此可见，阴道天生具有自净作用，根本不需要人为清洗。阴道冲洗不光费时费事费水，还帮倒忙。任何一位妇产科医生都是极力反对女性日常进行阴道冲洗的，除了没有任何益处外，长期冲洗还会破坏正常菌群及自然屏障，导致健康女性患阴道炎及盆腔炎，甚至增加宫外孕的发生风险。

太懒惰和太勤快都是不健康的生活方式。个别有洁癖的女性除了用清水冲洗阴道，还使用各种清洁剂和消毒剂，更加适得其反。人类和很多细菌微生物都是和谐共生的，消毒不是日常生活中该做的事。每日用清水清洗外阴一次就足够，千万不要冲洗阴道内部。

天知道，一句“洗洗更健康”坑了多少懂得珍爱自己，却又不懂得如何科学珍爱自己的女性。

在国际上，正规的妇产科治疗项目里，也从来没有阴道冲洗这个项目。

女性常见的阴道感染不外乎滴虫和霉菌。滴虫感染夫妻同治，为了避免“乒乓感染”，两口子同时一次性服用大剂量甲硝唑就 OK。单纯性霉菌感染更常见，75% 的女性一生都会遇到一次，妇产科早已将其从性传播疾病中剔除出去。治疗霉菌性阴道炎，阴道塞药或者短时间的口服用药足矣。

至于支原体和衣原体，不论婴儿还是老人的生殖道均可能有寄居，如果没有生殖道感染症状，正常的携带状态并不意味着致病，更不需药物治疗。不仅如此，没有高危因素的正常女性，如果没有局部不适症状，流产之前根本不需要常规检测支原体和衣原体。

最让我惊诧的是，这家医院竟然使用“静脉输注大扶康”这样的高射炮治疗霉菌性阴道炎，那可是用在严重的全身真菌感染患者身上的疗法！而这种全身感染只见于免疫缺陷（例如艾滋病）、正在接受免疫抑制剂治疗或者放化疗后极端虚弱状态下的病人。

阴道一共没有多深，女性平躺或者下蹲，利用给药器或者手指头都能轻松将药物顶到阴道深处，使其发挥药效，还弄什么专业人士放药，病人忌口来配合，真像那么回事似的。至于微波红外打开毛细血管就更可笑了，统统伪科学。

琳琳不说话，盯着医生胸前的名牌出神。以琳琳的凌厉睿智，是不是早已识破骗局，只是懒得和她们周旋?

琳琳把我往边上一拽，对桌子对面正襟危坐的医生说:“谢谢您了大夫，我没时间配合治疗。您要是把药流的药给我，我再给您加一百块，算谢谢您的成全。您要是不给我药，我就再换一家医院，药费您得退我。”

“那怎么可以！现在的年轻人怎么都这么不知道爱护自己身体。你爱人来了吗?叫他进来，我跟他讲。”

“他没来，跟您直说吧，我根本不是北外的，我是北医的，您别和我废话了，就把我当屁给放了吧，把药给我，我后果自负，我们生死两不相干，绝不找您麻烦。”

琳琳私下里多给了那医生100块，这些钱要我们上12个半的夜班才能赚回来。不过，能用钱解决的问题都不算问题，一番折腾，我们总算顺利地拿到了药。

对付一心要把医生这一人类最高尚职业当作发财工具的人，只有用人民币才能彻底解决问题。

12
万事预则立

我和琳琳经过一番掐算和计划，决定周二开始吃米非司酮，周五早晨吃最后一次的米索前列醇，根据 95% 的成功几率，胎囊当天掉下来的可能性最大。这样，可以最大程度地利用周六周日两天时间休息，周一我们还得上班。

米非司酮服药前后最好能空腹两个小时，因为早晨的睡眠时间无比宝贵，琳琳决定分别在早饭和晚饭后两小时吃药。这次比较顺利，她没有因为上了手术台下不来而耽误任何一次吃药，每天两次一共六次六片米非司酮，都顺顺当当进了琳琳的肚子。

又是一个忙碌的周五，一大早琳琳在白大衣口袋里揣好了姨妈巾，还带上了若干平时积攒在床垫子底下，叠得四四方方、压得平平整整的塑料袋，为的是接住随时可能流出的东西。毕竟，拿着医院里的弯盘出入卫生间，形迹太可疑。

一上午过去了，没什么动静。

中午吃饭的时候，琳琳说开始有点阴道出血，但是肚子不怎么疼。

下午五点钟，琳琳脸色苍白，下牙狠命地咬着嘴唇，写病历的时候，她几乎趴到桌子上。钱老姐看完门诊回病房，问她怎么了，她说中午吃了凉东西，现在胃疼，旋即又捂着肚子跑进了厕所。

我在厕所门口等她出来，也不敢多说话。还没到下班时间，病房里人员密度高，唯恐隔墙有耳，我只能用关切的眼神问她怎么样了。

琳琳皱着眉毛低声说："只是出血和肚子疼，不见有一点实质性的东西掉出来，都快疼死我了。"

"出血说明胎囊和子宫之间已经开始脱落，肚子疼说明有子宫收缩，我觉得差不多快排出来了。这是黎明前的黑暗，你要坚持！"

晚上六点钟，下班的人群走得差不多了。病房只剩值班的我，还有一趟趟跑进厕所的琳琳。

晚上六点半，琳琳弯着腰进了我的值班室说："不行，越来越疼，我都快虚脱了，现在出血越来越多，就不见胎囊掉出来，可能要刮宫了。"

"刮宫？那不是意味着咱的药流计划彻底失败？"

"该刮就刮吧，流血流得我都开始心慌了，再这么流下去，我会死的。"

可是我们找谁刮宫呢？这是一个严肃和严峻的问题。

我第一个想到的是萧峰，我俩平时搞不定的大事小情都找他，不论是物质上还是精神上的，他都能解决。

我说："要不，我 call 萧峰？"

"你疯了？他是男的！"

"男的怕什么，协和妇产科有全中国最高比例的男妇产科医生，从大主任到二当家，个个都是精英。我虽然不了解他们内心里深层次的感受，但是据说女性身体在他们眼里就是个器官，跟性无关。你怎么突然这么封建，庞龙还男的呢，还不是全院的医生护士都找他，还不是从食堂大师傅到知名教授的儿媳妇亲闺女有要开刀的问题都找他。”

“你别偷换概念好不好？本院的熟人在全身赤裸打麻醉和消毒的时候，龙哥也是刻意回避的，都要等盖上一层层的手术巾，只露出肚皮上那道缝的时候他才进手术间。同样是生殖器官，但是内外有别，内生殖器在肚子里的时候随便看，外生殖器不行啊！看了屁股以后，还见不见面了，还做不做朋友了？傻帽！”琳琳一边捂着肚子，一边恶狠狠地瞪我。

“要不，找钱老姐？”

“钱老姐早下班了，让人家从东四环赶回来，于心不忍，而且她动静太大，所到之处，鸡飞狗跳，半夜三更的进人流室，还不闹得地球人都知道了？”

“找车娜？她技术过硬，女中豪杰，为人仗义，肯定帮我们。”

“不行，车娜今年升副高，一丁点闪失都不能有。她平时就爱顶撞领导，高级职称的评审九死一生，听说有人盯着她呢。而且咱科里严格规定，任何人不准私自带人进人流室偷着做人流，一旦事发被人揪住小辫子，耽误了咱姐们儿的前程，就太过意不去了。”

“其实最好是值班医生，本人就在医院，进人流室还不会引起别人注意，神不知鬼不觉就能把问题解决了。”我说。

“是啊，你今天一线是吧？快去看看排班表谁值二线。”琳琳说。

“不用看，晚上交接班的时候我就知道了，楚医生的二线，三线也是男的，就找他吧，反正没什么大交情，顾不了那么多了。他上个月不是刚求过你吗？

你值班那天，他大半夜带个女的来做人流，非说是自家表妹，他一个山沟沟走出来的凤凰男，来协和之前都没到过天安门，北京哪儿来的表妹？明摆着就是他小蜜，两人之间的眼神一看就不对，你夜班收了病人，还帮着做了手术，一点没声张，他欠着你的情呢。”

“不行，不能找他，他虽然是个男的，但是心眼比女的还小，而且凡事输不起。平时病房里碰上屁大点事儿，他都能最先把自己撇干净，他真不见得愿意出手帮我们。这话要是说出口再遭拒绝，咱俩就太被动了。”

“他怎么好意思拒绝，他欠你一次，理所应当帮忙的。”

“别那么说，咱帮别人的时候，也没想到哪一天再索要回来。你听过犹太人的故事吗？”

“什么故事？”

“二战时，一个犹太家庭遭到迫害，大儿子和小儿子分别去寻求帮助。大儿子去找曾经帮助过自己的人，小儿子去找自己曾帮助过的人。结果大儿子获救，小儿子被出卖。这说明什么？说明愿意帮助你的人会一直愿意帮助你，你帮助过的人却不一定愿意回报你。所以，遇到苦难，还是要去找曾经给过你恩惠，真正愿意帮助你的人，而不是把过去施予别人的恩惠索要回来，何况，很多时候也要不回来。”

“对，还是要找平时有交情的人，我们再想想。”

墙上的时钟指向晚上 7 点，琳琳捂着肚子将身体蜷成一团躺在值班室的床上，我坐在她对面，年轻的脸上一筹莫展，平时热闹喧嚣的病房一下子变得异常安静，环顾四壁，只剩孤独与无助。

“要不，就你帮我做吧。你虽然想事儿反应慢点儿，但是手底下有灵气，按每个工作日做五个人流计算，三个月来你怎么也做300多例了，算是久经沙场。很多小医生第一轮在计划生育轮转，都有子宫穿孔、人流不全等不良记录，你还没有，钱老姐夸过你，说你手底下很稳。”

其实，我早就想过要出手，但是想想自己毕竟年轻，临床经验有限，怕琳琳信不过我。现在她主动决定把自己的身体交给我，我更是义无反顾，什么都没想就答应了。

琳琳没有入院手续，不用写病历，用不着手术签字，一切风险我俩各自心知肚明。

其实，我们本不该如此侥幸，开始吃堕胎药的那一天起，就应该想到那5%的失败率。现在是真的上了贼船，只能迎头而上，铤而走险了。

我用值班室的电话呼叫了李天，药流的事他知道，现在刮宫的事也得让他知道。

他很快复机，说全拜托我了，他有一台阑尾炎手术马上开始，如果顺利的话，他20分钟就下台，来接琳琳回宿舍休息，明天早晨交了班就带琳琳回家。

他们的家，也就是那个和房东共用的出租屋，条件比我们宿舍好不了多少，唯一的优点是公共厨房里有炉灶，可以在这寒冷的冬天给琳琳煲些热汤。

13
险象环生的刮宫术

夜班只有两个护士，一个在床边挨个为不能下床的病人进行会阴冲洗，三十多人的病房，估计够她忙活一阵子的。另外一个在药房里，准备晚 9 点那一拨的输液治疗。

我先将一切准备就绪，再扶琳琳上床，然后将门反锁，我们决定谁敲门也不开，反正最快五分钟就能解决问题。

我用窥具撑开琳琳的阴道，咕咚一声，一个巴掌大的血块从里面喷涌而出，啪地落到我脚面上，我顿时感到一股温热。

顾不了那么多了，时间有限，越利索越能减少被发现的几率，我用纱布块迅速清理了阴道里的积血，进行了基本的消毒，用宫颈钳夹住宫颈前唇，用探针探宫腔。

可是，在只探进去 4 个厘米的时候，我就感到了阻力，探不进去了，这可怎么办？怎么回事？怀孕的子宫至少 7 ~ 8 个厘米以上，我的探针根本没有真正到达子宫底部，如果此时不管不顾地使用蛮力，势必子宫穿孔。可是不探清子宫方向，之后的步骤就无法实施。眼看鲜血正一股股从宫颈口往外冒，越快刮宫就能越早为琳琳止血，这时，我的头上冒出了一层冷汗。

床上的琳琳是清醒的，她问:“怎么了?你怎么不动了?我能忍，不怕疼，你就当不认识我，别手软，赶紧的。”

我说:“不是手软，刚探宫腔，4 厘米的地方就有阻力，进行不下去了。”

“哥们儿，你忘了给我做妇科检查，你把窥具取下来重新摸摸我子宫的位置，是不是极度的前倾前屈或者后倾后屈?”

天啊!太紧张了，我竟然把术前最基本的妇科检查都给忘了，这是我开始计划生育工作后从未有过的疏忽，此刻，却发生在了自己最好的朋友身上。听老主任讲，外科医生大多不亲自给自己的父母或者孩子、朋友动刀。老话不无道理，医学伦理学的原则是同情而不动情，过多地付诸怜悯和同情，心中便没了原则，手底下势必要乱分寸。

我撤出窥具，重新摸了子宫，果真是传说中的前倾前屈位，就是子宫颈和子宫体之间打了一个 90 度的拐。这种情况下，接近笔直的探针是无论如何无法探到子宫底的，硬探，就是穿孔，医生必须对子宫位置进行矫正。

我换了手套，重新放入窥具，改为钳夹宫颈的后唇，尽力向下拉，又将探针弯曲出一定的弧度，终于探进去了，整整 9 个厘米，谢天谢地!因为吃药的缘故，琳琳的宫颈口已经自然扩张，根本不用扩宫就可以直接进行吸宫了，否则，没有麻醉药，以我的优柔寡断，怎么下得去手。

吸管接上 400 的负压后，我在子宫里吸了一圈，我知道琳琳在忍受，此时，似乎有一些肌声了。肌声不是声音，而是医生搔刮到子宫肌层时产生的一种特殊手感，类似于徒手挠墙。有肌声，但还不是很明显，说明刮宫不充分，我准备吸第二圈。这时，我发现眼前的屁股开始出现那种完全不配合的扭动，这导致阴道内压力骤然增高，窥具竟然被“噗”的一声顶了出来，又落到了我脚面上。我马上抬头看她，此时，琳琳双眼紧闭，面色苍白，浑身都是汗。

我吓坏了，脑袋里迅速跳出五个大字：“人流综合征”！

子宫属于盆腔器官，除接受植物神经支配外，还有丰富的感觉神经分布，子宫颈部的神经末梢更为敏感。可能因为我为了矫正子宫位置而用力牵拉宫颈，再加上负压吸宫，刺激了分布在这些区域的神经末梢。绝大部分人能够通过自身调节，耐受这些刺激，但是少数人植物神经稳定性差，迷走神经反射过激，短时间内释放出大量乙酰胆碱，使心脏冠状动脉痉挛，心肌收缩力减弱，心脏排血量减少。表现为恶心、呕吐、头晕、胸闷、气喘、面色苍白、大汗淋漓、四肢厥冷，进而血压下降，心律不齐等，严重者还可能出现昏厥、抽搐、休克等一系列症状。

我赶紧放下手里的家伙，摘了满是血的手套，去摸琳琳的脉搏，6 秒钟只有 4 次，也就是说她的脉搏一分钟只有 40 次。我又拿血压计测血压，天啊，只有 70/40mmHg。我冲向墙角的抢救车，慌忙中，根本找不到护士平时用来切割玻璃安瓿的齿轮。我顺手摸过手术台上的止血钳，“啪”的一声将药瓶细细的颈部击得粉碎，然后用注射器抽了 0.5 毫克的阿托品，准备静脉注射。

这时我才发现，因为图省事，或者认为不会有事，我竟然忘了在琳琳身上建静脉通道！

我的头上冒出了第二层汗。忘了阴道检查摸清子宫的位置，没有建立静脉通道，一切在病人身上不会犯的错误，我都犯了。

我拉开抽屉，找出止血带，系到琳琳上臂，慌忙地在她肘部寻找静脉。琳琳虽然人不胖，但小胳膊上全是肉，根本看不到静脉。我拿出实习时每天早晨给全病房抽血练就的看家本领，完全凭手感摸着静脉，想都没想就扎了下去，回抽注射器时，我看到了暗红色的静脉血，心想就是它了，然后果断地将这救命的药品快速推了进去。

我扔掉注射器，一手压着打针的地方，一手用力地拍琳琳的嘴巴，接着又轮番掐她的人中，压她的眼眶，低声而焦急地喊她的名字，谢天谢地，她很快缓了过来。

按照刮宫流产的原则，我应该换刮匙清理两个宫角，然后换小号吸管改成低档负压，再吸宫一次。经过这么一折腾，我再也不敢向前了。

琳琳睁开眼睛问："怎么样了？做完了吗？我刚才好心慌，一下子像掉进很深的洞里，做梦一样，好像时空都停滞了。"

我一点都没犹豫就说："做完了，做完了，我马上去检查绒毛，你等我。"

拧开巨大的玻璃吸瓶时，我的手在不停地颤抖，看到水中一团白色水母样慵懒漂浮的绒毛时，我松了一口气，眼泪也刷的流了下来。

幸亏这倒霉孩子被刮出来了，要是它还在肚子里，我真的不知道下一步如何是好。不能再刮了，即使剩下一点蜕膜组织，也能慢慢排干净的。我一边偷着抹眼泪，一边迅速收拾家伙，将人流室内的一切恢复成原来的样子。

我给琳琳套上蓝色的一次性手术帽子，趁值班护士不注意，用轮椅将她推出人流室，再推出病房，最后一路推回宿舍。

宿舍门口，碰到正在和老外谈恋爱的黄菲，两人比比划划激烈地交谈着，像是吵架了。

看到我们，黄菲走过来问怎么了。

我说："没事儿，没事儿，琳琳又胃痉挛了，回宿舍吃点药暖和暖和就好了。你们吵架了？别动手啊，小心吃亏。"

"切，汉语英语吵架我都不吃亏，你别操心了，快送琳琳回宿舍吧。"

也是，就算动武都不用怕，黄菲从初中就练习自由搏击，她爸是科班出身，是她的专业教练。

把琳琳扶上床，盖好被子，又灌了一个热水袋放她被窝里，来不及说太多，我冲了个澡，换了衣服匆匆赶回病房。我还在值班，万一病房有事找不到我，可是犯了更大的错误。

过了不知多久，李天穿着刷手服，匆匆赶来病房，小声问我怎么样了。

我的脸仍然通红，本来紧张的心情还没有彻底平复，一看到他姗姗来迟还一副什么都不知道的样子，顿时怒火中烧，把他拉进值班室，关上门就冲他嚷嚷："你怎么才来？你知不知道琳琳受了多少罪，疼成什么样，出了多少血？为了不让护士知道，刮宫的时候我们都没敢用杜冷丁，你跑哪儿去了，怎么才来？"

"碰上一台特拧巴的阑尾炎，我和主治大夫花俩小时愣是没有找到阑尾，最后把主任从家里 call 来，才发现是阑尾异位。"

"阑尾异位？最后哪儿找到的？"

"唉，上学的时候都学过，可是有几个人见过？小肠倒了一遍，大肠摸了一圈，后腹膜都打开了也没找到阑尾，口子向左延，发现也不是左位阑尾，又把口子向上延，才在肝脏下方找到的。本以为 20 分钟就能搞定来接琳琳，结果忙了这么久，真是抱歉，关键时候没有陪在她身边。"

都说外科医生最不靠谱，确实是，一上了手术台就彻底没准了，也不能怪他，我气消了大半，说："琳琳已经被我送回宿舍了，你快去看她吧。"

* * *

后半夜的病房平安无事，本来沾枕头就睡着的我，这一夜噩梦连连。

一会儿是汩汩直流的红色鲜血，一会儿是顺水摆动的白色绒毛，过一会儿感觉眼前都是子宫，一会儿是千疮百孔的，一会儿是极度扭曲的，一会儿是颜色污秽的。我仿佛蒙克画中的"号叫者"，天边全是死亡的颜色，我想动动不了，想喊喊不出，双手满是洗不去的热烫鲜血，整个脚背上，都是沉甸甸的温热血块，全身上下千百斤的沉重。

早晨交班后，我赶紧回宿舍，琳琳正对着镜子梳头。

我问："疼不疼了？"

她说："一点不疼了。"

"还出血吗？"

"还有一点儿，别担心，应该没问题了，谢谢你哥们儿。"

"要是我把你子宫弄穿孔了，你会恨我吗？"

"不恨，要是穿孔了也是命，最关键的时刻，有你这样的朋友为我两肋插刀，我永远不会忘记，就算是死都值了。"

"以后，想要孩子怀不上的时候，会不会恨我？"

"不恨，那也是命。"

"昨天晚上，我朝李天发了通火，你有空帮我赔个不是，我当时太心疼你，又着急又后怕，我心里太放不下事儿，你知道的。"

“嗯，李天都和我说了，他特别内疚，我看都快有心理阴影了。其实这事儿真的也别责备男人，我又不是被强暴的，两人在一起的时候，谁也不欠谁，女人不能总把自己当成弱者，或者扮成奉献者，或者装成给予者，在一起是为了互相都高兴，否则还有什么意义呢？”

琳琳淡淡地说着这些，仿佛过去的一切血雨腥风都和她没有一点关系。一次流产，好像改变了她许多。但究竟改变了什么，我也说不好。

14
东窗事发，谁的青春没“二”过

碰上难缠事的时候，时间就像被无限拉长了，每分每秒都是煎熬。波澜不惊的时候，日子总是一眨眼就过去了。我觉得这才是爱因斯坦相对论的真实含义。

两天后，礼拜一的查房队伍里，又见到琳琳轻盈的步伐，两个礼拜后琳琳不再出血，一个月后，琳琳的大姨妈如期到访，我终于松了一口气。

寒冷的冬天过去了，科里组织踏青，全科老小被两辆大巴车拉到京郊的潭柘寺，看漫山遍野说不出名的春花，还有院子里错落有致的紫玉兰。

先有潭柘寺，后有北京城。我跟在钱老姐屁股后头，学她的样子双手合十，在千年古刹拜佛上香磕头许愿，之后，我们坐在灰色的石阶上休息聊天。

我问钱老姐：“您信佛吗？”

她说：“我没有信仰，因为不相信世上有上帝，没法信基督，本想皈依佛门，却又无法说服自己相信轮回转世。”

“我妈说，有信仰是好事儿，心有归属，现在中国这么乱，就是因为信仰缺失。”

“你妈说的对，可是经历人间百态，看了太多美丑善恶，真的没法说服自己笃信一样什么东西。我这辈子干了这倒霉的计划生育工作，不知亲手杀死多少未见天日的孩子，自知罪孽深重，刚才拜佛，也是希望佛祖能够原谅我。”

“佛祖不会怪您的，这是您的工作。再说，来人流的妇女都是主动找上门的，您也算帮她们解除了生活的烦恼。不是所有人都有超生的能力和勇气，丢了工作没有饭碗，拿什么养活孩子。再者说，您为那些继续怀孕可能危及性命的心脏病人、红斑狼疮病人还有严重的肝病肾病病人做流产做引产，是有功德的，伤的虽是没见天的小命，救的可都是太阳底下活生生的大命。”

“小丫头，还挺会安慰人。你呀，表面看上去挺听话，就是暗地里太有主意，胆子太大，要是不知收敛，迟早要出大事儿。”

钱老姐话里有话，我不由倒吸一口凉气，试探着问：“您……您什么意思？”

“听说过‘死亡之吻’吗？”

“没……没听说过。”

“那我讲给你听听，真事儿，不糊弄你。俩小年轻儿，躲郊外小树林里激情拥吻，女方旋即倒地身亡，尸检结果正常，一个热吻，愣是把人给亲死了。”

“为什么？”

“你知道人脖子上有颈动脉窦吗？有些人颈动脉窦超级敏感，亲吻的时候抱得太紧，压着了，心跳呼吸骤停。因为在郊外，抢救不及时，人就死了。这样的‘一吻毙命’在法医学上称为抑制死。”

我迅速回忆了一下关于颈动脉窦的一切局部解剖学和系统解剖学知识，它位于颈部两侧靠近下颌角的颈动脉内，是一种压力感受器，能通过复杂机制感知血压的高低，再通过神经反射调控心血管活动，将人体的血压控制在相对稳定的范围。当颈部两侧受到暴力累及颈动脉窦时，颈动脉窦内血压迅速升高，引起压力感受器强烈兴奋，就会通过迷走神经反射导致血压下降，甚至心跳骤停。

理论上，情到深处吻得太重，给颈动脉窦造成强大的局部压迫，致人死亡是可能的，但应该是极低概率事件。

“钱老姐，为什么想起讲这故事？”

“做人流也会因为同样的原理死人，你知道吗？”

钱老姐应该在说“人流综合征”。

“人流综合征也会死人吗？没听说过。”我怯怯地回答着。

“两年前，我去广州参加过一个医疗事故鉴定会。好好的一个大姑娘，什么毛病没有，躺在人流床上，医生还没开始刮宫呢，只是用宫颈钳子牵拉了宫颈，刚准备探宫腔，血压心率就没了，后来人死了。尸检结果就是‘抑制死’。”

“这算医疗事故吗？”

“没定性为医疗事故，又不是医生给刮死的，遇到这么一个超级敏感的，虽然不是医生的错，但是毕竟人死了，抢救也有不及时不得当的地方，医院还是赔了不少钱。当事医生再没勇气上手术台，彻底金盆洗手，听同行说，后来出家，信佛了。”

“哦，这可是极低概率事件。”因为不知道钱老姐葫芦里卖的什么药，我只是随声附和。阵阵山风吹过，我一阵激灵，不由把小风衣的领子立了起来。

“你有点子侠义心肠，我能看出来，但是不按医疗原则办事儿，没事儿是万幸，出了事儿怎么办？万一人死在人流床上怎么办？你自己想过没有？”

完了，钱老姐一定是指我偷着给琳琳刮宫的事。她怎么会知道？

“要想人不知，除非己莫为。”钱老姐盯着寺院香炉里升起的缕缕青烟，并不看我。

看来事情暴露了，但是不知道暴露了多少，暴露了什么，我不搭茬儿，生怕她还不知道什么，我自己就先招了。

“你偷着给谁做过人流我不知道，但一定是朋友或者亲人。你别以为能逃过我的眼睛。进人流室刮宫的人数护士那里都有记录，人流包的数目也有记录，护士每天都会清点。有一个周五晚上少了一个人流包，那天你值班，护士说看见你进出过人流室，还亲自推了一个病人出来，只是病人戴着大帽子，具体是谁没看见。”

看来这事真的暴露了，还好琳琳没暴露。

“觉得自己学了三个月，对人流十拿九稳了是不是？觉得那是小事儿一桩是不是？我们都知道人流最怕穿孔，最怕残留，可这些都不至于死人，要是碰到一个严重的人流综合征，一个迷走反射极度敏感的病人，还什么都没开始呢，你就一碰她宫颈，她就呼吸心跳骤停，死在人流床上了，你怎么交代？”

我低着头不吱声。

“人流这东西，说小是小，说大是大，也是会出人命的。我做了一辈子人流，每次上台看似轻松潇洒心不在焉，但内心里如履薄冰如临深渊，加着一百个小心的事儿我会说出来吗？手术这东西，做得越多犯错误的机会就越大，总在河边走，早晚要湿鞋，还不是哪天彻底放下这套家伙，才敢说自己一辈子治病救人，总算没弄死过人命？年轻时候，总想为朋友两肋插刀，但弄不好就是直插朋友两刀，懂吗？”

“嗯。”

“这事儿我没声张，只和你一个人说，是对你负责任。其实不说也行，个人好坏都自己带着，碰上不懂事儿的年轻人，还觉得我交浅言深了，故意恶心或者为难人家，反遭嫉恨。老姐是过来人，看你有慈悲心肠，看在菩萨的份儿上，今儿才提醒你。”

“嗯，谢谢您，我记住了，以后不敢了。”

* * *

这些，我从来都没跟琳琳说过。琳琳说穿孔不怪我，残留也不怪我，将来生不出孩子都不怪我，但那天，她要是死了，一切就都来不及了。

要是她的迷走神经再敏感点，迷走反射再猛烈些，要是我当时吓懵了，完全没有想到要用阿托品，或者还按部就班地找齿轮，还没能一针见血扎进静脉，没能在第一时间推入那针救命的阿托品，或者我吓得撒丫子四处求救，等救兵赶到时，琳琳可能都没气了。如果呼吸心跳骤停，错过抢救最初的黄金四分钟，琳琳可能就成植物人或者直接死掉了，就轮不上她怪我了。

年轻时做事，只凭一腔热血，觉得问题必须解决，要对得起朋友的信任，其实，很多时候，人因无知而无畏。

将来再碰到类似的事情，也许我还会义无反顾，因为我总会不断地产生更高层次和更新水平上的“无知”。

或者，有点“二虎”就是我的命。

毕竟，谁的青春没“二”过。

第三章 | PART THREE |

天使之炼

01
我通常这样问候病人："你拉了吗？"

2002年，是我临床工作的第五个年头，妇科肿瘤博士研究生二年级，处于临床轮转阶段。我当时的职务是住院总医师，简称"老总"，这职位听着不错，虽然大多数时候是使唤丫头拿钥匙——只当家，不做主。

住院总医师超越普通住院医师的地方有二：一是终于可以不再埋首伏案写八股文一般又臭又长的住院大病历，二是终于可以不用再各种拉钩，开始跟着各路名家教授上手术台学手术。

除了查房开刀，老总另一项主要工作，是负责病房里的各种事务性工作，相当于一个具有医学知识的高级秘书。

每天，我要打电话通知新病人住院，本着工作量相对公平、又能兼顾各个医生略有差异的工作能力的原则，把新病人分给下面的住院医师和进修大夫管理。然后是排手术，把一天的手术安排按时间顺序写在白板上，后边标注好谁和谁去给哪个教授的哪台手术拉钩。最后是各种排班：中午连班，化疗班，手术班，门诊班，急诊病房的各种夜班。总之，要给每个时间段的每个岗位都排好兵，让每个病人任何时候有事都能找到大夫。

每天早晨，在查房和去做手术之间大概三十分钟左右的一个狭小时间段，我的主要工作是确认化疗医嘱。时间紧，任务重，我心急火燎，手里恨不得握一根小鞭子，对着手里有化疗病人的住院医生大呼小叫，让他们赶快把自己病人的化疗医嘱开出来，我好在后边逐一核对签字。等我做完这些护士再开始护理专业的三查七对，执行病人一天的治疗。

化疗听着吓人，其实只是化学治疗的简称，是一种使用化学合成药物治疗疾病的方法。除了口服，大部分化疗都以静脉输液的形式完成，也就是打点滴，我们医生一概龙飞凤舞地写成 iv drip。

这些化疗药物大多无色无味，但杀伤力巨大。使少了没用，说不定还把恶性肿瘤给逗得产生了耐药性，药也就此不好使了。用多了要命，能直接把病人给毒死了。所以，给药剂量至关重要。

在妇科肿瘤病房时，我鼓鼓囊囊的白大衣兜里又多出一个小型计算器。它粗陋并且毫无设计感，外头是最普通的塑料壳子，后边别一个小号电池，倒是挺沉实，但只能做最简单的加减乘除，是医药代表白给的。老百姓整天骂我们医生丧尽天良，开药拿回扣，我就纳闷了，这些昂贵的化疗药物都是打我们住院医师手里开出去的，都是经过我这老总逐一核对确认过的，除了一灰了巴唧的计算器，除了我们整天累得铁灰的一张脸，咋就从没见过丁点儿别的灰色东西呢？

化疗病人每天早晨大便小便后，只穿背心裤衩，在护士站的体重秤上测量身高和体重，护士把这两个看似普通，却非常重要的数据记录在体温单的左下角，医生根据这两个数据，先拿卡尺计算病人的体表面积，再根据体表面积计算每种化疗药物的剂量。

每天清晨，我都会被三元桥社区大妈们的锣鼓秧歌准时吵醒，跨上自行车之前，我用标准的北京话和楼下大妈打招呼，吃了吗？到了东单，存好自行车，风风火火赶到病房，交班之前，先到病房转一圈，我对着每个今天要化疗的病人问，拉了吗？

要是病人实在没有拉大便的感觉，护士就给她们肛门里来一只开塞露，总之，这屎必须拉。否则肚里的一泡屎尿就可能增加她们的体表面积，直接导致算给她们的化疗药物剂量增加。化疗药物杀敌一千，自伤八百，病人可能就因为早晨少拉了这一泡屎，招致严重的化疗副反应。

核对和确认化疗后，我拎着装满洗发水、沐浴露的洗澡篮子去手术室。经常人都走到病房门口了，又被护士拎回去更改和重新确认一些细节问题。路上碰到不明真相的病人家属，他们常会一边狐疑地打量我，一边毕恭毕敬地寒暄："小张大夫好，您洗澡去啊？"我也没工夫解释，嗯嗯啊啊地招呼着，急匆匆赶路。

晚上，一天的手术结束，最开心的是能在手术室洗个澡，除了解乏，更重要的是能洗去血液尿液组织液、细菌病毒微生物等各种肉眼看不见的细微崩溅物，免得回家大志一亲脸蛋，把乙肝梅毒艾滋病给嘬了去。顶着一脑袋湿漉漉的头发，回病房的步伐也终于不那么急促，这时，早晨跟我打招呼的家属再遇到我，同样是一弯腰，毕恭毕敬地问候："小张大夫好，您洗澡回来了？"

敢情我这一天净洗澡了，还好手里的篮子不像菜筐，否则，病人还以为这医生溜出去买了一天的菜。

02
还是要去好医院

住院医师练的是写病历的“手活”和各种交代解释劝导的“口活”。老总除了摆脱拉钩命运，终于开始在手术台上做第一助手练医术，其余主要是练“心术”。老总主管的大部分繁杂事务都和医术没什么关系，工作的重中之重，是每天打电话叫病人住院，业内俗称“叫床”。

协和妇产科的病人来自五湖四海，包括我们特别行政区香港、澳门和宝岛台湾的同胞，也经常有散布在世界各地的华人华侨、海外同胞。给老外看病有专门的国际医疗部，北京的老外虽多，但是生病的不多，还有和睦家医院这样的外资高端医疗单位进行分流，所以真正的外国病人并不多。随着国内有钱阶级的不断壮大，来国际医疗部的大多都是有人民币撑腰的“假洋鬼子”。

协和位于东单和王府井之间，老北京的金街和银街当中。南边是大门脸朝着长安街、土豪范儿的东方广场，朝北的一面凹进去一块。不知道当年各股势力是如何斗争较量和万般纠结的，总之，航母一般巨大冰冷的灰色现代建筑群中，留下了承载着太多历史记忆的协和礼堂。它绿瓦灰墙，外形紧凑，内部结构传统大方，安放的都是有年头的老物件儿，看似普通的实木椅子上，不知坐过多少伟大的屁股，整个建筑就像镶在东方广场肚脐眼儿上的一块老坑翡翠。

协和的北边，是北京大款一度趋之若鹜的王府饭店。虽然地处繁华，但是对于住在协和大院儿、吃喝拉撒睡喜怒哀乐都在这个大院儿、正处青春年少的住院医师们来说，协和以外的流光溢彩犹如隔岸的渔火，和我们休戚无关。

协和不缺医学人才，一块顶砖掉下来砸着十个人，不是硕士博士，就是主管护师知名教授，说不上还有个把的双博士、博士后、长江学者、两院院士。协和也不缺科研经费，很多教授手里握着的都是跨国合作项目，甚至做着多中心研究的大总管，再不济也是国家自然科学基金的重大项目，你要是申请个几十万的面上项目，都不好意思和别人提。

协和最紧缺的是床位和手术台。

一个好的手术医生，只有拥有了床位和手术台，多年所学以及和理想现实有关的一切精神和物质，才能淋漓尽致地挥洒和实现。床位和手术台像闪着巨大油光的肥肉，令外科系统的各级医生垂涎三尺。

已经搞到手的，终生视若珍宝，很多到了退休年龄的老教授仍然不忍离弃，拄着拐棍儿拖着病躯坚持专家门诊，发光发热；离着还有十万八千里的，大多将其奉为当下阶段的最高职业理想，忍辱负重，闷声前行。而且也只有脚踏实地，从不仰望星空，除了个人努力、领导赏识，还要算上机会和运气，一切才有可能尽早实现。

同样，床位也是“全国人民上协和”的各种疑难杂症病人翘首企盼的。在他们看来，能住上院、开上刀，病就好了一半。医生愿意把自己收进病房，再送上手术台试试，起码说明自己还有救。

* * *

大城市社会资源有限，人多，房子不够住，路不够走，车开不动，学校不够上。北京小孩上幼儿园得提前一两年排队，还动不动一个月几千块的托儿费。上小学竞争更激烈，胡同里的史家和景山都是重点之中的重点。村里的小学都跟着火了，先火了中关村一小，接着是二小和三小，想混进去哪个都不容易。幼升小和小升初，虽然不考孩子，但却考家长，您还别愤青，光有钱没用，要是没有强大的人脉关系，拎着猪头您都找不着庙门。

僧多粥少的情况越演越烈，上幼儿园上小学困难，渐渐地，在北京找一家相对靠谱的医院进行产前检查，都成了一件奢侈的事情。

逼得一众备孕女青年一边努力造人，一边时刻提高革命警惕。哪还等得到晨起恶心呕吐或者小腹隆起，高科技的今天，还没等月经过期，知识女性们就开始每天拿着早早孕试纸，检查清晨排出的第一泡尿，一旦出现两道杠，哪怕是极弱的阳性，就要第一时间往中意的医院跑，还得起早赶半夜挂上宝贵的产科号，才能确保抢到一个宝贵的产检名额，完成“建档”大业。

再后来，有人在网上查到，验尿还是太晚，精子和卵子结合后的7天，也就是排卵后的7天，下次来月经之前的7天，抽血化验人绒毛膜促性腺激素（hCG）就能查出是否怀孕。这绝对是靠科学和头脑，还得豁出去胳膊不怕疼，差不多是在用鲜血和生命抢占先机。产科医生面对停经23天，手中拿着血

β-hCG 大于 20mIU/ml 的化验单，要求产前建档的睿智女子准妈妈，也只能乖乖就范，并且哭笑不得，唏嘘哀叹。

让孩子生在好医院，生下来就进行早期教育，再上个好学校，不输在起跑线上，差不多是每个父母的心愿，也是这些年来颇为流行的一句心灵鸡汤。可是哪儿那么容易实现，有的大人自己都输了，祖上三代被人家落得老远，凭着一颗不屈不挠的上进心，把一生实现不了的梦想追求都搁在孩子身上。殊不知，在这个“拼爹”的时代，生下来就扛着这么多强塞给自己的理想和重任的孩子，哪里跑得过一身轻松、愉快上阵、凭激情和理想做事、后边还有无数火箭助推的同龄人。

全社会的紧张和焦虑，使得每个行业都逃脱不了折磨。就拿产科来说，每年 8 月底的最后一个礼拜，是最让住院总医师挠头的，总有那么一小撮孕妈，为了 6 年之后孩子能赶在 9 月份上小学，毅然决然地托人说情、软磨硬泡甚至撒泼打滚要求医生人为干预分娩。

胎儿分娩自古讲究瓜熟蒂落，熟透的瓜蒂只需轻轻一碰，瓜儿自动离藤，而将生瓜蛋子强行扭下，多花力气不说，好不容易扭下来了，这瓜没熟透，还不甜。

有的孕妇虽然心里着急，但还深深知道阴道分娩对母儿的种种好处，就让医生给自己引产，早点发动分娩，早点让孩子生出来。

生孩子讲究循序渐进，岂是一声令下就可万马奔腾的。在没有任何分娩发动迹象的情况下，引产需要花费相当大的气力、耗费相当多的时间，并且有着一定的医疗风险。

老百姓都知道，肚子疼就能生孩子，那医生您赶紧给我打催产针，让我肚子疼，不就能赶在 8 月 31 号之前生了吗？

分娩发动的标志确实是子宫收缩肚子疼，但在这表象出现之前，母体其实已经默默做了各种准备工作。如果这些准备工作还没有就绪，光打催产针就相当于隔着锅台要上炕，一竿子怎么可能直接捅到天上去呢。

妊娠晚期的子宫像一个倒过来的巨大麻袋，容纳胎儿及其附属物（主要是胎盘和羊水），容积可达 5 升，95% 以上的胎儿在子宫里都是大头朝下，这是最正常的胎位。临产前，子宫平滑肌处于静息状态，大概 5%~15% 的孕妇，因为各种原因导致子宫静息状态被唤醒而发生早产。

最下方的子宫颈相当于紧扎的麻袋口，它的解剖结构稳定、坚硬，处于关闭状态，宫颈管的唯一缝隙也被宫颈分泌物形成的黏液栓暖瓶塞一样紧紧地封堵。

坚硬紧闭的宫颈和有容乃大、平稳静息的子宫，一起保证大头朝下的宝宝不会提早漏出去，一直坚持到妊娠 37 周到 42 周之间的某一天，足月分娩。

临产前，子宫肌层和子宫颈会慢慢苏醒，子宫静息状态结束，开始发生各种功能改变，为分娩进行准备。首先，子宫肌层的催产素受体大量增加，子宫的应激性增强，一旦身体内外出现发动分娩的催产素，子宫将不再沉睡，而是随之起舞，产生规律性子宫收缩，将胎儿向外推挤。在雌激素、前列腺素、催产素、松弛素等的作用下，再加上成熟胎儿至少 5 斤以上的机械刺激和胎头压迫，子宫颈逐渐软化和成熟，从坚硬如额头，到中等质地如鼻尖，再柔软如嘴唇，它的结构也从最初的狭长管状开始缓慢展平和轻微扩张。与此同时，子宫下段也不断拉长和延展。

如果母亲身体的这些准备工作还没有到位，医生却要发动宫缩进行引产，就必须遵循先软化宫颈来促进宫颈成熟、让紧扎的麻袋口放松警惕，再利用药物发动子宫收缩的步骤。平均下来，这两步最起码也要折腾两三天。

眼看着 8 月 31 日的脚步将近，孩子入学的大门正在慢慢关闭，有的孕妇横下一条心，干脆要求医生剖宫产，这招看似最简单也最直接，手脚麻利的医生几分钟就能把孩子强行从子宫拎到世间，交由家长，及时送向人生的跑道。

人类孕育胎儿的平均时间是 280 天（40 周），但并非所有人都毫厘不差。预产期只是对出生日期的一个大概估测，据统计，大概只有 50% 左右的妇女在预产期当天分娩，相对预产期提前 3 个星期（37 周）或者延后 2 个星期（42 周）生孩子，都属正常。

在医学上，超过 37 周就是足月，那么是不是只要过了 37 周，剖出来的孩子就完全不会出问题呢？

有学者在全美 19 家知名医院，通过对 24000 多名择期剖宫产孕妇进行随访后发现，与 39 周以上的婴儿相比，在怀孕 38 周进行剖宫产降生的婴儿，患上呼吸道等新生儿疾病的风险升高 1 倍，而在 37 周至 38 周间剖宫产出生的婴儿，患病风险更是正常分娩婴儿的 4 倍。该论文发表于世界著名医学期刊《新英格兰医学杂志》。

美国北卡罗来纳大学产科学教授约翰·索普表示，预产期前 7 天，也就是怀孕 39 周，才是实施择期剖宫产的最佳时间。

普通父母着急也是干着急，面对无理要求，医生多半不予理睬。最怕着急的父母神通大，动用各种人脉关系大肆说情，甚至个别医生也不能免俗，他们和年轻的父母一样焦虑和着急，一遇到类似请求，就十分愉快地顺水推舟，就范了。

怀得好好的孩子，就因为父母的心理出了问题，本来可以顺产，却让妈妈挨上一刀。孩子提前捞出来，万里有一呼吸不好，没蹲跑道上起跑，结果被直送儿科上呼吸机去了，耽误亲情、温暖、爱不说，还可能耽误宝贵的母乳喂养，闹得全家着急，产妇抑郁，各种不划算。

孕妇如果有严重的病理产科问题，医生综合分析利弊后，提早把孩子捞出来，医源性早产的风险成为一件必须承担的事，这是没有办法的情况。例如先兆子痫，或者已经发生子痫抽搐，或者母亲有严重的心脏病、肝病、肾病，身体已不能胜任将胎儿继续孕育下去。此时，子宫内的胎儿加重了母亲的身体负担，母亲子宫内的环境也无法满足胎儿进一步的生长发育，如果听之任之，母亲和胎儿这两部机器都可能随时叫停死机。遇到这种情况，不论胎儿处于多少孕周，不论是 18 周、28 周还是 38 周，无论孕妇多么奋不顾身地想把孩子怀下去，无论她的丈夫、亲妈或者婆婆在内心深处到底想保谁，产科医生都会果断建议终止妊娠。

从医学伦理和人道主义出发，两难之时，确保大人性命，永远是产科医生的第一要务，没有电视剧里动不动就“保大人还是保孩子”的说法。

03
做个剖宫产，鬼门关上走三回

虽然剖宫产的手术技术已经越来越成熟，但是任何一台手术，都暗藏深不可测、随时可能跳出来的杀机。极个别情况下，小小一个剖宫产，甚至可能导致年轻母亲被迫接受子宫切除术，终生失去生育能力，有的甚至连孩子都没看上一眼，就撒手人寰。

这是因为，所有手术首先都要过麻醉这关。有时候，手术还没开始，一个严重的麻醉药物过敏，就可能导致过敏性休克，手术室、ICU 倾巢出动，或可勉强救命。

剖宫产多采用硬膜外麻醉或者腰麻，不论哪一种，麻醉医生都要在孕妇腰上先打针。很多人不知道，这至关重要的一针，竟然是盲目穿刺。用于注射药物的身体腔隙，医生是完全看不见的，打针的时候，除了基本的解剖定位，其余全靠个人经验和手感。

麻醉问题是每一个接受剖宫产的孕妇都无法回避的，包括低血压、无意中穿破硬脊膜、未料到的高位阻滞、未料到的阻滞延长、广泛的运动神经阻滞、尿潴留和腰背疼痛，等等问题。

例如低血压，麻醉药物注入硬膜外导管后，引起交感阻滞、外周静脉扩张和回心血量减少，这些均可导致孕妇心输出量减少和血压下降。如果得不到及时纠正，会使子宫胎盘灌注减少，导致胎儿窘迫。孕妇血压一有下降，有的产科医生就急了。产科医生本来就是妇产科医生中性子最急的，因为产房里的各种状况：孩子生不出来或者生出来不哭，以及汹涌的产后出血、意外的脐带脱垂、难以预料的羊水栓塞，没有一样不是火烧眉毛的。而急火火地抢在血压下降之时，就把孩子捞出来，孩子往往哭得不好，甚至出现新生儿窒息。

有经验的麻醉医生多会使用麻黄素等药物，配合孕妇体位的倾斜，迅速并且有效地纠正低血压。有经验的产科医生并不总是急匆匆地几把飞刀切透子宫，捞出孩子，他们会协助麻醉医生旁推子宫，增加胎盘血流量，待血压回升，胎儿情况平稳，再娩出胎儿。这些都是可以减少新生儿窒息的办法。

硬膜外穿刺既然是盲目穿刺，就有“打偏了”的问题，结果导致麻醉不充分，镇痛不足，有多少伟大母亲是在阵阵惨叫声中迎来孩子的第一声啼哭。“打偏了”的麻醉可能一开始打的位置就不对，或在操作过程中给药的导管移出了硬膜外腔。这些除了取决于麻醉医生的技术和经验，还有命运和命数的参与。医疗失败的风险永远存在，不论它的概率有多小，落在具体个人身上的时候，就是百分之百。

盲目穿刺的另外一个常见问题就是麻醉“打穿了”，在孕妇中的发生率大约为1%。穿刺针不小心穿破硬脊膜，导致脑脊液渗漏，产后病人会主诉头痛。虽然绝大部分头痛都将随着脑脊液的循环代谢恢复平衡而最终缓解，但是由此导致的卧床时间长、下肢深静脉血栓形成的风险增加、只能采取不利于喂哺新生儿的卧位、疼痛加重产后焦虑等问题都需要产妇承担。

比较可怕的是，麻醉“打过了”。剖宫产用的是老百姓常说的“半麻”，孕妇意识清楚，自主呼吸，能哭能笑能说话，医生在肚皮上又拉又扯啥都知道，就是不知道疼。预料之外的高位阻滞俗称“麻过劲”了，发生率约为 1 ∶ 4500，孕妇出现低血压、呼吸困难、不能说话和意识丧失。这种情况需要手术室有全麻条件，医生具有扎实的全麻功底，才能通过供氧、气管插管、辅助呼吸以及药物等支持产妇的呼吸和循环，直至麻醉作用最终消退。所以，医生和教师一样，你要有一桶水，才能教给学生一碗水，如果只有一碗水的功夫，例如只会半麻不会全麻，一旦出现意外就不会处理了，就可能彻底将病人麻翻，再也醒不过来了。

还有个别麻醉过程貌似顺利成功，但是手术之后很长一段时间，女性都会主诉腰背疼痛，尤其腰部打针的部位。虽然医学对于麻醉和腰痛之间的相关性还存在争议，但是没有接受麻醉的产妇，几乎没有相关问题。

就算麻醉顺利满意，下一关就是手术。肚子切开以后，病人随时面临各种原因导致的大出血、子宫撕裂、严重的子宫收缩乏力、周围脏器例如膀胱或者肠道的副损伤，以及瞬间夺人性命的羊水栓塞。

手术结束后的近期，产妇面临腹部切口感染和裂开、子宫切口感染和裂开、产后出血、盆腔感染、下肢深静脉血栓等问题。有产妇在剖宫产术后大坐月子，不洗脸不刷牙，30 天窝吃窝拉不下床。出了满月刚下床想活动一下筋骨，顿感呼吸急促、天旋地转，顷刻一命呜呼。原来，产后女性处于特殊的血液高凝状态，再加上手术后长期不活动，下肢深静脉回流受阻，就会在腿部形成血栓。

新鲜血栓贴附在血管壁上，并不牢固，活动后便会从血管壁脱落下来，像小炮弹一样，顺血液游走到肺部，形成致命性肺栓塞。

近期的这些坎儿可能您都迈过去了，但远期的麻烦事也不少。手术刀口不仅在数年内时常带给你各种难以名状的疼痛、腥麻、钻心痒，疤痕体质或者愈合不良的伤口还会严重影响美观，令女性自信心大打折扣。

和露脐装、比基尼彻底说拜拜，那都是小事，肚皮表面的伤口需要时间愈合，肚子里看不见的子宫上的伤口同样需要时间修复。子宫下段经历切开、取胎、娩胎盘胎膜和缝合，同样面临局部切口愈合不良，刀口部位修复障碍。一旦有切口憩室形成，有些女性在月经复潮后，就会表现为经血淋漓不净。这总归还有办法，寻找一位能工巧匠级别的医生，再做一次手术修补就是。

俗话说，会咬人的狗不叫。子宫切口愈合不良这事，最可怕的并不是日常带给你月经淋漓的烦扰，而是并不给你任何异常征兆，让你在自我感觉完全良好的情况下，上来就是狠茬儿。例如经历过一次剖宫产的女性下一次怀孕的时候，受精卵可能不偏不倚就种植在切口这个地方，真可谓天堂有路它不走，地狱无门闯进来，这就是几十年前中国妇产科医生闻所未闻的“疤痕妊娠”。

近年来，剖宫产疤痕妊娠的发病率正在增加。1966 年至 2002 年的剖宫产疤痕妊娠英语文献只发现有 19 篇，之后的病例报告越来越多，甚至有一系列相对大宗的临床报道，全部来自中国。

2013 年，中国的平均剖宫产率已经达到 46%，位居世界第一，部分地区甚至高达 70%~80%。并且剖宫产率连年居高不下，已经达到世界卫生组织标准的 3 倍。

随着工作年头的增加，疤痕妊娠对我而言不再是个生僻的病种，甚至已然成了夜班和急诊时会遇到的“相对常见病”。大部分情况下，这种疾病处理起来相对容易。

病情相对轻的，孕囊还在子宫腔里，没有严重的局部侵蚀破坏和出血，可以在超声波或者腹腔镜的严密监视下，刮宫解决问题。即使有病情相对较重的，一些艺高人胆大的教授也可以在腹腔镜下挖除局部病灶，进行整形缝合，保留子宫。

就算受精卵乖巧，没有明珠暗投，没有种植在疤痕部位，后面还有怀胎十月的考验。子宫需要伴随胎儿时刻不停地生长发育，不断拉伸、扩容和壮大，别的地方没问题，因为子宫生来就有这本事，但剖宫产的疤痕部位却是一个薄弱点，就像锔过的大缸，修补过的部位是最容易再出问题的，疤痕部位一旦撑破，孕妇随时可能面临子宫破裂、内出血、胎死宫内、子宫切除甚至母儿双亡的危险。

04
一次剖宫产不代表永远要剖宫产

就算这些坑坑洼洼都躲过去了，娃娃怀到足月，总要生吧，怎么生呢?

对于有过剖宫产史的孕妇，目前国内大多数医疗机构仍然遵循“一次剖宫产、永远剖宫产”的医疗原则。也就是说，上一胎剖了，这一胎没商量，还得剖。

实际上，这一观念早已不再是真理。在美国，剖宫产后阴道分娩的成功率为60%~80%。

您可能会说，美利坚那是发达国家，中美医患关系、医疗环境根本没有可比性。但是，就在同一片蓝天下，已经成立15年的北京和睦家医院，就有大量客观事实和实例说话。

这家医院曾经一度号称京城唯一一家愿意为有过剖宫产史孕妇提供阴道试产机会的医疗单位，总成功率大约是72%。2012年，剖宫产后阴道试产的成功率已经达到90%。应该说，不论从处理病理产科的综合经验和实力，还是年分娩量等综合指标来看，这家外资医院都数不上一，也数不上二，但它的产科理念却最是先进，远远走在了很多三甲医院前头。

诚然，不是所有做过剖宫产的孕妇都有条件和机会阴道试产。例如上次剖宫产的原因（最常见的是骨盆狭窄）仍然存在，这次仍然需要剖宫产。

阴道试产需要满足的条件是：上一次剖宫产手术在子宫上的切口需要是全世界范围内常规使用的子宫下段横切口，这个横切口是指子宫上的，而不是腹部上的，这一点孕妇无从知道，只有你的手术医生知道，手术记录中有明确记录。横切口发生子宫破裂的风险最低，大概是 0.7%。纵切口高达 2%，不宜试产。

最后，除了上次剖宫产留下的手术疤痕之外，子宫上不能再有其他瘢痕，也不能有子宫破裂的既往史。例如，除了剖宫产还做过子宫肌瘤切除手术的女性不宜试产。

虽然子宫破裂的发生率不高，在过去 10 年中，美国进行过两项大规模观察性研究，深入探讨了剖宫产后阴道试产的有效性和安全性。这两项针对 20000 多名女性的研究结果显示，剖宫后阴道试产的子宫破裂率均不足 1%。但破裂一旦发生，却是灾难性的。所以整个分娩期间，要求产科医生必须随时能够到场监护分娩，一旦出现危险，手术室必须有条件即刻提供安全的麻醉方式，任何时候都可以进行急诊剖宫产。

应该说，我国任何一家三甲医院的妇产科都具备以上人员配备和硬件设施，可为什么愿意为有过剖宫产史的孕妇提供阴道试产机会的医院却凤毛麟角？应该说原因非常复杂，可能和整体医疗环境还不够宽松有关，医患关系还不够和谐有关，整个社会对医学局限性的认识还不是很充分有关。病人和社会对医生产生“绝对不能出错”的苛责，导致最终难以实现来自医生的担当有关。再或者，也可能和医生的收入、认识和胆识有关。

不管怎么说，产科医生不给你机会试产，你就只能接受再次剖宫产，你就只能默默接受一切外科手术的基本定律和法则。

只有医生知道，一次剖宫产手术以后，无论是肚皮还是盆腔，或多或少都会形成粘连，每做一次手术，手术难度和并发症出现的风险都会成倍增加。

二次三次甚至更多次的剖宫产，在医学理论和临床实践中，都不是不可能完成的，但是术中出血偏多、耗时偏长几乎是可以肯定的，破膀胱、破肠子的事也时有发生，高标准严要求的挑战是针对医生的，而一切苦果，只要发生，都得病人亲口品尝，无一例外。

所以，有二胎生育计划的，如果没有医学指征，第一胎千万不要轻易“一剖了事”。即使真的只打算生一个，万一避孕失败还有发生疤痕妊娠的风险。即使现在没有再生育计划，谁知道几年后，你的人生会有什么变化，谁知道你会不会哪一天就突然萌生再要一个的想法，或者生活发生变故，不容乐观的形势逼迫你不得不再生一个呢。

05
剖宫产和腹壁子宫内膜异位症

和疤痕妊娠一样，切口部位子宫内膜异位症以前的发生率大概只有 0.03%，专业人员都鲜有耳闻，随着国内剖宫产率的不断上升，这类病人的绝对数也越来越多。

剖宫产是现代产科最基本的术式之一，医生分层切开皮肤、皮下脂肪、筋膜，拉开腹直肌，打开腹膜、膀胱腹膜反折，再切开子宫肌层，刺破羊膜，将胎儿捞出，最后娩出胎盘胎膜，按照正常的解剖结构分层进行缝合。可见，手术过程中，具有生物活性的子宫内膜组织或者细胞将不可避免地、或多或少地散落在各层伤口之间，这些趁机溜出的子宫内膜组织出现在子宫腔以外的其他部位，聚集生长并且引起不适症状，就是腹壁子宫内膜异位症。

患者就诊时，时常指着肚皮上又肿又痛的大疙瘩问医生诸如此类的问题，我的剖宫产手术是不是没做好？是不是因为没给红包，医生没给好好缝？是不是医疗事故？打官司能不能赢？

应该说，大部分散落出来的子宫内膜细胞都会被机体自动清除，只有个别人的内膜细胞具有超乎寻常的生物学活性，例如超强的侵袭性、超强的转移种植能力、超强的血管形成能力，这些特殊能力才使它们能够在不属于自己的地盘上站稳脚跟，并迅速建立有水有电的新家园。

月经是子宫内膜的定期脱落，正常的子宫内膜生长在子宫腔里，脱落后通过宫颈从阴道排出。而种植和生长在腹壁的子宫内膜根本无处可去，所谓“不通则痛”，患者会在术后不同阶段，短则一年半载，长则三年五年，发现手术刀口附近出现异常结节，包块可大可小，可大如鸡蛋鸭蛋鹅蛋，小如绿豆黄豆蚕豆，它们在月经来潮时胀大、疼痛，随着月经结束又逐渐静息。

来月经的时候，病人除了阴道流血，肚皮上的包块也跟着肿胀、疼痛。可见，大姨妈长到肚皮上了，这个真不是传说。

剖宫产术式的发明，解决了无数难产问题，挽救了无数生命，但是在具体考虑实施每一例手术时，一定是要有收益，或者没有更好的办法，甚至是迫不得已的情况下，产科医生才会下刀，才会让孕妇去冒以上各种可能和可怕的风险。

没有医学指征的剖宫产，一旦出现严重并发症，对于医生和患者来说都是损失。

医生的损失，只有医生知道。出现严重并发症的手术纠纷一旦进入司法程序，医疗鉴定委员会首先要从是否具有手术指征入手，进行责任鉴定。所以，每一位产科医生，无论是希望病人少受伤害，还是珍视自己的职业荣誉，或者求一辈子内心安生，从以上任何一个角度出发，都要管好自己手中这把刀。

外科手术刀就是剑，一把不折不扣的双刃剑，用得好斩妖除魔，用不好伤人伤己。

对于孕妇来说，一旦手术有意外，再多的追悔莫及都已经没有用了。一切苦痛伤痕都要你自己承受，即使是父母和那个最爱你的人，都无法代替你。

话说回来，如果只是出于对孩子未来人生的固执规划，出于自己的无知和焦躁，就动用人脉，托人打招呼或者自上而下地指令医生做剖宫产，万里有一，碰到我说的这些倒霉事，哭您都找不着北。更何况，人生是长跑，撞线意味着终结，一路风景最重要，何不把力气用在孩子的教育和陪伴上，脚步慢一点，品味高一点，生活从容一点。再说，您见过踩起跑器上撅着屁股抢跑的长跑运动员吗?

说来说去，您可能要怪国家的教育体制，怪上学年龄一刀切毫不通融，怪全民焦虑的社会状态。但其实，换个角度想，小孩相差一岁，体力、智力、理解力都可能相差很大，在美国这种重视领导力和自信心教育的国家，很多妈妈甚至宁可让男孩子晚一点上学。要知道，心智发育好、接受能力强的大块头是很容易成为班里的大哥大或者大姐头的。

再换一个角度想，现在的孩子上学压力多大，晚一年上学，人生就平白多出一年的快乐时光，还不容易受欺负，何乐而不为?

纵观古今，古书早将善恶曲直写尽，老话早将处事之道讲明，在生孩子这件事上，就该顺其自然，顺应天意，相信瓜熟蒂落。总之，千万别去搅和产科大夫逆常理办事，最后吃亏的是自己。千万别为那点儿犯不上着急的事儿，拿自己和肚里的孩子去冒险，别非要等到伤痕累累、泪眼婆娑之时，才觉得自己悟到了不一样的人生。

06
“叫床”尚未成功，同志仍需努力

社会资源的紧俏，永远不会只表现在某个特殊方面，人多，除了上幼儿园上学困难，还有就是看病困难，尤其是协和名医专家教授，要是分摊给全中国的老百姓，真不知多少人才能轮上一个。

“全国人民上协和”意味着协和承担着全国各地的疑难重症，它早已不堪重负。因为地段黄金，寸土寸金，扩张地盘又几乎成了不可能完成的任务。同行中的新人旧友，尤其是卫生行业各路神仙大侠有机会坐一起聊天时总爱问，你们协和多少张床位啊？

床位，是卫生医疗系统领导作报告，或者酒桌上吹牛最爱炫耀的一个数字。我真不知道我们医院有多少张床位，过去不知道，现在不知道，将来估计也记不住。我只知道，眼下我所在病房的床位总数，能加几张临时救急的行军床，在遥远的未来，有几张床是可以供我使用的，躺我自己的手术病人的。后者是我，还有大多数中青年手术科室医生，吃着各种苦，耐着各种劳，还能坚持下去的全部理由和意义所在。

任何病人来协和住院，首先要过门诊那道关。

门诊病人只有看了医生的门诊，医生认定确实需要手术或者必须接受住院检查和治疗，才会给病人开住院条。住院条的上面有病人的基本信息，下面是我们医院的地址、开户银行账号、住院须知，背面是病人的联系方式。这是门诊病人和医生，和病房里的床位之间唯一的联系纽带。

每次门诊结束，各位教授都会带回薄厚不一的住院条，厚薄主要和教授的知名度、火热度相关，越牛的教授带回来的住院条越多，那一沓子纸就越厚。这些承载着无数病人希望的住院条被我墩齐了，按照先后顺序整理好放进支票夹子，每个教授一本，放在病房住院总专属的抽屉里。

作为“老总”，每天我都用很长时间来面对这些住院条，试图通过住院条上简短的几个诊断术语，判断出这张住院条背后是个什么样的病人，病情的严重程度如何，手术大小和难易程度怎样，是否需要兄弟科室会诊，再根据病房手术日的安排，各位教授的喜好，各位教授每天的日程安排，当然，还有我们永远无法摆脱、也必须正视的通过各种途径转达而来的人情关系，决定叫哪些病人住院。

教授的一天，是忙碌的一天。可以说有时候教授的老婆都不知道他这一个礼拜在忙什么，但是我知道。我知道他哪天出普通门诊，哪天出特需门诊，哪天出外宾门诊，哪天在医院做手术，哪天给医大学生讲课，哪天开医院的论文评审会，哪天开职工代表大会，哪天他的博士答辩或者博士后出站，哪天他要去别的医院听兄弟教授的学生答辩，哪天给药厂讲课，哪天飞到哪个城市为哪个医院的病人做手术，哪天飞到哪个城市为哪些地区的基层医生讲课。

经常在傍晚、黄昏、倦鸟归巢之时，我的上级医生车娜从手术室出来，洗得白白的，擦得香香的，收拾停当后，拎着她的名牌小包，换上高跟鞋准备回家的时候，会拍拍我的肩膀问："丫头，床都叫好了吗？"

我说："'叫床'尚未成功，同志仍需努力。"

车娜总是带着一副无比哀怜，又帮不了我也拯救不了我的些许内疚，毫不犹豫地扭着她的小蛮腰，把小包往肩膀上一挎，再用胳膊肘一夹，边走边说："别给那堆住院条相面了，先把明天的住院病人搞定，以后的再说，爱谁谁，赶紧回家睡觉去，你都快30了，得抓紧时间造人了，再不抓紧时间怀孕小心生不出来了。"

后来，等我也当上主治大夫，我才知道她那会儿根本就没打算拯救我。不过，能够流露出怜悯并且给予言语上的安慰已经是情怀无限的领导了。

下班之前，我小心翼翼地把住院条收好，放回到那个没有锁，但是除了我没人会对它们感兴趣的抽屉。每每这时我总是担心，要是谁想把医患关系彻底搞砸，要是谁想毁了协和妇产科，那些会写字的文字工作者不用见了医疗事故或者医患纠纷又采访又报道的，也不用在电视上又哭又呐喊什么浪费纳税人的钱之类的，就把抽屉里的住院条偷走，毁掉，就OK了。从此，医生和病人彻底失去联系，我们的存在便失去了意义，大刀再牛，没了病人，良弓尽藏吧。病人等在家里，只有干着急，怎么协和还不叫住院呢，真把病耽误了往媒体新闻上一曝光，我们就彻底死菜。

07
能顺利抢到住院床位的五条“潜规则”

每个住院条后边，都有一个病人，一个故事，一个家庭，甚至好几个家庭，甚至，有能力的病人后边还可能有个大企业什么的，最严重的时候可能还牵扯着国家命运民族兴亡你我的安危。

一个病人如果能有幸接到我的电话，她一定符合以下至少一个条件。

一是经过排队和漫长的等待，而且愿意一直等待。机会总是留给有耐心的人，据说天使到上帝家里玩，发现墙角堆着很多礼物，天使问这是怎么回事儿？上帝说，这些都是人类一直向我祈求的东西，他们为了目标努力奋斗，却总是在最后一刻放弃。圣经上说，神常借拖延时间试验人类的诚意。

二是病情紧急，刻不容缓。例如严重的深部浸润型子宫内膜异位症，虽然是良性疾病，但却以一种类似恶性肿瘤的行为方式浸润性的生长，所到之处就像水泥灌浆一样，将整个骨盆冰冻，将双侧输尿管在进入膀胱之前的一段完全禁锢。正常吃喝后，尿液自肾脏不断产生，经过输尿管进入膀胱，收集到一定容量，再定期排出。

两侧输尿管一旦卡死，尿液无法下流，就只能上流和返流，结果就把上端的肾脏憋得积水，起滤过排毒的肾皮质将被越撑越薄，若不及时进行输尿管部位的松解和释放，病人将彻底丧失肾脏功能。这种病人一旦确诊，必须尽快入院手术，否则，她可能不会死于子宫内膜异位症，却死于尿毒症。

三是有人情关系，这是生活在现世的我们不可能完全摆脱、整个社会都不可能完全回避的问题。

四是病情为医生所需。病人生病想住特需病房，殊不知自己也会成为医生的特需病人。大医生手里差不多都有几个限期结题、必须上交报告才能形成良性滚动的科研项目，能够进入科研组的病人，不论是研究组还是对照组，住院都会相对快一些。要是少见病例，或者某个专家教授正在攻克的难关，或者刚从国外学回来的新术式，正打算攒够了病例年底申报医疗成果奖的，说不定今天看门诊，明天就能住院。所有的临床科研成果，除了医生团队的努力创新，最大的贡献者，永远是我们的病人。所有医疗成果的获奖者，除了感谢国家感谢党感谢同事的支持合作，都应该在最后感谢我们的病人。

五是病情特殊。少见病或者罕见病的病人也能被提早收治，但这并不见得一定是好事。面对各种疑难杂症，出于职业好奇心和征服疾病的痴迷心态，医生有时会表现出难以控制的跃跃欲试。有激情并不代表真正有能力，有时病魔所向披靡，医生根本回天无力，越早发起攻势，死神越容易提前暴怒，越早住院，病人可能离死亡越近。

* * *

《非诚勿扰 2》中，李青山揭去白纱布，露出脚背上一处醒目的病灶——皮肤恶性黑色素瘤。他知道每个人都会死，但是得了这种恶性度极高的怪病，死亡的脚步更快了，在开过活人追悼会，和每一个自己曾经深爱的人告别后，他孤身翻入大海，选择有尊严地离开。

牙买加摇滚乐手鲍勃·马利，也是因为长在脚趾缝里一处极小的恶性黑色素瘤英年早逝，虽然几经辗转，到不同国家想尽办法治疗，还是年纪轻轻便撒手人寰，他留给儿子的最后一句话是：金钱买不到生命。

而女性，除了需要警惕皮肤这一人体最大器官可能长出恶性黑色素瘤外，还需担忧外阴和阴道这些特殊部位。这些部位一旦患病，一是不容易早期发现，二是没有完善和成熟的治疗经验，预后很差，死亡率极高。在科室论文报告会上，老主任就曾提出，女性除了定期进行乳房自检，还应定期使用小镜子进行外阴自检。

黑痦子不代表财，也不代表运，它可能代表病。如果短时间内，它迅速增大，边缘隆起，有脱毛，有破溃或者出血，都要异常警惕。

那是一个还不到 50 岁的中年女性，刚办完二婚婚礼，就发现阴道里鼓出一个核桃大小、又黑又臭形容丑陋的包块，来协和看完门诊的第二天，就被收进了病房。

手术开始进展得还算顺利，等到进行全阴道切除步骤，也就是医生开始直接碰触这一“黑魔肿瘤”时，出现了弥漫性血管内凝血（DIC）。手术创面开始毫无道理地渗血，电凝没有用，纱布压迫没有用，缝合也没有用，被剥除了阴道的创面就像瞬间冒出无数针尖大小的筛孔，鲜红的血液如夏日里皮肤出汗一般，无声、迅速、号令整齐地同时从创面渗出。手术室层层告急，麻醉科二线、副主任一直到主任，全部围在病人头侧，维持着病人的呼吸和循环，实现最大稳定。后方血库源源不断地送来浓缩红细胞、冰冻血浆、单采血小板。妇产科几位手术大拿在老主任的带领和指挥下全部上台，仍然无法止血。

外科医生手术台上最忌讳三件事：一是在病人体内遗留异物，包括钳子剪刀，最常见的是纱布；二是手术开空，奔着瘤子去的，打开肚子后发现根本没瘤子，可能只是坚硬粪块，或者是被肠道胀气所迷惑，病人白挨一刀；三是下不了台，病人直接死在手术台上。

此刻，就是第三种情况，如果不马上制定有效对策，病人就要被撂在台上。

外科手术就是一场激战，时间就是生命，在和死神的角逐中，根本没空容你几个人坐下来四平八稳地踢皮球或者扯闲篇，指挥官的机敏果断对于一场战争的胜负至关重要。手术台上，主刀医生就是这个角色，他的决断甚至可以是主观武断和不容质疑的，整个手术团队都要无条件听从，因为这是性价比最高的，也是沉没成本最小的。

各种办法都没有起色，眼看病人的一般情况越来越差，麻醉医生频频告急，血压维持不住，手术不允许再继续下去了，老主任果断决定，填塞，放引流，下台，病人直送ICU，以观后效。

填塞差不多是外科医生止血的最后一招，也是没有办法的办法。就是用尽量多的纱布将正在出血的人体腔隙完全填满，给出血创面制造压力，让血无处可出。整个阴道和盆腔填塞了几米长的纱布后，活跃出血止住了，病人暂时稳定，得以转回ICU。但是，创面一直没有彻底停止渗血，又坚持了24小时的抢救，几乎把整个协和血库的储备耗尽，甚至调动了北京市红十字血液中心的资源，仍然没有起色。

病人喉咙里插着气管插管，不能说话，用手艰难地写下“谢谢”和“回家”四个几乎难以辨认的字，就再也没有醒过来。她的大个子男人，流着眼泪，淌着鼻涕，把虽然切除了肿瘤，但下身仍在不停渗血的新媳妇抱上高价雇的黑面包车，拉回了老家。

在看到男人怀里病妻的那一刻，我真切地体会到，生命太脆弱了，无非就是肉体多出那么一口气，如果没有了心跳和呼吸，眨眼间人便成了尸。

有些穷凶极恶的疾病就是这样，治了不一定活过来，但是不治一定会死。治疗意味着更早触动死亡开关，不治疗又令生者不忍。人生就是这样，是哲学，是道理，又没什么道理可讲。

那些年，数不清多少病人被我呼叫入院，然后死在我们的手上，虽然祖国的大江南北早已医闹横行，有的地方医护上班甚至要戴钢盔，但协和总归是一块相对的净土，家属都没哭没闹，伤悲之余，有的还不忘道谢，甚至安慰医生，说大夫也不要太难过，大家都尽力了。

也许家属哭闹和抱怨了，医生心里会更好受一点，为了落叶归根入土为安，家人安静地把病人拉走了，留给医生的是无法安抚的伤悲，彻头彻尾的无力感，只能依靠时间去淡忘或者放在深深的角落不去触及。更可怕的是，只有医生知道，面对疾病，医学的无能和无力将永远持续。

08
医生最怕听到什么话

虽然处于协和最底层，但是在“叫床”的时候，我还是经常能够找回社会对我们协和医生的尊重和爱戴。

但在这世界上，我们协和大夫也不一直都牛气十足，病人不需要我们的时候，我们屁都不是。

例如，我给一个等了两个月的子宫肌瘤病人打电话，对方可能很冷漠地说：“大夫，我早做完手术了，等你们协和得猴年马月啊！”我说：“那祝您早日康复，再见。”这算是一个温和的性情中人，不痛不痒地给了我一小下，她出气了，我也没怎么觉出疼来，接着狂翻住院条叫下一个病人。

再例如，我给一个子宫脱垂的老太太打电话，接电话的是她闺女。她说：“你谁啊？”

我说：“我是北京协和医院妇产科，通知您家人来做手术。”

她说：“你还有脸打电话，我妈都等一个多月了也没信儿，早在别的医院做完了，你们协和怎么回事儿？还协和呢，我妈要是再等下去出了什么事儿，你们负得起责任吗？你自己有妈吗？你于心何忍？”

我一时语塞，本想说声对不起再见挂掉电话算了。但是我觉得，我们虽然没给她妈做手术，我们也一直在给别人的妈做手术呀，要是这一个多月，我们协和妇产科全体医生护士集体休假跑哪儿游山玩水去了，导致她妈没能及时做上手术，那就真是我们有错，我们活该挨骂。

我心存侥幸，心想是不是我问候一下老太太，问问做完手术以后身体恢复得怎么样了，可以缓和一下矛盾，安抚一下她的焦躁情绪。没想到，她听了以后更加激动地骂我：“真有意思，你们这些冷漠的大夫还知道关心我妈手术后恢复得好不好。好不好也跟你们没什么关系，你们太不像话，太没医德了。”

最后一句，狠狠地击中了我，我当医生，最怕听这句。没医德，也是公众最愿意向医生投掷的撒手锏，随手这么一扔，绝对有杀伤力，杀伤的不是敌人，是医生的心。

做完住院总医师的工作以后，我荣升为主治大夫，很长一段时间，我都不愿意用病房电话打外线，每次一拨“0”，都是习惯性的心悸和后怕，我都有心理障碍了。

年轻的时候，碰到什么事，我总想解释，总想辩解，总觉得自己小嘴挺厉害的，什么都要弄个明白，有时候还语不惊人死不休。

后来，我渐渐学会了不争辩。因为理解你的人，你不用解释，她也愿意善意地去理解你，而不理解你的人，你越描越黑，反而留下个不诚恳、不老实的印象。活着活着就老了，内心就皮实了，成长是一个让人淡然，在一定程度上也可以称作冷漠的过程，谁都不能回避。

我想告诉她，这种良性病、慢性病在协和等一个月床位已经不算长了。再说，你妈的子宫脱出来也不是一天两天了，还不是生你们给累的，你们做儿女的也有照看不当的地方，等到子宫都完全掉出来了，不用手推就送不回去的时候才带老人看病，还有脸骂我。

实际上，那天能够轮到她妈住院做手术，是因为有一个比她妈等的时间更长的老太太不能来。那张住院条上写着：×××，69岁，子宫脱垂（重度），2型DM（糖尿病），内分泌门诊调整血糖满意后入院手术。结果我打电话一问，老人家空腹血糖还200多呢。问她餐后血糖怎么样，老太太说，每天就吃饭这点高兴事儿，空肚子的时候要扎手指头，吃饱了两个小时后还得再扎，我才不干呢。我说，那怎么行，血糖调不好，没法做手术的，您子宫总脱在阴道外边那也不是个事儿啊。老太太淡淡地说，谢谢你姑娘，已经好久没人这么关心过我了，这子宫也不是脱一天两天了，活到哪天算哪天吧。

想象着电话那边一定是个沧桑老妪，要么缺少老伴儿的搀扶，要么缺少儿女的关心，要么大字不识没啥文化，要么是个落魄的知识分子。这么高的血糖根本没法做手术，控制不好的糖尿病人伤口愈合是大问题，弄不好来个酮症酸中毒，老太太就昏迷了，手术后彻底栽在病房。风烛残年的老年人，有时候就像悬崖边的一块大石头，没风没雨的时候，昂首屹立，千年不倒的样子，一有风吹草动就可能轱辘下去，一去不复返。

可我准备这些下文又有什么用呢？作为病人和家属，作为一个患病个体，谁又愿意让自己的健康和生命耗着去理解医院呢？谁又愿意没承诺、没指望地一直等待下去呢？在门诊，你给人家看病，告诉人家有病，还说这病必须开刀，结果你又说没床位给人家住，让人家等，又不能承诺到底需要等多久，我们的病人也真可怜，我都不知道她们该怎么办。

虽然不知道怎么办，但是我们还是在夜以继日地工作，手术做一个住院条就少一张。虽然过一个礼拜，教授一出门诊，就又弄回来一沓新住院条，但我们别无选择，必须闷头前行。

只要第二天是手术日，提前一天的晚上，只要有可能，我都早早上床睡觉，外科医生都有这个习惯。而且第二天早晨必须吃早餐，否则扛不住。

后来，我无意中看到《新英格兰医学杂志》上的一篇文章，专门讨论外科医生缺乏睡眠的问题，说手术前一天晚上睡眠少于6小时的外科医生，病人发生手术并发症的几率要高很多，因为疲劳会使外科医生的手术能力下降。文章指出，这个结果应该引起医院管理部门的高度重视，是否能缩短值班时间保证大夫们不疲劳，而接受手术的病人是否有权质问："大夫，昨晚你睡好了吗？"

这是一篇新发表的文章，但是多少年来，凡是上手术台的医生，确实都是这样要求自己的。有手术的日子，我都早早上床，即使做爱，也不泛滥。否则第二天起床，眼睛又酸又胀，进手术室换衣服的时候，看更衣室柜子的钥匙孔都重影，能干好革命工作吗？

那时候，我和大志已经结婚好几年，早过了"看什么都没劲，到哪都想着上床那点事儿"的蜜月期。我上好闹表，准备好第二天要穿的衣裳裤子，整理好书包和自行车钥匙，爬上床，拍松枕头，拿过抱枕，选一个舒适的姿势准备睡觉。

大志也摸上床，从身后抱着我说："老婆，我想你。"我说："嗯，我也想你。"他说："我想干你。"我说："困，让我先干睡觉她大爷的。"他一把把我冲墙的身体扳过来要硬来。我平静地说："霸王硬上弓不好玩儿，人人拥有先睡觉再○○××的权利。"然后，可能我就打起小猫一般的呼噜来了。半睡半醒的时候，我听到他一边下床一边嘟囔："万恶的协和旧社会，把我如花似玉的老婆给累得性欲全无。"

09
入院注意事项可不是你想的那么简单

大多数接到我电话的病人，都会很平淡地说你好。当我自报家门，说是协和妇产科通知对方住院的时候，只要电话那边的人还打算在我们医院做手术，都会立马肃然起敬，我甚至能想象她突然从椅子上站起来，或者从瘫软在沙发里的状态变为挺直后背，或者赶紧关掉电视，把手指头竖在嘴唇上让家人别吵。

然后，我会告诉她什么时间来住院处办理住院手续。她要是和我讲条件，说这几天公司要她出差，马上还要开会，晚上姥姥过生日，堵车，接送孩子什么的，我会说，您一定保证最晚在下午几点几点到病房，要是不能保证，就先出差，先开会，先给姥姥过生日，我叫别人住院，您再等电话。这招很阴损也很管用，对方立马不再叽歪，麻溜答应准时报道。

电话中，还要再简要了解一下她的病情和住院条上是否相符。年龄超过 50 岁的，尤其是大中城市医疗条件好的老太太，必须问她有没有吃阿司匹林，或者其他活血化瘀的中成药。阿司匹林是冠心病、高血压、脑梗塞等病人最常用的抗血小板凝集药物。教授看门诊的时候太忙，几分钟一个病人，难免会漏掉这些细节。外科手术中的止血，除了电凝结扎和压迫，主要靠病人自身良好的凝血机制，手术前，阿司匹林至少停药7~10天，才能保证术中的安全性。如果门诊因为忙碌没问，老总粗心在电话里也没问，住院后被住院医师问出来第二天准备手术的病人吃了阿司匹林，还没停药，老总的面子没处放不说，还要临时更换病人，麻烦大了。

我要告诉病人带好全部病历资料，还有身份证、医保卡、单位支票等，免得回去取。北京那么堵，一个来回就不知道什么时候了。要是她们迟迟不来，我的住院大夫就回不了家，多晚都得等着她们写病历，我自己的幸福生活耽误了也就算了，耽误她们的小日子，实在不忍心。而且，这种事要是常有的话，她们会因此记恨我，怎么没在电话里交代清楚，继而给我扣上脑袋缺弦、脑袋进水、脑袋有包等能力太差的帽子，并且以最快速度传到教授耳朵里。

除了叮嘱病人带最基本生活用品外，还要嘱咐不必要的身外之物一定要放家中，尤其是项链镯子戒指之类的饰品。除了剖宫产，现代外科手术几乎台台都要用到高频电刀，在单极模式下，电流通过导线和电极穿过病人，再由电极板及其导线返回高频电刀的发生器，有一个完整的电路切割和凝固组织，因此，手术时病人身上不能有能导电的东西，否则容易造成烧伤。

电话里，还要叮嘱爱美的女士不要化彩妆，涂的指甲油、粘的水晶指甲赶紧洗掉或者抠了。一是不利于医生通过指尖甲床等末梢循环部位了解全身情况，二是影响麻醉医生全程使用指套监测血氧饱和度。纹过红嘴唇、黑眼线，绣过立体眉毛的就算了，一时半会儿不那么容易弄下去，反正就算她们再遮掩，真有贫血的话，医生的火眼金睛也能立即分辨出来。

手术前一天，需要一个能给病人手术签字的人同来。在她全身麻醉，不能对自己的身体和生命做主的时候，这个人要接受她的全权委托，负责做出决定。结婚的最好老公签字，没结婚的最好父母签字。要是她和我讨价还价，说父母年龄大了，老公在国外什么的，能不能让单位同事或者朋友签字？我会说可以，她如果愿意负责有关你健康、生育和生命的一切，年满十八岁，有独立和完全的民事行为能力，完全没问题。

多数时候，女人们看似在生活中从不缺少闺蜜和铁磁，动辄可以凑在一起八卦是非，同仇敌忾说别人坏话，但真到生死时刻，还真找不到这样一个能够为你签字的人。

如果她们没有在门诊完成术前化验，我会告诉她们明天来住院的时候要空腹，今晚 10 点钟以后，不准吃饭，不准喝水。

我觉得自己交代得已经够清楚了，但之后，连续两个病人，一个是山西大姐，一个是上海小妞，让我彻底疯掉，我发现这么交代事情根本不行。山西大姐到病房后，护士给她抽血，问她吃饭没有，她说："没吃，小张大夫说了，不让吃饭喝水，但是，我吃了一碗面条，算吗？"而上海小妞说："没吃饭也没喝水，就是烤了一片白面包，喝了一杯鲜榨橙汁。"

于是，我在电话里改成这么说，明天早晨来病房抽血，今天晚上十点以后，一切进嘴的东西，都不能往里放。

此法甚好，我的"叫床"工作顺利，很长时间都无小虫前来作梗，但是也会遭遇另类奇葩，一个 55 岁的大姐满口应承后，立马又把电话拨回来找我。

我说："还有什么没听懂的吗？"她弱弱地问："大夫，我住院后就不能在家睡觉了，再加上手术后需要休养，起码要一个多月不能有夫妻生活吧？”

我说：“是的，你的子宫内膜重度不典型增生，要切除子宫。保守的话，术后三个月不能有性生活，最快也要等到术后六周，经过医生复查，阴道残端完全愈合，才可以有浅尝辄止的夫妻生活，太猛烈和太深入的那种，三个月以内别想。”

“医生，我想问您，今晚，我们可以那个吗？”

我说：“可以。”

她又问：“那能用嘴吗？”

我想了想说：“也可以。”

她支吾了半天又问：“那能咽下去吗？”紧接着她又连忙解释，“对不起大夫，我不是别的意思，也不敢冒犯您，就是您刚说一切进嘴的东西，都不能往里放，我是怕耽误明天早晨抽血。”

此时，我一拍大腿，猛然醒悟过来她指的是啥。还好我也是见过一些世面的人。于是，急忙装作风轻云淡的样子回答说：“大姐，记住时间，十点钟以前可以咽下去，十点钟以后，就不能咽了。总之别耽误明天早晨抽血，别耽误后天手术，您在自己家干什么，医生都无权干涉。”

当了多年的妇产科医生，我深深了解到，我们身边的女性，哪怕是其貌不扬，哪怕是名不见经传，也可能拥有你根本无法想象的、波澜壮阔的性生活。即使是绝了经的老年女性，也可以有床笫之欢，内容形式频率真不见得比小年轻们逊色。

10
当妇产科男大夫面对美女的隐私部位

因为涉及身体的外形和性，女性生殖系统从外到内，包括阴道、子宫、卵巢和输卵管，它们的完整和美好都至关重要。

我 1996 年来协和实习，1997 年得老主任看重，收入妇产科门下，得以每日耳濡目染各个名家的各路独门武功，受影响最深的还是老主任。和很多成名成家便脱离临床去做官搞行政的医生不同，老主任虽早已功成名就，甚至后来成为院士，却始终和我们摸爬滚打在真正的临床一线，中间一度成为副院长，最终也还是回到自己心爱的妇产科做一名临床医生。

早些年查房，他主要讲知识，讲理论，讲新手术怎么做。近些年，知识讲的少了，越来越多的，是和我们强调医生的临床判断和人文思考，他是一个拿了一辈子手术刀的人，他最常提醒我们的，却是每个医生都应该时刻管好自己手中这把刀。

一些老年女性出现子宫脱垂和阴道壁膨出问题，经典的修补手术之后，还可能再次出现阴道壁和阴道顶端穹窿部位的膨出，甚至整个阴道壁带着前面的膀胱或者后面的直肠，像球一样脱出体外，严重影响老年女性的日常活动和大小便。

为这种病人再次选择治疗方式的时候非常讲究。老主任教会我们一种手术叫“阴道封闭术”，治疗这类复发病例的效果不错，操作简便，再复发的几率不是没有，但很低。唯一的缺点是，手术彻底缝合关闭了阴道腔隙，只在两侧留有容许阴道分泌物流出的狭窄孔洞，女性将不再拥有性生活的能力。

老主任反复提醒我们，选择这种手术不要唯年龄论，不要以为60岁以上的老太太就不需要性生活了，不要以为她家里70岁的老伯就没有性要求了。手术医生需要的是临危不乱当机立断，但也最忌讳自以为是。所以手术前一定要仔细了解病人本人以及伴侣的生活状态和性需求，反复交代和强调手术的后果，充分了解他们是不是真正需要并且适合这类手术。

而在自己的临床实践中，我的体会是，生殖系统承担了女人的性和生育，连带它的附属器官都是不容忽视的，就拿青春期才逐渐萌发的后来者“阴毛”来说，讲究也不少。

但凡有点医学知识的人都知道，开刀之前要备皮，狭义的备皮就是剃毛。阑尾炎手术，年轻漂亮的小护士备皮，男病人小弟弟不由自主地勃起，不知道引发了坊间多少黄段子。

20世纪20年代开始，外科手术将备皮作为一种常规，一般于手术前一日进行，要求是手术切口方圆15厘米，寸毛不生，有时候上腹部手术，下身的毛也要刮得精光。

实际上，现代外科学的备皮理念并非一成不变。备皮的目的是不损伤皮肤完整性的前提下，减少皮肤细菌数量，降低术后切口部位感染，除非毛发妨碍手术操作，否则只需清洁，不需去毛。

美国护士协会对备皮早就给出如下专业建议：

一，备皮在手术当天进行；

二，只对妨碍手术的毛发进行清除；

三，使用备皮器剪毛或者化学脱毛膏脱毛，优于使用传统剃刀刮毛。

2010年12月，卫生部办公厅颁布的《外科手术部位感染预防与控制技术指南（试行）》主张：备皮在手术当日进行，确实需要去除毛发时，应当使用不损伤皮肤的方法，避免使用刀片刮除毛发。

但是，国内一些医院的妇产科，甚至很多代表中国最先进技术和治疗理念的大型三甲医院，他们在购买和欧美同步的那些要多高级有多高级、要多贵有多贵的手术器械时，可以毫不含糊，甚至动辄出手开一次机就需上万元费用的机器人腹腔镜，眼睛都不眨。但是在病人护理方面，至少在备皮方面，却懒懒地停留在解放前水平。

除了刮宫、人流、放环、取环，这些和“毛”实在沾不上边的小手术，只要是进来手术的病人，包括生小孩的孕妇，不论剖宫还是顺产，不论是否需要会阴切开，妇科手术病人不论是肚皮上开大刀还是打几个小洞的腹腔镜，不论是否涉及外阴部位的操作，也就是说不论人家的阴毛是不是碍着大夫的事，一概在手术前一天，使用建院初期沿用至今的肥皂水和男用剃须刀，将腹部和外阴的毛发刮得一根不剩。

其实，剖宫产手术只需剪掉部分阴阜部位的毛发就可以，而阴道分娩的孕妇，会阴切开本来就不应该作为常规进行，不能为图省事儿、生得快，不论会阴条件如何，不问利弊轻重，在每个生孩子的产妇下身都来上一剪子，这既违反人类分娩的自然规律，也违反医生“首先，请你不要伤害”的最基本原则。在助产士或者医生认为需要进行会阴切开的时候，临时剪除切开部位的阴毛即可。要是打算会阴正中切，剪除后联合部位的阴毛，要是打算会阴侧切，剪除切开一侧会阴的毛发，就可以了。

时至今日，还有多少妇产科医护人员在一丝不苟地遵循着老祖宗的传统观念，在手术前一天给病人刮毛。影响女性身体外观和局部感受还是次要，更大的危害在于传统的刮毛方式损伤皮肤和毛孔，尤其是肉眼看不见的损伤，更可能使细菌在皮肤表面形成菌落、定植和繁殖，最终导致切口感染。据统计，术前剃毛的术后感染率大概在5.6%，而使用脱毛剂脱毛或者不剃毛，只是进行皮肤清洁，切口感染率明显下降，只有0.6%。

阴毛是可以再生的，刮毛对于年轻女性来说可能不算什么，即使被刮得一根不剩，也只是暂时的尴尬和不适。但对于老年女性，切除子宫乃至卵巢的手术已经给她们造成了巨大的心理负担，如果下身仅有的几根稀稀落落的阴毛还要被不由分说地刮走，让她们情何以堪？而且，这些和女性激素水平相关的性毛，可能是终生无法再生的，医生有没有设身处地地考虑过她们的苦痛？

医生总是很忙，病还看不过来，可能真的没有时间和精力照顾这些身体表面无关痛痒的问题。病人每次排长队挂号，诊室外急切等待，好不容易到了医生跟前，医生周围还不只是助手、进修生、实习生、研究生、博士生，还有多年来已经习惯三五成群围在医生周围共同看病的病友，真正轮上自己，可能没有几分钟时间，病痛还来不及讲，怎么可能丢了西瓜拣芝麻，去诉说自己下身那几根毛的心酸呢?

病人不说，医生更无暇过问。但是全世界妇产科医生家喻户晓的《铁林迪妇科手术学》中却有这样一段话，翻译过来大意如下：老年女性阴阜部位的阴毛，会随着年龄的增长脱落，这和老年男性遭遇谢顶秃头一样令她们难堪。外科手术的时候，如果不是非要备皮，不要轻易剃除这个部位的毛发，很多时候，剃毛后它们将不会再生。

这几乎是每个妇产科高级手术医生必读的一本著作，可是又有多少手术大拿在意过这段话?即使有人读得仔细，又有多少位高权重掌握话语权的医生能够坚持这样的实践，对老年女性这一特殊部位已经屈指可数的稀落毛发加以保护呢?

* * *

不过，话也不能说得太绝对，还真有医生挺身保护女病人的，还是个男医生，虽然保护的是一个年轻漂亮妞儿，在外人看来，不无私心，但是从那往后，粗略估计，我们整个妇科病房至少十分之一以上女性的外阴和阴毛命运得以改变。

周二是萧峰的手术日，我签完化疗，照例是拎着洗澡篮子连跑带颠地往手术室赶，换好刷手服，进入手术间的时候，第一台病人已经完成麻醉。她嘴里插着喉罩，气息均匀地睡着了。护士给病人摆好膀胱截石位，将无影灯聚焦后准确对准马上进行手术的外阴部位。住院医师正在刷手准备消毒，手术马上开始。

萧峰也不看病历，也不去刷手，盯着病人的屁股一动不动，以我多年来老总工作练就的察言观色和职业敏感，我猜，萧大侠这是生气了。

我问：“领导，发什么愣啊？”

“你这个老总，怎么管的病房？”他帽子口罩之间露出一对大大的牛眼瞪着我，没头没脑就来了这么一句。

“怎么了，这是？我丈二和尚摸不着头脑啊！”

关于手术台上主刀医生的台风，协和一直有自己的分类方法：一是有本事有脾气的，二是有本事没脾气的，三是没本事没脾气的，四是没本事有脾气的。萧峰基本属于第一种，虽然平时对我们小的特好，但是骂人的时候常有。萧峰骂人的特点是台下从来不骂，都是台上嫌我们手脚不利索才骂。这个我们理解，像他这种已经把每一个手术步骤都琢磨得炉火纯青，操练得行云流水，没事时能捧着心爱的手术器械边擦边唱歌的人，一双法眼自然看不得我们笨手笨脚，不骂的时候，那都是伟大的理智和多年的修行紧紧拽着欲念的缰绳呢。可这眼下还没上台呢，怎么就开骂了？我是真有点摸不着头脑。

“一个小小的宫颈锥切手术，怎么把屁股上的毛都给刮了？谁备的皮？”

原来气是打这儿来的。我回：“您老人家净拿大刀了，底下的事儿不懂了吧？宫颈锥切术，在咱们科是常规备皮，有锥切多少年，就备皮多少年。”

“真的？”听我说得如此理直气壮，萧峰的口气略微缓和了一些。

“当然，您老都做过成百上千的锥切手术了，难道平时就从来没有注意过？”

“没，真没注意，今天来的早，这不是 VIP 嘛，美女交际花，上头领导和几个好哥们儿都来打过招呼，我才特意赶在麻过去之前，跟她照个面儿，免得落下话柄，说手术不是我亲自做的。”

“嗯，长得确实漂亮，不光脸蛋漂亮，全身皮肤都好，哪儿哪儿都漂亮。”

我说。

“谁说不是呢？你瞧人家天生一个尤物，愣是被护士剃了毛，光不出溜的像个鸡光子，饕餮天物啊！”

“行了，您快收收心吧，咱刷手去，后头还跟着五台手术呢。跟您一起做了那么多锥切，从没见您像今儿这么怜香惜玉，这也太不公平了吧？敢情人家普通妇女就活该剃成鸡光子，漂亮妞儿被鸡光子了，您这天就塌了，还都塌我这儿来了，连自己最忠诚最能干的马仔都拿过来就骂？”

“没，没，别生气啊丫头，不是冲你。回头我得跟护士长讲，像锥切，还有腹腔镜切子宫切肌瘤切囊肿什么的，这些无关外阴阴道部位的手术，根本碍不着咱们医生事儿的，都别剃下边的毛了，剃完了多难看啊。这得十天半个月才能长出来个大概吧？咱得照顾人家老公的情绪不是。”

显然，和病人老公的情绪无关，萧大侠这是自己受刺激了。

作家毕淑敏采访妇产科大家郎景和教授，问了一个很多人都感兴趣，都想问的敏感问题：“做妇产科医生，接触的是女性特殊部位，作为男性，是否经受过特别的考验？”

郎教授是全国首屈一指的妇产科大家，岂能被这等问题难住，他机智作答如下：“生活中，我是一个和常人一样的男子。当我穿上白衣，我就进入了特殊的角色。我是一名医生，我会忘记我的性别，或者说，我成了中性人。白衣有效地屏蔽了世俗的观念，使我专注面对病人。白衣对我有象征意义，是一身进入工作状态的盔甲。当然，还是有一些特别需要注意的规矩，比如，为病人检查的时候，必须有其他女医务人员在场；从来不同病人开玩笑，哪怕彼此再熟，也要矜持把握。对于女性的生殖系统，我工作的时候，只把它看作是一个器官，仅此而已。这对于一个敬业的训练有素的医生来说，并不是很困难的事。就像一个口腔医生，让病人张开嘴，想看的只是她的牙齿，而不是要和她接吻。这些年来，我看过无数病人，好看的丑陋的，肥胖的消瘦的，妙龄少女或是白发苍苍的老媪，在我眼里，她们都是一样的，都是我的病人。"

此刻的萧峰，我想，他并没有对他的病人从心底做到一视同仁。面对出奇好看的，觉得剃了毛影响了自然美，摇着头咂巴着嘴，替人家替自己觉得不对劲儿，过去那么多长得一般的下岗女工、年迈老妪、大胖丫头也没见他多较真。

不过，也正因为男人的情绪还会在妇产科工作中偶尔冒出一个不经意的尖儿，甚至他自己都无从意识，还一副风轻云淡、心底无私天地宽的模样，但是，这小心思还真不赖，起码人畜无害，岁月静好，而且，最伟大的历史意义在于，这男人的小私心拯救了妇科病房从今往后归萧峰手术的全部女性病人隐私部位的体面，无论美丑。

11
什么叫原发不孕？什么叫继发不孕？

我前后一共做了4年的住院总医师，每天都在安排病人住院和出院。床位一时一刻都不能空着，加床都是满负荷使用。每天早晨参加大查房，确定出院人数后，才知道今天能够收几个病人入院，然后在一整天的医疗工作中，利用两台手术之间的空当，或者吃完午饭的碎片时间，一个一个打电话通知病人入院，这得益于我上大学考六级背单词的拾零记忆法。

忙的时候，碎片化的“零”都没得拾，经常是全部手术做完，晚查房之后，都夜里九、十点钟了，我才腾出时间来安排第二天的住院病人。打电话过去，听到的经常是睡着后被吵醒，喉咙里叽里咕噜含混不清外加超级不耐烦的声音。如果前一天手术结束实在太晚，我就一大清早赶到医院，7点钟不到就给病人打电话，听到的一样是喉咙里叽里咕噜含混不清外加超级不耐烦的声音。这时候，十有八九人家还没起床呢。

坐在电话旁边的我，有时候饥肠辘辘，有时候人困马乏，有时候强睁一只眼睛，另一只眼睛干脆闭着给病人打电话，有时候挣扎着拨完号码，干脆闭着眼睛听电话那头的盲音，顿时觉得全世界的人都有生活质量，而我，连生活都没有。

一个没有生活的人，就会变着法地琢磨如何破坏别人的生活。在长期的摸索和实践当中，我得出一条宝贵的工作经验：叫床，尤其是针对不孕症的病人，一定要等到晚上十点以后打电话。

宫腔镜和腹腔镜的联合检查是为不孕症女性提供最后一道全面检查的最好方法，医生能够看清生殖系统和盆腔的里里外外，子宫有没有畸形，有没有肌瘤，有没有腺肌症，卵巢是不是正常，有没有多囊，有没有囊肿，有没有生育杀手子宫内膜异位症，两侧输卵管形态如何，是不是通畅，有没有积水，以及整个盆腔到底哪里出了问题，才导致病人怀不上孩子。

能发现问题最好，很多问题手术中医生就能解决。例如子宫里有纵隔，把宫腔一分为二的，导致病人反复流产，医生可以通过宫腔镜切除纵隔，打通隔离墙，恢复子宫原本的一居室面貌；输卵管积水，医生可以进行输卵管伞端的整形手术，恢复其通畅性；有子宫肌瘤的可以切除肌瘤，有卵巢囊肿的可以剔除囊肿，有子宫内膜异位症的，可以利用电切、电凝、氦氖激光等途径进行各种形式的破坏，最后用大量生理盐水反复和彻底地冲洗盆腹腔，俗称给病人体内洗个“桑拿”。别小看这道冲洗程序，很多子宫内膜异位症病人的病灶可能并不多，也不大，但就是因为盆腔里很多肉眼看不见的不良因子，导致病人不孕，经过医生的专业桑拿，清理了这些怀孕不利因素，好多病人手术后就怀孕了，多神奇。

完成宫腹腔镜联合的不孕症检查后，医生多能明确告诉不孕症夫妇下一步怎么办，是发现问题也解决了问题，继续回家努力造人，还是发现了问题但是解决不了问题，推荐去做试管婴儿，还是没有发现问题，自然无从解决问题，也只好推荐去做试管婴儿。

不孕症病人的最佳手术时机是月经干净后的三到七天，这个不容易碰，一方面要病人的月经合适，另一方面还要恰好那天是她主刀医生的手术日。而且，因为手术和生育相关，需要她和爱人共同完成手术的知情同意和手术签字。限制条件越多，就越不容易找到合适的病人，不是我们手术日不合适，就是病人的月经时间不合适，要不就是接电话的女病人的爱人不在身边，她又做不了主，夫妻二人联系上商量好再给我们回话，通常一等就是几个小时。

改成晚上十点以后打电话的好处是，病人大都在家，方便接听电话，而且爱人多在身边，可能就在同一个被窝里，立马或者几分钟，就能告诉我能不能来住院。

因为床位有限，一周的手术日有限，有时候还单周有手术日，双周没有手术日，又受月经时间的限制，不孕症病人经常一等就是几个月或者半年。电话那边，经常是各种令人神伤的回复。例如病人说："大夫，我们不用去协和了，已经在别的医院做了，实在等不起啊，谢谢您了。"

还有的病人说："自从被扣上不孕症的帽子，我俩彻底不抱希望了，结果我老婆却意外怀孕了，您说这事儿怪不怪？"这时，我刨根问底的欲望总是一阵阵地往上涌，忍不住想追问一句："先生，您确定是您本人开的枪？"不过每次我都忍住了，因为确实有的不孕症就是因为精神紧张，医生告诉她怀不上，等着做腹腔镜检查，要是还查不出原因，就等着做试管婴儿吧，结果夫妻二人放下负担，轻装上阵，反而怀上了。

有的病人回复:“大夫，您不用给我留床位了，我们已经领养了一个小丫头，以前一心奔着要自己的骨肉，现在陪着一个小生命生活，也挺好。不瞒您说，我以前做过两次试管婴儿，每次都是卵巢过度刺激，胸水腹水全身都是肿的，大腿一掐都恨不得往外冒水，住院天天抽水打白蛋白，好不容易熬到两个月，还是胚胎停育了。现在想明白了，干吗非要拼了命地自己生呢?”我说，是啊是啊，打小开始养，就跟自己的一样，说不定将来比亲生的还体贴孝顺呢。

最令人神伤的回复是:“谢谢大夫，我再也不用去住院了，我婆婆已经逼她儿子跟我离了。”

* * *

看着接受完治疗、走出病房的不孕症病人，欣慰之余，我却因为“夫妻同居一年，不避孕也没怀孕”的客观事实，将自己无情地诊断为“不孕症”。

不孕症的原因复杂，妇产科教材如下描述：婚后不避孕、有正常性生活、同居两年而未受孕者。世界卫生组织则将时间期限定为一年，目前我国绝大部分临床医生都以一年为时限诊断不孕症。按照这一标准，专心备孕，日夜耕耘，超过一年仍然颗粒无收的夫妇，都可以扣上一顶“不孕症”的帽子。

不孕症分两类：一类是从未怀过孕，叫原发不孕；一类是以前怀过孕，后来无法再次怀孕，叫继发不孕。

人生最痛苦的事，就是一个自己有着不孕问题的女大夫，还要隐藏自身的秘密，忍受巨大的悲伤，装作表面无比平静的样子，去不孕症门诊那样一个每天上演悲欢离合人间闹剧的地方救死扶伤。

在不孕症门诊，最基础的工作是甄别哪些病人是混进来的，是根本不属于我们的工作范围和帮助对象的，不让女性凭白无故地接受不无创伤的不孕检查。

发现确实有不孕问题的女性，帮她们找到不孕症的原因，并且顺利怀孕，是不孕症门诊工作的重点。虽然接下来的一系列检查，包括取子宫内膜，输卵管通液，子宫输卵管造影，乃至宫腔镜和腹腔镜检查都是有创伤性的，就是要误工，要花钱，要遭罪，但是医生并不能保证一定可以发现问题，而且即使发现问题，医生也不总是有办法解决问题。

详细问诊是第一要务，医生会追问一切和怀孕有关的细节和过往，我们业内也常戏说成一个“审”字，有关情况就诊者一定要据实以告。

人类都会说谎，甚至和迟到一样，也是一种不自主的自身保护行为，不管是善意恶意有意无意，不管是骗领导骗同事还是骗至爱亲朋，那都不算什么，但是最好不要欺骗神明和医生。

神明在你头上三尺，什么都知道，骗也没用，抖小机灵，只能逗得神明哈哈笑，惹烦了小心降罪于你。医生不同于神明，是凡夫俗子，你说什么她就信什么，看病的思路就像下面有很多去路的迷宫或者流程图，她根据你的陈述，在头脑中迅速琢磨和设计针对你的诊疗路线，她是决定你命运向左向右的人，有时候“你骗医毫厘、医谬你千里”。

以前有没有怀过孕，生没生过孩子，有没有打过胎，有没有引过产，得没得过性传播疾病以及如何治疗的、治疗到什么程度、有没有复发、现在情况如何了，都要告诉医生。如果当着爱人的面不方便，可以找机会悄悄告诉医生，更可以要求医生帮你保密，医生都会答应。

一是医生的职业道德使然，保护病人隐私是医生义不容辞的责任。

二是你信任她在先，将女人最隐秘的事，甚至难言之隐统统告知于她，将心比心，你多会获得医生情感上的支持。医生需要知道你在过去发生了什么，诸如未婚先孕、婚外怀孕、反复堕胎或者大月份引产、生育过畸形胎儿或者遭遇性传播疾病，等等，目的不是鄙视你，而是为了清楚地知道自己将要面对的医学问题和需要为你解决什么。

详细“审问”病人很重要，很多被扣上不孕症帽子的夫妇到了协和，被全身上下“审一审”，什么检查没做，血都没抽，就被医生赶回家去了。你亲力亲为彻夜排队，或者求爷爷告奶奶，启动各路人脉，才弄来的一个专家号，虽然只有 14 块，但是欠下的那一屁股人情债，不知道要多少光阴情感外加金钱才能还清，结果被医生思维缜密、环环相扣的一连串问询之后，只换来病历本上一行歪歪扭扭极难辨认、鬼画符一般的“医生字”：规律性生活，2 次 / 周。

你的神情一定和蔡明老师在小品中的表演一样，特别想知道，这是为什么呢？

实际上，很多来看不孕的夫妇根本不够标准诊断为不孕症，而是“假不孕症”。

注意不孕症的概念。什么是正常和有规律的性生活？十天半个月才一次的不行，一曝十寒更白扯。医生的要求是，月经干净以后，平均 3~4 天一次的性生活频率，如果监测到排卵，当天临时加多一次性生活。照此方法持之以恒，共同耕耘长达一年，还不能怀孕的，那才叫不孕症。

假不孕症的主要原因有两类：一是性生活频率不够，二是现代人的过度焦虑。

现代人的生活条件比过去好，洗衣服有洗衣机，上楼有电梯，写字有电脑，不缺吃不少穿，一切看似现代了，却未必真正幸福。就拿性生活来说，过去没电灯没有电话，更没收音机电视机供人消遣娱乐，人们日出而作日落而息，借着日头的亮光完成白天的社会活动，晚上天一黑就上炕睡觉，夫妻生活是漫漫长夜唯一的乐趣。

现如今，不夜城大马路霓虹闪烁，路边摊夜总会卡拉永远 OK，办公室彻夜亮灯，上班族长期加班，困于报表文案图纸，回到家恨不得拽着猫尾巴才上得去床。巨大的生活压力，工作压力，社会压力压得男人勃起不能、强韧不足，压得女人下体不湿、高潮不起。有一搭没一搭的性生活如何造得出小孩?

很多夫妻不是两地分居，每月排卵期才见一面，就是俩人都是三班倒，一个月根本照不到几次面。还有两口子都是空中飞人的，女的每天早晨醒来第一件事就是把体温计塞舌头底下测量基础体温，或者连续使用排卵试纸监测排卵，一旦基础体温升高 0.3 到 0.5 摄氏度，或者排卵试纸呈阳性反应，多大的合同买卖都放下，坐上飞机满世界地追着老公“取精”。

这些夫妻到了医生那里，都要被劝退。调整生活方式，重新来过，要想怀孕，没有实干精神怎么行。

规律的性生活，需要从女性上一次月经干净开始。女性的矜持有着深厚的生物学基础，一般来说，卵子在排出后 24 小时之内是受孕能力最强的，48 小时之后，哪怕是再强悍、基因再优良的精子来访，卵子也会毅然决然地关起心门转身而去。

而精子能够在女性生殖道存活并且保持受孕能力长达 3~5 天，最隐忍的精子据说在第 7 天仍然保有战斗力。所以在月经干净之后，排卵之前的这段时间里有性生活，成功受孕的机会更高。排卵 48 小时之后，直到下次月经来潮之前的十余天时间里，女性的受孕能力明显下降，但这并不绝对。俗话说女人心海底针，女性的排卵也和女人的性情一样，容易成为情绪化事件和不稳定行为，例如环境、情绪、性生活等各种因素都可能影响排卵，甚至随时可能发生意外排卵。

成年男性每天都在产生精子，每克睾丸组织每秒钟可产生 300~600 个精子，每天双侧睾丸可产生上亿个精子。一个精子从产生于睾丸到发育成蝌蚪状，需要 74~76 天的时间，从睾丸排出的精子虽已成形，但并未完全成熟，必须在通过附睾的过程中发育成熟，这个过程需要 14~16 天。所以一个精子从产生到发育成熟需要 90 天左右。可见，提前 3 个月开始“封山育林”是有道理的。

附睾里的精子数量，总体上处于动态平衡，每天都不断有成熟的精子产生，也有衰老的精子被巨细胞吞噬。如果性生活过于频繁，例如连续 6 天都同房排出精子，从第 7 天开始，成熟精子的数量就会开始下降。但是，只要休息 2 天，精子的数量就会恢复正常，所以，略有节制，不多不少，平均每个礼拜两次的性生活，对于受孕来说最理想。

很多夫妻不懂这道理，主动控制性生活频率，认为好钢要用在刀刃上。排卵之前，他们养精蓄锐；排卵之后，怕万一种下的种子给折腾掉了，再不敢有性生活。于是，把所有的精华和力气都用在老婆排卵的那一天。实际上，不论是测量基础体温、使用排卵试纸，还是到医院请医生使用 B 超连续监测优势卵泡的生长，人类对排卵的预测都不是百分百精准的。也就是说，你很难找准排卵那一刻。必须用足够的频率，覆盖任何一次可能的排卵时机。另外，男性如果没有规律的性生活，只为临门一脚，一憋就是十天半个月，精子缺乏适时更新，过多的老化精子是很难圆满行使授精这一重要使命的。

还有的女性试孕不到 3 个月，就急赤白脸地来质问医生，到底出了什么问题，我吃了叶酸，测了排卵，排卵当天上了床，为什么还是没怀孕？这种自认为掌握了科学武器，就能“一切尽在掌握”的女青年还真不在少数。医生只能告诉她回去继续努力，一年无果再来不迟。女青年还喋喋不休地质问，要等一年？要是一年还怀不上我是不是真的有问题了？到时候再检查不就晚了？医生说不晚，不晚，不孕症的检查都难受着呢，又花钱又遭罪。这才将女青年打发回去了。

不孕症和失败是同义词，都是对寄托希望，付诸努力又一无所得的宣判，如果你连足够的功课都没有完成，足够的努力和时间成本都不曾付出，哪有什么资格说自己失败呢？一个没有努力到最后的人，又有什么资格说自己运气不好呢？

12
过夫妻生活时不要思考，不然上帝会发笑

另一类假不孕症的原因是“生育焦虑”，这是跟随这个时代产生的新名词。人类大概是最自以为是的动物，太愿意规划。他们以为自己可以计划生活，计划工作，计划出国进修，计划职称晋升，同样可以计划孩子。

很多夫妇把生育的准备工作做得异常充分，他们将生孩子列为重大家庭计划。双方进行全面孕前检查后，女方提前 3 个月每天 1 片 0.4 毫克的叶酸，预防开放性神经管畸形，男的戒烟戒酒，共同进入“封山育林”阶段，二人健康饮食，锻炼身体，一心造人。这些优生优育意识和行为都是对的，起码比过去什么都不懂、女人营养不均衡又不懂补充叶酸，生出无脑儿、脊柱裂等畸形儿，或者挺着大肚子还抽烟酗酒，生出又小又丑甚至智力低下的孩子要强。

有作为是好事，但是作为过多，干预过多，期盼过多，随之而来的就是焦虑过多。为了怀孕，女的甚至好好的工作都辞了，天天在家养生，结果还没有怀上孕。有的夫妻甚至每次性生活后，女的屁股底下都要垫上枕头，男的帮着

老婆高举大腿，担心精液流出去浪费了。如此这般，还是怀不上。为什么？

因为太紧张。

年轻的夫妻们忘了，孩子本来是床上生活的副产品。在这个本该尽情释放心无旁骛的过程中，面对女性的绯红和娇柔，男性想着的不是膨胀、侵入和释放，而是焦躁地执着于这一炮到底能不能成功；女性想着的不是对方的抚摸和身体容纳的渴望，而是这次自己排出的卵子能不能争气怀上孕。

这种焦虑在试孕最初，往往不是特别明显，随着试孕时间延长，焦虑呈几何速度递增，尤其是双方父母或者朋友同事都知道自己想要孩子却迟迟不见消息的时候。越怀不上，就越焦虑，越焦虑就越怀不上，陷入一个无法打破的恶性循环的怪圈。最终，这床上除了积极造人的两口子，还多出双方老人的殷切期盼和望眼欲穿、双方朋友的嘘寒问暖、双方同事的风言风语，甚至邻居大妈的怀疑眼神、不怀好意的热情打探、以八卦为目的的送医送药，甚至巫婆神汉的偏方妙药都掺和了进来。

人世间很多事情根本不需要人类思考，人类一思考，上帝就发笑。你的身体比你自以为是的头脑聪明一百倍，你需要做的是放开人类控制欲望的缰绳，让你的身体自由发挥和驰骋。

女性高潮来临的时候，身体会不受控制地分泌大量润滑液体，外阴和阴道极度充血肿胀，阴道靠近深部的内段开始变长和扩展，像气球一样膨胀，形成马斯特和琼森描述的“帐篷”效应。子宫从底部一直到子宫颈，都会发生节律性收缩，使得整个子宫在阴道隆起的帐篷之上，高高翘起。宫颈外口像瞳孔一样，缓缓张开，颈管内部的黏液从拥堵黏稠，变成蛋清一般晶莹透彻，显微镜下，组成宫颈黏液的糖蛋白平时都是排列成细小的网状，到了排卵期，在雌激素的影响下，微结构的网眼变大，变成交通顺畅的多通道高速公路，目的只有一个，让精子顺利游进子宫。

性高潮的一刻，女性整个盆底肌肉会不由自主地发生收缩，和男性器官的活塞运动一道参与形成阴道内负压，宫颈口产生一股强大向内的“嘬力”，使劲收集射在阴道顶端帐篷里的精液。人类根本不用担心精液流出女性体外，使得性生活白费，强劲的精子会在第一时间窜入宫颈，开始生命之旅的探索和赛跑。这也是为什么在最怕怀孕的未婚大姑娘那里，在露水夫妻，一夜情，或者只是因为寂寞空虚冷而临时搭伙来上一炮的声色男女那里，戴套、吃药、事后立即起身冲洗、事后避孕药等办法用尽，甚至男性干脆体外射精，对怀孕避之唯恐不及，却仍然频频中招的原因。

性生活后，女子屁股底下垫枕头，男人强忍射精之后虚脱掏空一般的疲惫感，强打精神帮老婆举着两条肥硕大腿，一直举到人困马乏，脑袋撞墙，甚至坐着昏睡过去，都是人类自以为可以控制和改变的画蛇添足。这也是为什么很多夫妻被医生宣判不孕症，回单位请假，回家筹钱等着做试管婴儿，偶尔激情了一把，没心思垫枕头，也懒得再举大腿，结果孩子却不请自来了。

彻底地放下，放下浓烈的欲念，也就放下了沉重的负担和深深的焦虑。只有一身轻松，你才会发现，你的身体可以重新飞起来。高潮是性感、快感的终极表现，只可意会不可言传，是再高明的学者作家诗人都无法详尽描述的感受。每一个伴随着人类最原始、最纯粹性高潮而来的宝宝都是优等生。

13
子宫诚可贵，卵巢输卵管价更高

真正的不孕症，才是医生的工作重点。不孕症的原因多种多样，两口子看着都好好的，甚至一个聪明伶俐，一个高大帅气，可就是生不出孩子，医生不能靠猜，只能大海捞针一般的按照诊疗常规逐项筛查。

怀孕是一个非常复杂的生理过程，在天时地利人和缺一不可的情况下才会发生，而且一个月只有一次机会。

首先女的要能排卵，男的要能射精，有道路通畅、功能良好的输卵管让精子和卵子顺利相遇并结合成为受精卵，最后受精卵还要能够在预定时间内赶回子宫，生出无数根须就像深深扎进泥土的种子一样在子宫里安营扎寨。子宫并不是全天候都容受外来人员侵入的，它只在一个极端的敏感期，才允许受精卵着床。

着床是指受精卵在子宫定居，这种定居不是简单的拎包入住，受精卵伸出无数微小细密的树根，彻底钻扎到子宫的土壤里，只有牢牢挂靠在子宫里，才能源源不断地从母亲身上攫取日后的供养，当好怀胎十月的钉子户。怀孕是一个侵袭、挂靠和攫取的过程，是一个不折不扣的侵袭性行为，着床时，个别孕妇会有极少量的无痛性阴道出血，这不碍事。经过十月怀胎，一个小小的受精卵变成一个可爱的胖娃娃，呱呱坠地。

女性生育的三大要素分别是子宫，卵巢，输卵管。中医古书认为子宫是女人之本，女人的所有秘密都来自子宫，女人是一个以“子宫”为内核的生命个体，有个好子宫，才能做一个好女人。而作为现代西医妇产科医生，我的体会是：子宫诚可贵，卵巢价更高，若想怀上孕，卵管不可抛。

过去一个家庭没有孩子，人们都会将怀疑的眼光集中在女方身上。诚然，在不孕症夫妇中，女方所占因素确实偏多，大约是40%~55%，但男方的因素同样不容忽视，占到25%~40%，还有男女双方都有问题的，大约占20%~30%。

女性不孕的原因主要集中在两个方面：一是排卵不好，占40%，没有卵子相当于无米之炊；二是输卵管不通畅，也占40%。输卵管是精子和卵子的洞房之地，如果不通畅，那么即使女有排卵男有授精，精卵也只能各在鹊桥的两侧，泪眼相望，不能执子之手，更无从结合和制造小孩。剩下10%是少见因素，其中也只有一小部分因素可能涉及子宫。

经过不孕症方面的详细检查，依靠现今技术手段，仍然找不到明确病因的不孕症占人群总数的10%。也就是说，并不是每一对夫妻都有机会拥有自己的孩子，甚至有可能连不孕症的原因都找不到。人类社会的很多事，例如智商、美貌、身材、生育，乃至出身和人生的种种际遇，都是毫无公平可言的。

西方医学并不发达的过去，整个社会也曾认为不生育都是女人的错。

传说有一位大鼻子牧师，倾听了无数女性发自内心的忏悔后，深刻意识到，不生孩子绝不是女人单方面的问题。

估计接二连三有女信徒透过忏悔的小窗告诉牧师，自己和老公努力多年生不出孩子，但是自从私通镇上的卫队长，就接二连三，还一发不可收拾地生出了凯文、大卫和安东尼。出于对忏悔者隐私的保护，以及时代的局限，牧师肯定不能公然发声。最终，这位无名的大鼻子情圣挺身而出，暗中帮助那些因为丈夫无能而无法生育，却要背负罪名并且面临被家族驱逐或者抛弃，或者一直受气的可怜女子。一时间，教堂附近的几条街上，前后多出不少长着同样大鼻子的孩童。

* * *

中国过去骂不生孩子的女人是不下蛋的母鸡。即使在现代，地里的庄稼秋收时没见果实，也都只怪土地不肥沃，从不见怀疑种子的优劣。最可怕是，很多时候“土地”也对此深信不疑，自惭形秽地在几座大山的压迫下苟且，甚至亲自参与摧毁自己的人生。

协和的不孕症门诊，接诊大量来自全国各地的不孕症夫妇，我每天在小小的病历手册上，以分行、中英文结合、缩写略写结合的方式，潦草快速地记下无数夫妇在碱水中蒸煮一般的苦痛挣扎。

记忆最深的是一对二婚夫妇，男方有过一个女孩，离婚后孩子判给了他，后嫁过来的老婆花花，一直不能生育。花花是个要强的女子，她将心一横，将一切放下，走南闯北遍寻天下名医，说什么也要把自己的病治好，给自己心爱的男人传宗接代。

花花在被诊断为不孕症后，开始了漫长的检查之路。

先要检查排卵，测量基础体温。花花超级听话，别看学历不高，但是领悟力强，配合也好，一只普通水银体温计，洗干净了擦干，放在床头伸手可及的地方，每天清晨醒来，不开灯、不说话、不下地、不上厕所，拿过体温计塞在舌头下面，闭严嘴巴，等待 5 分钟，然后开灯记录体温，坚持三个月。结论：基础体温双相，有排卵，高温期 14 天，黄体功能良好。

接着是看输卵管是否通畅。输卵管通液术，很多地方也叫通水，它不仅是检查输卵管是否通畅的方法，还有一定的治疗功效。例如输卵管内如果有一些非常轻微的膜样粘连，通液本身就像流水冲过管道，里面沾着的大小蛛网，将被冲洗一空。

通液术的做法比较简单，不需要高级的医学仪器，全凭医生的手感。用窥具撑开阴道，将一个特殊的管子放进宫颈口，接上装有 20 毫升生理盐水的注射器，缓缓向子宫腔内注入盐水。子宫的两个角连着左右两侧输卵管，只要一侧输卵管通畅，医生都能将 20 毫升盐水毫无阻力地推注；如果勉强注入 5 毫升就有阻力，同时病人主诉腹痛难忍，或者略微加压可以继续注入一些，但是手一松，盐水又都返流回注射器，说明输卵管阻塞；注入液体时有阻力，略微加压后又能继续推入，说明轻度粘连已经被分离，诊断通而不畅。

通液术选择在月经干净后 3~7 天，检查前不能有性生活，教科书主张，通液后禁止性生活两个礼拜，并且酌情预防性使用抗生素。如果术前经过全面检查，没有生殖道炎症，通液顺利，没有反复过多的操作，也有医生主张，术后正常进行性生活。事实上，一小部分不孕症女性确实在通液术的当月或者其后的几个月时间内顺利怀孕。

花花没那么幸运，她没有在一次小小的输卵管通液术后奇迹般的怀孕。可能是生殖道有潜在感染，或者无菌原则不严格，或者她自身抵抗力下降，总之，通液以后，她小肚子剧痛，高烧不退，阴道流出又黄又臭的脓性白带，被医生诊断急性盆腔炎。花花前后住了两个礼拜的院，每天从早到晚输液，三代头孢抗生素都用上，才消了炎，退了热。

这使本就艰难的怀孕之路更加前途未卜了。上次做通液的时候，医生还说输卵管通畅，这次盆腔一发炎，谁知道输卵管还通不通了呢。休养了几个月，怀孕问题又继续回到议事日程上。因为上次的不愉快经历，花花决定换一家医院。

这家医院也是从头到尾审问一遍病史，认为花花确实有不孕症问题，提到输卵管通不通的问题，医生和花花讨论后，决定给她做子宫输卵管造影。

通俗地讲，造影比通液高级，也是窥具撑开阴道，一个特殊的管子顶在宫颈口。不同的是，通液使用生理盐水，造影使用碘油。这边妇产科医生缓慢注入碘油，那边放射科医生在X线下不断透视和拍片。

造影除了能更加准确地判断两个输卵管是不是通畅外，还能看到输卵管的形态、具体堵塞的部位，进而帮助医生判断，这种堵塞是不是手术能够解决的问题。实际上，只有在输卵管伞端部位发生的少数粘连，而且输卵管内部结构和功能没有遭受巨大破坏的前提下，医生的输卵管整形手术才会对病人有实质性帮助，才值得一试。如果双侧输卵管从根部就不通，手术的效果将非常有限，病人受益的可能性也就更加渺茫，最终收获的，可能只有手术遗留的创伤。

此外，造影还能帮助医生了解子宫腔内部的形态，有无宫腔粘连，有无突向宫腔的黏膜下肌瘤，有无结核感染，等等。更大的优点在于检查结果的客观性，有X光片留存，每个医生都可以拿过来进行分析和判断。不像通液，由哪个医生做，就由哪个医生说了算，结论往往过于主观。

造影的缺点之一是碘油可能引起过敏反应，而且整个过程中，医生和病人都要同时接受放射线辐射。病人可能一辈子就做一次，医生一天要做几个病人，即使穿着沉重的铅衣，也并不能全方位地防护，甚至有的基层医院，连铅衣这一最基本的劳动保护都没有。

医生穿好厚重的铅衣，花花摆好姿势，管子放进宫颈以后，医生开始缓慢推动针管，注射碘油，先是子宫显影了，形态不错，医生一边盯着X光显示屏，一边说，两侧输卵管也是通的，24小时后再拍一次片子，如果盆腔里有碘油从输卵管流出来，更加证明输卵管是通的。这结果听着不错，花花微微一笑，接着，就过敏了，先是咳嗽，嘴角发麻，喘不上气来，之后喉咙里发出嘶嘶的哮鸣，幸亏放射科和急诊抢救室离得近，花花才捡回一条命。

花花经历了一次过敏性休克，她男人退缩了，说咱就这样吧，先别生了，先养着带过来的这个女孩，其他的以后再说。花花也同意，毕竟是鬼门关走过一次的人，谁不怕死呀。

过了几个月，好了伤疤忘了疼，花花觉得这男人对自己太好，真该给他生一个孩子，才对得起他。而且，虽然嫁的是一个二婚男人，可自己毕竟是初婚，总养着别人的孩子也不是回事儿，怎么也要亲自当一回妈，体验一下孕育和生产的幸福感。她年轻，不甘心啊。

性生活正常，测基础体温有排卵，输卵管是通畅的，自己月经规律，年纪也不大，怎么就怀不上孕呢？花花这回请了长假，到省会城市著名的三甲医院检查。照样是从头到脚的一通盘问，医生看了她的基础体温图，看了她的通液报告，看了她的造影片子，都没问题。于是问她，你男人检查过吗？她说，我男人没问题，都正常，而且他和原来的老婆生过一个健康的女儿。

下一步，对于原因不明的不孕症，就只能进行宫腔镜和腹腔镜检查。

* * *

腹腔镜手术是20世纪妇产科领域里程碑式的突破，因为手术时只需在肚皮上打几个孔，也被称为“钥匙孔”手术。它不仅能和开腹手术一样解决病人的问题，还有创伤小、病人术后恢复快的微创优点。

腹腔镜手术的第一步是制造人工气腹，先在肚脐上切一个小口，将气腹针扎到肚子里，接上进气管，利用二氧化碳气体将病人的肚子充得鼓鼓的，为医生的手术操作制造充分有效的空间。打完气腹后，要用一个1厘米粗的套管针穿刺脐部，目的是放入光源，将暗黑的腹腔和盆腔照亮，让医生能看清肚子里的情况。

在光源照亮腹腔之前，医生的两次穿刺都是盲目的，完全看不见，凭借的是临床经验和手感。就在第二步穿刺套管针的时候，花花的医生犯了致命错误。花花瘦，只有80斤，对于手术医生来说，过胖和过瘦的病人都是高度危险的。太胖的肚皮半天扎不透，或者医生以为扎透了，开始充气，结果气都充到肚皮里去了，导致皮下气肿，肚皮更厚了，更没法扎透了。不能成功给肚子里打满气，以后的步骤都没法进行，甚至导致一次腹腔镜手术彻底失败。太瘦的肚皮更可怕，病人平躺下去，你甚至可以看到腹主动脉在肚皮下跳动，经验不足或者过于鲁莽的医生，一扎下去就扎穿了重要脏器，例如腹主动脉、下腔静脉以及差不多粗大的髂血管。

花花的髂动脉就被套管针扎破一个口子，放进光源时，手术医生和麻醉大夫都吓傻了，血流冲着光源迎面而来，显示腹腔情况的电视屏幕上一片血红，就像有人拿着消防队的高压水龙头冲着玻璃窗喷水，不同的是，喷出来的都是鲜红的动脉血。没有选择，立即开腹，修补血管，否则一个瘦小女人的一腔热血，很快就喷完了。

好在妇产科医生决断正确，迅速开腹，幸亏大型三甲医院有血管外科医生可以随叫随到，上台协助手术，才有惊无险，不仅缝合了血管，止住了致命性出血，妇科医生还在病人稳定后全面探查了盆腔。只是，花花肚皮上留下的不是最初预想的几个钥匙孔大小的印，而是一条爬在下腹正中纵行的蜈蚣脚。

花花是个实在人，知道做手术的医生肯定不是故意的，知道这是偏巧被自己遭遇的小概率事件，而且，主刀还是托老家那边妇产科主任介绍的，都是熟人，也不好意思翻脸。手术后医生一天数次探望，嘘寒问暖，免了手术费不说，还给买了很多营养品，出院时用自家轿车亲自送花花和爱人到火车站，还给买了车票。手术虽然没做好，但是单从做人方面，这医生真是没的说。

14
我曾经命令一对夫妻：你们今天要过一次性生活

几个月后，花花恢复了往日的体力，也就恢复了往日的心思，还是想着要孩子。给她做手术的医生说，盆腔里里外外都好，子宫里里外外一点问题都没有，下一步只能做试管婴儿了。花花知道试管婴儿是自己最后的希望，于是，收拾家中积蓄，准备来北京，孤注一掷。

花花和爱人住在协和对面胡同地下室的小旅馆里，她爱人花 50 块钱租了一件军大衣，又花 80 块钱租了一把躺椅，在挂号大厅睡了一晚上，没有挂到专家号。第二天，花花爱人接着睡挂号大厅，无奈前面号贩子太多，到了窗口，还是没有专家号，只剩 4 块 5 毛钱的普通住院医生门诊，聊胜于无，先见到大夫再说，反正才 4 块 5，看不好就当打水漂了。

于是，为了生孩子，历经坎坷，肚皮上挨了一刀，险些丧命的花花坐到了我的诊桌前。我按看病常规，从头问起，知道她从前经历的一切。

“你们性生活正常吗？你爱人做过相关方面的检查吗？”

花花对医生的套路已经非常熟悉，回答："我男人没问题，都正常。"

"他化验过精液吗？"

"他没问题，每次都有射精，他和原来的老婆生过一个女儿，孩子很健康，什么毛病都没有。"

"他化验过精液吗？精液报告能给我看看吗？"

"没有，但是他能生，都是我的毛病，可就是查不出来，我们当地的医生告诉我 10% 的不孕症是查不出原因的，只能做试管。"花花有点急了，怎么这医生不切入正题，一心拿自己老公做文章，我来你们协和可是要做试管的。

"男性的生育能力并不是一成不变的，以前生过女儿，只能证明他以前没问题，必须先让你爱人化验精液。"之后，我开给她爱人一张"精液常规和质量评估"的化验单，50 块钱，姓名处是"范花花之丈夫"。

花花拿到化验单后，仍然不死心："大夫，您就给我做试管婴儿吧，我男人他真的没问题，他很行，这个我知道的。"

"性能力不代表生殖能力，男性必须化验精液，有了化验单，我才能把你转到试管婴儿的专家门诊。"我坚持。

花花问："那……这个怎么验，到哪儿验？"

"你们上次性生活是什么时候？"

"最近一个礼拜都没有了，一直忙着买火车票，到了北京又急着找住的地方，我们租的地下室又小又旧，一点阳光都没有，哪还有那心思。"花花说。

"那不行，一个礼拜没有性生活，精子没有更新，可能都老化了，不能代表他体内的真实水平。你先回去，今天就要过一次性生活，要是实在没情绪，用手淫的方法也行，总之，你爱人要把精液排出去一次，之后禁欲 3~5 天，用手淫的方法取精。我们老楼IVF中心有一个专门的取精室，去那里留取精液，完了直接交给护士送实验室化验，结果最准确。”

花花走了，一个礼拜以后，她本应该用我给她的预约条挂号，找我看化验报告的，但她没来。

下午，我去男性科实验室帮一位朋友拿化验单，技术员都很忙，化验单还都没有最后打印和签字，我只能去翻原始记录本。无意中，我看到“范花花之丈夫”精液化验的记录：精液3毫升，精子数目“0”。天啊！花花的丈夫竟然是个“无精症”病人。

花花为什么没来复查，是不是拿到化验单就直接回老家了？无精症是先天性的，还是后天性的？如果是先天性的，他爱人离婚后带来的女孩，又是谁的孩子，这两口子将面临怎样的生活变故？

花花可以是个勇于面对现实的女子，重新开始带爱人看男性科的道路。她需要知道，她的爱人是先天性无精症，还是后天的生精障碍，是因为精道梗阻，断了精子正常排出体外的路才没有精子，还是压根就不能制造精子。如果是精道梗阻，例如最常见的精索静脉曲张，做完手术，他们还可能自然怀上自己的孩子。

花花可以是个心机深重的女子，为了维护男人的面子和尊严，藏起化验单，自己忍辱负重，养一个和她没有关系，和她爱人可能也没关系，不知道是谁的孩子，最后白头到老，把秘密带进棺材，了此一生。

花花可以是个冲动和较真的女子，她要弄清楚，这一切都是怎么回事。你是原来有精子，现在没了，还是一直就没有精子。这个女孩到底是不是你的孩子。去做亲子鉴定，如果不是你的孩子，应该把她还给她的亲妈，是谁的孩子她亲妈最清楚，我们不能养一个和你和我都没有关系的孩子。如果她是你的孩子，那我的孩子怎么解决，因为你的问题，不孕症的屎盆子一直扣在我的头上，一切该受的苦，该遭的罪我都来过了，现在，我要做女人做母亲的权力，我再也不要忍受了，我要离婚，我要翻过人生这艰难的一页，一切从头再来。

可是，花花走了，一切无从得知。那时候门诊没有电脑系统，没有医疗卡，也就没有病人信息，没有电话，更没有家庭住址。

即使有电话，医生也左右不了病人的选择。唯一可以告诉她的是，一次精子化验不一定代表他体内的真实情况，无精症的诊断起码要连续化验三次精液，虽然大多数无精症是先天性的，但是别把绿帽子不分青红皂白就扣他头上，先去看男性科医生，检查清楚再说。

因为失去了联络，这一切都没有机会说给花花了。

倒是有些话，一定要说给自己和广大妇产科同行。怀孕是两个人的事，检查永远要从男女双方同时入手，不能单折腾女方，这些折腾又花钱又受罪，一旦出现罕见并发症，有可能就直接要了女人的命。

还有话，要说给天下的男人们，别把不孕问题一股脑推给女性，真汉子要勇敢地走进那间独立、私密的取精室，一个化验杯，一只手，可能有些尴尬，但是没有精神痛苦，没有肉体创伤，只要一直撸到射精，就行了。

* * *

医生讲起理论头头是道，轮到自己身上就不灵了，因为不能如期怀孕，我找到试管婴儿中心制造小孩成功率最高的育教授。

她笑呵呵慢悠悠地说：“急什么？据我观察和平日里的了解，咱们医院内外妇儿各个科室的住院医师和住院总医师全算上，不孕症最常见的原因都差不多，都是性生活频率不够、精神太紧张。从今天开始，除了把该干的活干好，别的你什么都别想，别写论文，也别翻译文章了，月经过后每周两次性生活，上床的时候放下思想包袱，开动机器，别老想着怀孕这事，如此操作，我保你半年之内怀孕。”

继而，我被教授善意地逐出了专做不孕症手术的妇科内分泌病房。从那以后，我再也不干大半夜鼓捣病人睡不好觉的坏事了，终于怀上了属于自个儿的孕。

15

男人的快感和痛苦为何如此类似

协和医院手术室多年来立下的规矩，下午五点以后，不接病人做手术。

所以我们要把手术安排得不多不少，并且充分估计每个病人手术的难易和时耗，保证这一天的手术都能顺利完成。

我们最怕手术取消。大夫天天做手术，成了熟练工种，心中自然没有大波澜，但对病人来说，一辈子可能只做这一回手术，她为了这次手术，多少纠结犹豫担惊受怕，请假误工还可能耽误事业前程，抽一堆血，做一堆化验，提前一天灌肠，大便拉得稀里哗啦，手术当天不吃不喝饿一天，七大姑八大姨恨不得都请假，为的是在手术当天陪着病人。结果，饿着肚子眼巴巴地等到晚上，手术室不接她进去做手术了，人家能不着急吗?

这时候的医生，已经做了一天的手术，筋疲力尽，还要向兄弟科室好话说尽，如果人家仍然不给面子，也没办法，手术室和麻醉科是手术医生眼中的衣食父母，人家不给你麻醉，不给你派护士，你做什么手术?出来还得强装笑脸，跟病人和家属交代个明白，那些手术室里装过的孙子自然不能向病人说，更不能把责任一味往手术室身上推，毕竟人家也是干了一天，也是在执行医院制度，给你面子是情分，不通融也没错。病人理解还好，不理解的话，我们便是猪八戒照镜子，里外不是人。

这些年，我伶牙俐齿、超级会装孙子的美好品行，都是在和手术室、麻醉科，还有病人以及家属的无数次交锋中练出来的。

为了手术不取消，我们在手术室里习惯性地和麻醉科主任套磁，和护士长套磁，和每一个护士套磁，和同台手术的麻醉大夫，不论一线二线都赔尽笑脸，甚至连接送病人的护工大妈都不敢怠慢。要是有手术病人怕我们中午吃不上饭，给我们订盒饭，我都会多报一个人，然后把多出来的一份给护工大妈送去。一个盒饭没什么了不起，但是起码代表一份尊重和一视同仁，这样，需要的时候厚着脸皮也能说得上话。有时候，眼看快到5点了，我们自己到手术室门口呼叫护工大妈，求她先把病人接进来，要是大妈刚巧不在，我们恨不得自己回病房把病人推来。推平车不丢脸，出膀子力气而已，总比手术取消，赔着笑脸向群情激奋的家属做解释工作好受得多。

有段时间，为了防止手术取消，我们要起鸡贼本领，把最大最难的手术排在最后，目的是利用前面的时间把那些不出悬念的小手术先做掉，力争在5点之前，把最后一个病人接进手术室。病人一旦麻醉，我们刷手上了台，不管手术做到几点，护士和麻醉大夫都属于上了贼船，都得陪着我们把手术做完。而我们在诡计得逞的各种小喜悦之后，还要在手术台上连续奋战3~5个小时，于北京城的茫茫黑夜之中，披不着星也戴不到月地回家。

很快，我们这点小伎俩就被手术室发现了，并且向院长告发了我们，理由不用想都知道，有医疗安全隐患。毋庸置疑，大型手术理应放在医生体力精力最充沛的时间做，不仅手术医生有生理性疲劳，麻醉医生也一样，他们不是给了电就能转的麻醉机。但是，我们妇产科大夫也是站了一天的手术台，谁做了一天手术不是人困马乏，我们何尝不是在挑战自己的生理极限，但是，一上手术台，我们仍然像打了鸡血一样的干劲十足。我们没日没夜地做手术，还不是因为后边排队等着的病人太多，病人的病等不起，病人的伤痛等不起。

＊＊＊

那些天使炼成的日子，我腰间别着一个呼机，门诊急诊病房手术室，只要和妇科病房有关的事，从鸡毛蒜皮到病人呼吸心跳骤停，都是我第一个知道，搞得定的就自己搞，搞不定的就呼叫上头。逐渐，能搞定的事越来越多，还时常在心底对别人的处理方案产生不屑一顾和指手画脚的欲望。不手术的时候，我在医院的各个角落乱串，行色匆匆，有时候精神饱满，有时候垂头丧气，更多时候，是没有翅膀的一路小跑，心情灰土狼烟，或者气急败坏。

在手术台上，站在主刀教授的对面，我谨小慎微、胆战心惊。一怕把病人做坏了，二怕自己笨手笨脚又被教授骂，三怕教授生气，隔着手术台一脚把我踹门外头去了。因为这事在协和历史上确实曾有发生，据说助手躲得快，教授一脚踢空，拖鞋差点飞出手术间，护士赶忙捡回来给穿上这才了事。协和永远是这样，踹人的教授，人人都知道他技术好，教学生心切，都想跟他上台学手术，每一个挨骂或者挨踹的，虽然当时是众人的笑柄，但是坚持到最后的都成了，挨踹最多的那个，刀开得最好。

终于可以不再案牍劳形地整日埋首伏案写八股文大病历，终于可以不再各种拉钩，终于可以跟着各路名家教授上手术台学手术，是支持每个老总和主治医师在既没钱又没地位、既辛苦又没油水的学徒一般清苦的工作中坚持下去的最大动力。

在协和，住院总医师是最累、最难熬但是长进空间也最大的一道关卡。妇产科专业分科细，病房多，住院总医师在每个病房都轮转一遍，要说最辛苦、最挑战、进步最快的地方，就是妇科肿瘤专业组。

我曾经在妇科肿瘤病房连续奋战六个月，别说自然醒，从来就没有睡醒过。周一到周五正常上班，几乎每晚都无偿加班，至少到夜里十点才到家，每个周六和周日也没有休息，准点去医院查房。

因为平时手术太忙，我们开始有意把化疗病人安排在周六和周日，住院大夫周末也要收新病人打化疗，而我需要核对每一个病人的化疗方案，每一种化疗药物的剂量和给药途径，给药速度，给药次序，然后在每条医嘱后签字，护士才会去执行，和平时上班没两样。

千禧年后，卵巢癌的化疗从20世纪八九十年代的PC，过渡到TP和TC。因为紫杉醇类药物的副作用之一是影响心脏传导，病人化疗期间，需要每15分钟测量一次血压和心率，病房的心电监护仪有限，又没有便携式的电子血压计，一上化疗药，就需要一个医生留在病人身边，15分钟测量一次血压和脉搏。测量血压最吃劲儿的环节是给绑在胳膊上的袖带加压，就像给自行车打气，不同的是，自行车打气，手脚并用全身使得上劲儿，而测血压全靠一只手，这个工作导致每个轮转过妇科肿瘤病房的大夫手掌抓握能力至少提高30%，我这种拼命三娘更是气力倍增。

结果导致每次我握着大志命根子的时候，他都咧着大嘴�呀呀的叫唤，我不解地问："男人的快感和痛苦为何如此类似？"他说："姑奶奶，我这明明是痛苦，不是快感，您能不能小点劲儿啊？小撸怡情，大撸伤身，强撸灰飞烟灭啊。"

四年老总下来，我练就了见人说人话、见鬼说鬼话的一副油滑嘴皮子。另外，我终于戒掉了曾被老同学奉为女性至高美德的"爱脸红"的毛病，脸皮越来越厚，即使发自心底的还有些许红晕残存，也因为数量越来越少，没那么容易透出来了。

有时候半夜做梦，梦见床位不够用，算来算去，怎么都少一张床，醒来后浑身是汗，顺手摸一把自己的脊梁骨，感觉都是弯的。

经历这许多之后，我每天祈祷，祈祷所有这些起步阶段魔鬼般的训练和长期粗砺的磨炼，有朝一日都将成为最坚硬的铠甲。即使镣铐般的苛刻，是那样曾经令我皮破血流，终有一天会化身为我荣耀的袍服。

第四章 | PART FOUR |

在中国，医生有医生的问题，病患有病患的问题

01

想找好医生，就看本院大夫都找谁看病

2004 年至 2005 年是我和大志的幸运年。

2004 年 7 月的一个炎热上午，刘德培院士亲自授予我妇科肿瘤学博士学位，并为我扶正帽上流苏。同学们不顾浑身的臭汗，穿着宽袍大袖的博士服，呼啦啦涌向王府井的“中国照相”留下正襟危坐的彩色大照，或者和导师合影留念。

而我从未忘记攻读博士的初衷，领到毕业证后，第一时间赶去给大志办理了北京户口。接着，他如愿以偿跳到一家世界 500 强企业。我们拿出多年来的全部积蓄（其实钱主要是大志挣的，我攒的）付了首付，贷款买了房子。不久后，我荣升主治大夫，女儿乐乐也顺利出生在这个部分属于我们自己的新家。

因为自己出生的时候是巨大儿，我一直特别担心得妊娠糖尿病，于是在怀孕 24 周的时候，乖乖去喝葡萄糖水，做了糖耐量试验。拿到血糖正常的化验报告后，我仍然丝毫不敢大意，严格控制饮食，看着眼前的食物，一边吃一边在

心里估算。食物的多样性和总卡路里差不多达标的时候，就是再馋，我也坚决放下筷子，离开饭桌。

除了挺着大肚子和所有同事一样正常工作外，我还坚持每天晚饭后到小区散步半小时，每次都要快走到微微出汗的程度。

协和是大单位，每年本院要生孩子的女职工和男职工家属是个大群体。可甭管谁生，大家都必找产科的欧阳教授做产前检查，欧阳教授也就顺理成章地成了协和内部员工的御用产婆。

本院医生都求诊的医生，绝对是好医生。从当大夫那天起，欧阳教授就一直工作在临床第一线。医生的临床经验永远是最重要的，尤其是产科这门古老的学科，见多识广的临床经验，稳扎稳打的基本功，还有灵巧的手术操作是什么高级学历、学科带头人、SCI文章、硕导、博导都没法比的。

几乎所有医院的外科系统都有这样一个基本规律：一流医生忙开会，全国医生都认识；二流医生忙开刀，全院医生都熟识；三流医生忙开药，全科医生都知道。

领导干部看病，本着体面原则，主要找一流医生。本院大夫以及自己的亲戚朋友看病，本着放心原则，主要找二流医生，本着省心原则，尽量躲着三流医生。不过三流医生照样饿不死，中国民间有新谚，找西医看病是“看庙不看神”，找中医看病是“看神不看庙”。普通病友只奔着大医院去了，根本不明真相，中国人又一贯本着明哲保身、事不关己高高挂起的处事原则，遇见庸医自认倒霉绝不外传，就冲着这两点，很多大医院里的三流医生，也照样赚得盆满钵满。

某些大牌教授，整天要务缠身，他有多忙，有多大的领导直接给他致电指示工作，是普通人根本无法想象的。即使手术由教授自己主刀，也经常是助手早早打开腹腔，固定好腹膜，肿瘤也解剖得差不多了，教授才姗姗来迟，上台以后，咔咔动几下钳子，剪彩似的将肿瘤端下，继而神龙见首不见尾，又不知道忙啥去了。

所以，你要是个名不见经传的小人物，就算能七拐八拐地托到关系，我建议您也别轻易去动用大牌。不如找个看病靠谱又亲民的二流医生，你献上全部真心诚意，他定待你不薄。

欧阳教授就是这种靠谱又亲民的类型，只要是自己主刀的手术，保管从麻醉开始，她就一直陪在孕妇身边。开刀前，她总是仔细地用马克笔和小尺子在孕妇肚皮上描画，以求将刀口切得不大不小不偏不倚，正好横在女性下腹部那条天然形成的皮纹皱褶部位。手术后，除了个别不争气的疤痕体质病人，所有人的伤口就是一条白线，几乎看不见。

欧阳教授做事认真，已经达到略有精神洁癖的地步。每台手术，她都亲自缝完最后一针。而且手术后的第一天，不管是周末还是节假日，她一定早早端着换药盘，亲自到病床边换药，看伤口。虽然已经是全国知名教授，但是她这么多年最“失败”的地方，就是没有练就“甩手大掌柜”的范儿，事必躬亲成了她一辈子改不掉的性格弱点，当然，也成了大家交口称赞的专业优点。

欧阳教授的另外一个优点是脑子好使，科里同时有几个大肚子同事在她那里产检，每个人的孕周数，谁有什么并发症，所有情况，不用看病历，她也一清二楚。有时候我们偷懒，自己听了胎心正常，就不去门诊检查，主要是怕麻烦她。她一定会不厌其烦地发短信叮嘱我们，该来产检了，不要大意。绝对是个胆大心细、大家长式的好医生。

即使我努力控制饮食，坚持工作和运动，可还是遗传了我们家的不良传统，养出一个 3900 克的胖姑娘。因为胎儿巨大，骨盆出口狭窄，欧阳教授决定给我做剖宫产。

躺在手术台上那一刻，我体会到多年来在手术间从未有过的轻松和惬意。这种放松舒适的感觉完全和将要跟肚子里的宝宝见面无关，而是终于卸载了一直以来的职业角色，医生真的太累了。

以前，我都是进手术室给别人开刀的，是医疗服务的提供者。现在，我是等着被开刀的，终于可以放下一切和工作有关的警惕和包袱，终于可以放松脑袋里和工作有关的那些根弦，终于可以不再反复考虑多年来每天都在想着的上台前“三件事儿”，不用去检查病人的尿管是否通畅，是否被大腿压到，尿色是否正常；也不用去翻病例，确认有无手术签字；不用逐项核对化验报告是否正常，尤其是有没有血型化验单……

手术后，我被四个人喊着号子转移到了平车上，一溜烟的推回病房。

龙哥在手术台下帮我接好了女儿，一路推出手术室，一到门口，大志先问：“张羽好吗？”之后才问：“孩子哭得好吗？”龙哥说：“都好，都好，孩子哭得好着呢，她要是不哭，就该我们大夫哭了。”

这一幕被琳琳举着摄像机完整地记录了下来。

产后我看录像，发现大志和大多数家属的表现完全不同，他最先问的是老婆好不好，而不是冲上前去就看孩子。我总怀疑，这是他和琳琳事先串通好了哄我的。

我当产科医生这么多年，见过太多等在手术室门口的男家属，他们几乎没有开口就问自己老婆的，都是上来就问医生“男孩还是女孩”“是不是健康”“哭得好不好”之类的。很多时候，孩子推出来，男家属还有身后的一众老人，都是围着医生孩子长孩子短的，甚至全都要护送孩子回病房，要医生反复交代和提醒，必须留下一个家属在手术室门口等着产妇，里面的手术还没结束呢，家属们才恍然大悟。

在产房里陪产的男家属，应该说都是勇敢的、好样的。不过，生孩子的时候，他们都好好陪着老婆一起加油使劲儿，只要孩子一生出来，他们百分百撒开老婆的手，跑到一边的开放暖箱，各种稀罕和好奇地看孩子去了。甚至很多人选择性失聪，这边胎盘滞留，医生手取胎盘时老婆的嗷嗷叫、缝合侧切伤口时的咝咝呀呀甚至大声哭喊，一概听不见。

大概，这才是真正的人之常情，人类总是喜新厌旧，将更多的热情和关注给予新的生命和新鲜事物，也正因为如此，社会才能进步。

02

肌瘤、囊肿、积液，没准都是障眼法

生完孩子后的另一场考验就是养育小孩。

先是婆婆和我妈轮番前来帮忙照料，之后又接连换了几个保姆，有的是我嫌人家人品不行干活不利索，有的是人家嫌我给的钱少还事儿多。保姆、妈妈、婆婆走马灯一样地换来换去，不管好不好带，有没有人帮忙带，总之，女儿就在哭哭笑笑吃喝拉撒睡的循环往复中，一刻不停地长大了。

皇天不负有心人，几经磨合，终于有一位冯阿姨在我们家一干就是好多年。稳定的一个重要因素是，她在我们小区旁边租了民房，丈夫在附近工地打工，女儿在附近的打工子弟小学读书。所以你看，谁说出外打工闯荡江湖，不能带上男人和孩子?

按照工作合同，冯阿姨每周有一天休息，但是她从不休息，月底结钱的时候，我多补给她加班费。每次，我把钱凑成整数，装进信封，用订书器封口的时候，都会想一个问题，阿姨的待遇比我强多了，我这么多年不知道加过多少班，从来没人给过报酬。不过只要想着一句“将以有为也”，或者同事们还不都是一样，我就重新投入协和疯狂工作的巨大旋涡中，浑然不觉失落了。

差不多每年的8月，冯阿姨都要和我请一次假，去附近的一家医院“透环”（注：避孕环是金属环，在X线下不透光，透环就是在X线透视下了解避孕环在子宫腔内的位置是否正常、是否脱落等），开计划生育证明，寄回老家的村委会。

其实，阿姨在我家这几年，每年我都带她检查身体，因为自己是妇产科大夫，顺便也把妇科帮她查了。但是作为外出打工妇女，她每年都要开具一次专门的计划生育证明，用挂号信寄给村委会交差。

每年的健康检查和“透环”都很顺利，可这一年检查后的当天晚上，冯阿姨一回来，就红着眼睛跟我说：“张大夫，你们一家人对我都挺好，但是我不能再干下去了，我得了很严重的妇科病，得好好治疗，趁机我也好好休养一段时间，这几年在外头打工，确实攒了一些钱，但是一直没把身体当回事儿，这回要好好调整一下，身体是革命的本钱，要是身体不行了，以后就没法干活了，什么都没有了。”

冯阿姨这想法倒是在理，知道身体是革命的本钱，不是挣钱不要命那伙儿的。可是，据我所知，我们妇产科也没什么病会严重到要休假和辞工的程度啊。再者说，这么顺手的一个阿姨说走就走，让我上哪儿立马找到接班的？我们这个家，老公出差十天半个月都没问题，阿姨要是一走，大有天塌地陷之势。

“到底怎么了？跟我说说，看我能不能帮你。”

“本来我就是去照一下避孕环在不在子宫里，再化验尿，然后开一个‘有环未孕’的证明信，给村委会寄回去就可以了。你知道，我们这些在外头打工的女的，每年都要交这个。”

“这就奇怪了，你们村里那些没带环的外出打工妇女，怎么证明自己正在避孕没有怀孕呢？”我很纳闷儿。

“我们村里女的生完了都带环，否则孩子不给上户口，再说，不带环咋个避孕呢？”

“还有很多办法啊，例如吃避孕药，或者男的戴避孕套。”

“带环是免费的，吃药会把自己身体吃坏的。我们村里没有男人戴那东西的，那玩意儿戴上多不舒服，都是我们女的带环。”

敢情这世界上，我们阿姨村里的男人们性生活质量最高，比什么北京、上海、纽约的男人都强，完全自由没束缚。

“那你到底发现了什么大毛病，用得着辞工和休假吗？”我问阿姨。

“这回检查，我的妇科毛病可多了。大夫说我至少有 3 个子宫肌瘤，一边的卵巢上还有囊肿，还有盆腔积液，说是盆腔发炎，最可怕的是我还有宫颈糜烂，大夫说已经烂到 3 度了，再不治疗就要癌变，变成宫颈癌。天啊，太可怕了！大夫还说那个香港明星梅艳芳就是得了宫颈癌死的。人家那么有钱，又请得起好大夫，都没治好，要是我们这些打工的得了，肯定没活路了。”说着，阿姨噼里啪啦地掉起了眼泪。

“你先别哭，把 B 超单子给我看看。”这种动辄拿宫颈糜烂吓唬良家妇女的伎俩，我在门诊见多了，想不到今天居然吓唬到妇产科大夫家的保姆身上来了。

阿姨一边抹眼泪，一边从裤兜里往外掏单子。我一看，还真没少做检查，除了 B 超单、验尿单，还照了阴道镜，留了四张看上去一片血肉模糊的宫颈图片。

“帮我看看，我的子宫肌瘤大不大。我平时挺注意的呀，每天都洗，我和我老公一个月也没几次那个生活，咋会得这么重的妇科病呢？我都没脸活了？”

我家阿姨小学文凭，初中没上过几天就辍学了。在她心里，女人怀孕大肚子不是什么可以炫耀的幸福，而是和男人睡觉的丑事儿被曝光人前了。她打心眼儿里觉得，一切妇科病都是生活不检点的坏女人才会得。最令她不能理解的是，自己如此洁身自好，怎么会得这些病呢？她又害怕又委屈，哭哭咧咧的没完没了，不一会儿，眼睛都哭肿了。

* * *

我拿过B超报告一看，一共3个肌瘤，2个在子宫肌层，另外1个突向子宫的浆膜层，最大的还不到1个厘米。

“去年给您体检的时候还没有呢，估计是今年新长的。这种小肌瘤根本不算事儿，您今年38岁，这个年龄段的女人，差不多每4~5个人里，就会有一个人长子宫肌瘤。您的月经不是一直都很规律吗，最近有没有觉得月经量增多或者痛经？”

“我一直挺准的，最近一年也没有什么变化。每个月一次，一次6～7天，月经量不多，肚子也不痛。”

“那就更不用担心了，子宫上长几个无关痛痒的小肌瘤，真的没有什么大不了的，只要您能科学认识，不庸人自扰，自己肚子里的事儿别人谁知道？比脸上长一堆青春痘、大粉刺什么的强多了。就你这子宫，再生3个孩子都没问题。”我这可不是拣好听的安慰阿姨，就这3个小肌瘤真的不算事儿。

“您以前不是每年都去这个地方照环验孕的吗？怎么今年弄出这么多检查项

目？是不是进了黑店？”

“还是原来那个地方，是一家部队医院的门诊部，人不多，还便宜，我们附近的几个老乡都去那里开证明。今年那里好像重新装修了，价格也贵了不少，不过我们都特别相信部队医院，解放军的医院不像那些私人开的小诊所，不会骗老百姓钱的。”

“哎呀，你是不知道，我也是最近才听说的，现在有些部队医院的男性科、皮肤性病科还有妇产科门诊都外包给私人了，也是什么样不靠谱的医生都有。”这下可算找着问题所在了。

虽然我整日身在协和，但根本不用读书看报听新闻，或者深入实地明察暗访，只要我们一出门诊，协和以外的医疗世界，就一清二楚展现在眼前。我们见过太多病人都是被骗得血本无归身心疲惫，才想起应该到别的医院，问问别的医生，到底是不是这么回事儿。病人坎坷的就诊经历，掺着血和泪的诉说，一部又一部悲催的看病史，都是血淋淋的控诉。恍惚中，你甚至会一时分不清自己到底生活在怎样一个世界，竟然连医院和医生都在靠行骗营生。

不论多大的子宫肌瘤，也不管肌瘤的生长部位，病人是否有贫血、痛经或者尿频等极度不舒爽的症状，更不管人家的子宫是否已经完成生育大任，只要B超上看到子宫肌瘤，都昧着良心说要开刀。

给病人开了刀，顺利切除了肌瘤也算您手到病除，怎么着也算帮助病人去除了身体上的不完美。最怕学艺不精或者拿病人练手的，本来5个肌瘤，开完刀愣是留下3个，是给病人留作纪念吗？或者手术台上手忙脚乱，一把手术刀不是用来降妖除魔，而是频频为自己制造险情。一刀下去，不是切偏了，就是切多了，肌瘤是被挖走了，子宫肌层也被伤害得够呛。缝完的子宫咧着嘴、淌着血，要多难看有多难看不说，手术后还在局部形成一个大血肿，病人腹痛难忍，日日高烧不退，大网膜和肠子全粘到子宫上去了，出院后遗留慢性腹痛等并发症，或者动辄不全性肠梗阻，吃个稍微黏糊一点的艾窝窝就下不去了，就犯病了，就得去急诊室插胃管、禁食水、靠静脉输注营养度日。要不就是一刀切浅了，半天找不到肌瘤和子宫的界限，或者损伤了子宫动脉等重要血管。甚至还有因此发生大出血没法收场，直接把年轻病人子宫给全端了的，彻底断了人家当妈的念想。

现在更时髦的，是拿“微创”二字来忽悠病人。子宫动脉栓塞术和新近发明的海扶刀，本来是为医生治疗疾病增添的一件有力武器，避免一些病人开大刀、留大疤，治疗疾病的同时，尽量减少对身体的创伤。但是在一些医疗单位，它们却成为过度治疗的重灾区。指甲盖大小、毫无不适症状的子宫肌瘤，也忽悠病人做射频治疗，结果学艺不精，定位不准，导致病人的子宫，还有后方的直肠，前方的膀胱三处同时发生穿孔，最后对簿公堂的病例都有出现。

* * *

再看我家阿姨报告单上所谓的“卵巢囊肿”，根本不是什么囊肿，才 1.5 厘米的无回声，一看图片，就是一边卵巢上一个正在发育之中的卵泡。育龄女性的卵巢，每天都处于不断的变化之中。月经之后就是卵泡发育期，卵泡发育成熟后是排卵期，排卵后有黄体形成，成为黄体期，以月为单位，周而复始。滤泡囊肿、黄体囊肿，还有正在发育之中的大卵泡，都是再正常不过的生理现象，根本不是什么需要治疗的“卵巢囊肿”。

卵巢囊肿和子宫肌瘤一样，也是过度医疗的重灾区。有的医生只要看到卵巢囊肿，不论发现了多长时间，有没有症状，也不管囊肿的大小和性质，有没有肿瘤标记物的升高，只要B超报告了卵巢上有泡泡，都说要开刀。

结果，手术切出来的东西，经过病理证实，只不过是滤泡囊肿或者黄体囊肿，这些都是根本不用打针吃药，3~6个月自然就会消失的生理现象。病人哪里分得清这些医学术语，在得知自己的肿瘤是良性的，而且已经被医生彻底切除干净，医生也拍着胸脯替自己保证，绝不会复发，不会影响健康，不会影响生育等解释、安慰和保证之后，还一再对医生三拜九叩，感恩戴德。

稍稍有点良心的医生，或者不懂开刀只会开药的医生，也不会平白无故放过你这块肥肉，给你开3~6个月的名贵中药，几千元上万块的药汤子喝完，再给你复查B超，嘿，还真的“药到病除”了。医生挣了底薪，挣了挂号费，提成了药费和B超费，一举多得。

当然也有医生不这么黑心，本着人畜无害的原则，常规给你开上几种中成药，每种三四盒，每盒几十块，算一算，落在自己口袋里的，总也有几十块的提成，这两天医生家的菜钱有着落了。

正常女性体检的时候，发现有盆腔积液更是再正常不过了，可是，这一正常的人体生理现象却也成为一些无良医生过度治疗的“有力武器”。

女性的盆腔和腹腔相通，上有肝胆胰脾胃，中间是十二指肠小肠，四圈是升结肠横结肠和降结肠。盆腔位于最下段，俗称小肚子，它的后边是乙状结肠和直肠，中间是子宫和双侧卵巢输卵管，最前方是膀胱。所有这些脏器表面都有液体参与润滑和流动，一旦主人静坐，这些液体自然就积聚在人体最低的盆腔部位，这就是盆腔积液，人类再正常不过的一种生理现象。

人体内这些用于润滑的液体要是被无良医生发现，那可是大事不好。不管你是不是有发热、腹痛、白带增多等症状，一律告诉你这是严重的盆腔炎，是盆腔化脓感染发炎才会渗出来的肮脏汁液，必须输液治疗。于是几种强力消炎药并用，还打着妇科炎症初次治疗必须彻底的旗号，一输液就是十天半个月。

好好一个女性，口袋里被掏去万八千的人民币不说，有的甚至输液输成肠道菌群失调，稀里哗啦的一天到晚不停拉肚子。有的甚至被输液输成阴道菌群失调，继发霉菌性阴道炎，阴道里排出稠厚的豆渣样白带，下身瘙痒无比，坐立难安。

这时，医生再接着给你治拉肚子，治阴道炎。瞧这生意，真是一本万利，循环往复，子子孙孙无穷匮也。

03
“宫颈糜烂”是一种正常的生理现象

说到宫颈糜烂，就不单纯是无良医生明知故犯，过度治疗骗人钱财的问题了，整个妇产科学界，对于宫颈糜烂这一问题的认识，都经历了一个不算短的转变过程。

正如我 90 年代上大学时，《儿科学》教材上书，母乳喂养到 4 个月，就要开始添加辅食，否则会有营养不良问题。而现在的观点主张，纯母乳喂养可以坚持到 6 个月再添加辅食。

关于婴儿睡觉的姿势，指南也是一直在变。20 世纪 80 年代，中国母亲刚和国际接上轨，一窝风地学习老美，让孩子趴着睡觉，说这样不会把后脑勺睡扁，也有充足的大勺子用于容纳，让大脑有地方纵情生长，这样睡出来的孩子聪明。到了 90 年代，又说孩子侧睡最好，弄得一群家长要去买两个硬海绵楔子，把孩子固定在侧位睡觉。最近，儿科学会开始大力提倡仰睡，原因是这样可以最大限度降低新生儿窒息的死亡率。很难预测，进入下一个十年，会不会有科学家提出孩子应该吊起来大头朝下睡，因为这样最能模拟胎儿在母亲子宫里时的体位，孩子最有安全感，也最利于大脑神经的进一步发育。

医学就是这样一个处于不断探索的行业，充满了诸多的神秘和不可预知，它甚至不能完全称为一门科学，只是经验的积累和不断的验证。今天认为正确的医学知识，多少年过后，可能一半以上都是错误的，是需要被推倒重来的。

关于“宫颈糜烂”，西方学者早已废弃这一术语，而称其为“宫颈柱状上皮异位（columnar ectopy）”，并认为这不是病理改变，而是宫颈正常的生理变化之一。在国内，较早的教科书还把“宫颈糜烂”列为慢性宫颈炎的症状之一，按照病变面积占据整个宫颈的比例，具体将宫颈糜烂分为轻、中、重度，并且详细讲述它的诊断和各种治疗方法。

2008年,《妇产科学》教材全面修订，取消“宫颈糜烂”这个病名，以“宫颈柱状上皮异位”这一生理现象进行解释。2012年八年制第2版《妇产科学》教材，将宫颈外口处呈细颗粒状的红色区，称为“宫颈糜烂样改变”。

随着阴道镜的发展，以及医学界对宫颈病理生理认识的提高，“宫颈糜烂”这一术语不再恰当，它并不代表女性宫颈这一重要部位真的出现了腐败和溃烂，而是成年女性再正常不过的一种生理现象。

医生需要一辈子不断地学习和更新知识，由于中国医生的培训制度和再教育体系都不十分健全，不少医生的知识更新缓慢，一辈子吃老本。虽然教材修订了，整个学界的诊断和治疗观念都在改变，但还是有很多临床医生躲进诊室自成一统，管他春夏与秋冬，每天仍在病历手册上进行“宫颈糜烂”的诊断，并且持之以恒地进行着几百年不动摇的宣教和治疗。

还有非常小的一部分医生被猪油蒙了心，他们不是不懂，而是明知故犯。对于有“宫颈糜烂样改变”的病人，来一个宰一个，动辄推荐“最先进”的治疗方式，游说病人彻底治愈宫颈糜烂，预防宫颈癌。整个检查加治疗的费用少则几千元，多则上万元。

个别医院和医生的敛财手段尤其低劣，来了“宫颈糜烂”病人，不是帮病人进行最基本的宫颈细胞学筛查，除外宫颈病变和宫颈癌，解除顾虑，打消疑念，而是上来就侮辱病人个人生活不检点，说什么性生活过度，没有注意个人性卫生，或者纵欲过度，愣是把宫颈给磨烂了。

紧接着，他们吓唬病人说糜烂已经重度，再不治疗变成宫颈癌就晚了，更有甚者，还让爱人进入诊室，亲自观摩自己老婆在阴道镜下被放大了好几倍的宫颈。男人只见过妻子蜜桃成熟一般的粉红色外阴，何曾见过糜烂样改变的宫颈，在外行人眼里，那简直就是一团血红烂肉。这景象顿时吓得丈夫双腿发软，目瞪口呆，妻子虽然委屈害怕，浑身筛糠，却是百口莫辩。于是，吃药、打针、输液、阴道上药、冲洗、光疗、微波、激光、冷冻，怎么着你也得选上几样，来上几个疗程。

最可怕的是个别医生利欲熏心，完全不分青红皂白，也根本不管病人是否生育过，来了就说你糜烂，连最基本的细胞学涂片都不给你做，上床就照阴道镜，对着皱襞丛生的阴道和糜烂血红的宫颈就是拍照，然后对着这些“超级恶心人”，并且专门用来吓唬你的相片，看图说话一般的指着你的“罪恶”宫颈，让你痛下决心，掏钱治疗。

这类医生更可恶的地方在于，他们并不推荐国际上常用并且技术成熟的物理治疗方法，例如微波、激光、冷冻和电熨等，而是直接给你推荐 LEEP 刀，还说这是全世界最先进的“微创”治疗方法，交完钱就给你做，做完就能自己走路回家，不需要休息就能上班，啥都不耽误。结果，只为了自己口袋里的提成多一些，愣是从良家妇女好端端的宫颈上切下几块肉来，才肯善罢甘休。

要说人为财死鸟为食亡，人不为己天诛地灭，您昧着良心全为赚钱，将医生这一高尚职业全当谋生手段的一种，LEEP 也就 LEEP 了，可您倒是手底下轻着点儿啊！简单比划一下，赚到钱，达到目的就行了呗，有的医生还真实在，真把人家的健康宫颈当成癌前病变来切，还真往深里切、往狠里切。

白天切完了，您倒是钱财装进腰包下班走了，结果病人晚上大出血，只能往急诊跑。值夜班时经常遇到这种满裤子是血的可怜女性，一问差不多都是在某些医院刚刚做了 LEEP 刀，再问为什么做 LEEP 刀，无他，没有癌前病变，更没有癌，甚至连宫颈涂片都没做，仅仅是因为宫颈糜烂。

早在 19 世纪末，伟大的医学教育家奥斯勒就预言，如果医生只顾着追求自己的利益，把一份崇高神圣的使命糟蹋成一门卑劣的生意，将他们的同胞当成众多交易的工具，一心只想着致富，他们定可以如愿以偿。

医者父母心，却总有将这天使一般的行业当作赚钱工具的害群之马。作为病人，如果你连最基本的医学常识都不了解，对属于自己的女性身体一无所知，那么，你连对话和讨价还价的能力都没有，除了任人宰割，你拿什么来保护自己呢？钱财被骗走了，可以再挣，毕竟是身外之物。身体受了伤，流了血，还有创伤重愈的机会。可怕的是，一些过度医疗在女性身体刻下的深深刀痕，影响深远，甚至成为终生的苦痛。

04
错割了宫颈真要命

我在澳门山顶医院做顾问医生的时候，遇到这样一个病例。

本澳居民佳慧，嫁给了广东小伙，前往夫家所在地生活，婚后生了一个女孩，一家人过着平凡幸福波澜不惊的小日子。

一次身体检查，佳慧在家附近的一家诊所被查出重度宫颈糜烂，接着就被哄骗做了 LEEP 刀。治疗倒是蛮顺利，上床几分钟后，她听到耳边的机器蚊子一般的滋滋作响，伴随着一阵焦糊味，没有任何疼痛和不适，就下了床，拿了药，直接回了家。复查的时候，医生说现在的宫颈好光滑，好靓啊，恭喜你。

佳慧听了很开心，生活恢复了往日的平静。一年后，她再次怀孕，谁知刚刚怀到 24 周的时候，有一天吃完中饭，她站起来一伸懒腰，下身就流出好多清水，像小便又不是小便，总之自己没法控制。

慌张的爱人赶紧把她送到附近的妇幼保健院，医生说这是羊水破了，孩子太小，属于先兆晚期流产，没有抢救价值。很快，她开始一阵接一阵的肚子痛，不到一个小时的工夫，一个已经成型的男胎流产了。

医生动员对胎儿进行尸检，除外是否胎儿内部存在复杂或者严重畸形导致流产。佳慧夫妇忍着巨大的悲恸，狠了狠心，接受了医生的建议。结果并没有发现胎儿有什么畸形，流产应该和胎儿的关系不大。

流产后一个半月，佳慧恢复了月经，月经干净后，她回医院复查。妇幼保健院的医生蛮有经验，拿 8 号的扩宫棒轻轻一探，就通过了她的宫颈内口，诊断宫颈机能不全，也叫宫颈内口松弛症。

正常女性的宫颈内口在平时是紧紧关闭的，即使最简单的人工流产，医生都要从 4 号扩宫棒开始，循序渐进地每次增大半号，才能将宫颈一点一点地扩张到 7 号半，这时才能进行刮宫。

8 号扩宫棒轻松就能通过宫颈内口，说明内口松弛了，这是晚期流产（也称大月份流产）的常见原因之一。

宫颈是子宫下方最森严的守卫，是紧扎的麻袋口，如果麻袋口松了，自然无法托盛有着相当重量的胎儿和羊水囊。结果，宫颈先是在不知不觉中发生无痛性缩短和扩张，之后，胎囊从松弛的宫颈口外突进入阴道，因为局部压力极度不均衡，发生破水，破水后羊膜腔内压力骤减，诱发宫缩甚至胎盘局部剥离，最终导致胎儿流产。

宫颈机能不全的原因一般可分为后天性与先天性两大类。前一类与反复人流、诊刮、清宫等宫腔操作史、大月份引产、多产等因素相关。先天性宫颈机能不全，指的是女孩子在娘胎里，宫颈就没有发育良好，构成宫颈的胶原纤维少，胶原平滑肌的比率低，致使宫颈把守子宫、托盛宫内妊娠物的能力降低，这类孕妇的流产，往往在第一胎就有发生，如果不加治疗，将反复在同一月份发生流产。

佳慧曾经顺利生产一个女儿，没有流产、引产和反复扩宫、刮宫的病史，再加上她近期做过宫颈 LEEP 手术，宫颈内口松弛最大的可能就是后天性的宫颈损伤造成的。医生告诉佳慧，下次怀孕，要在怀孕 16~20 周之间到医院进行宫颈环扎术。

内口一旦松弛，医生治病的方式无非就是重新扎紧。医学并没有太多高深莫测的东西，和工匠修理器皿差不多是同样道理，既然麻袋口松了，医生就用一条布带子样的特殊缝线，对宫颈内口进行缝合，不让羊膜囊漏下去，不让胎儿流出去，这就是宫颈环扎术。

半年后，佳慧又怀孕了。这次她特别小心，辞了工作，回到澳门父母身边，安心养胎，16 周的时候，医院给她进行了宫颈环扎术。可是修补缝扎后的宫颈，始终不如上帝造人时候给予的那般天然精妙，也不是借助一根缝线，就能帮助所有宫颈机能不全的病人安然保胎到足月的。

佳慧这次坚持到 6 个多月，也就是 25 周，还是发生了破水。虽然一直头低脚高位躺在床上，屁股底下还垫了枕头，防止羊水继续外溢，医生也用了最强的保胎药，但佳慧还是发生子宫收缩，一阵接一阵地肚子疼，眼看流产难以避免。

如果这种情况发生在我毕业后一直从事妇产科工作的北京，几乎不会有太多争议，绝大多数家庭都会主动放弃治疗，医生在法律和伦理上也不犯错误。因为在国内妇产科学界，28 周之后才进入围产期，此后出生的胎儿才叫早产儿，在传统意义上才被认为有抢救价值。

抢救早产儿有两个必要条件，一是家属能够承受巨大的医疗花费，二是医院必须具有新生儿重症监护病房（NICU），二者缺一不可。

即使技术和金钱都满足，医生也无法保证所有孩子最终都能成活，这些早产儿长大以后，尤其是极低出生体重儿（体重 <1500g 的早产儿）和超低出生体重儿（体重 <1000g 的早产儿）的将来，也并非一片阳光。

28 周之前出生的孩子，一律属于晚期流产，除非家属有意愿和特别要求，医生才会根据自己医院儿科的医疗条件考虑抢救。因为胎儿太小，抢救花费巨大，可能需要几十万甚至上百万，医生又不能保证孩子一定能够存活，并且存活之后还有一系列的生长发育问题摆在家长面前。实际上，只在极其偶尔的情况下，极其个别的家庭才会抢救孩子，例如胎儿实在宝贵，父母都已高龄，这个孩子可能是他们做父母最后的机会，而且这些家庭还必须经济实力雄厚。

在真实的临床工作中，医生经常遭遇这样的尴尬场景。孕妇刚刚 6 个月、7 个月或者 8 个月，总之是各种阶段的不足月，一旦出现破水或者肚子疼等分娩先兆，定是情况紧急，医患双方都跳着脚的上火。医生一边要做各种医疗预案，进行各种医疗处理，另一边，还得和家属谈话签字，告知各种利弊风险，要父母做出决定，孩子一旦落地，到底要不要进行抢救。父母一边要担心孩子过早出生可能伴随的各种体能智力问题，另一边，他们还必须在短时间内接受道德、亲情、伦理甚至金钱等各方面的拷问，抢救孩子，可能一生的积蓄都打了水漂，孩子还没活下来，不抢救，实在是亲生骨肉，难以割舍。

甚至有的时候是，有钱，孩子就活，没钱，孩子就死。父母不由分说就自作主张孕育了孩子，同时也百分百掌握着孩子的生杀大权。医生除了治病救人，还要知道每一种治疗和检查的费用，时刻掌握病人背后的经济情况，每天在金钱和生命之间权衡利弊，指引病人进行各种无奈的选择。

而在澳门特别行政区，法律是明令禁止堕胎的。24周之前的胎儿，除非有致死性畸形，经过医院伦理委员会层层审批，才允许医生进行引产；24周以上的胎儿，一律定义为“有生机儿”，不能引产，一旦出生，必须进行积极抢救。

而且只要是本澳居民，不论流产、早产还是足月产，总之和怀孕有关的一切医疗救助，不论是母亲还是新生儿的花费，全都由政府埋单。

虽然说人的后天努力很重要，但照这样看来，投胎更重要，降生在什么样的家庭和地域，确实是一门技术活。佳慧初中毕业，没有什么文化，夫妻俩没什么大本事，更没挣到什么大钱，但是她出生在澳门，具有永久居留身份。她的孩子虽然出生后只有700克，按照法律规定，新生儿科医生直接到产房参与抢救，气管插管后，孩子进入暖箱，直送NICU。期间，医生护士24小时精心护理，一直到出生后4个月，小家伙长到了4斤多重，有能力自己喘气了，有力气自己喝奶了，儿科医生才把他交给佳慧。出院当天，政府还有医疗车免费护送一家三口回家，娘俩连吃带住带看病，一分钱不用花。

弱小的生命没有因为金钱问题而被放弃救助，这是人道主义光芒的绽放，可这并不能避免另外一种悲剧的发生。现在，佳慧的孩子已经2岁，不会说话，也不会走路，脾气暴躁，情绪失常，急了就只会大声吼叫，是个脑瘫儿，虽然一直在进行康复训练，但是没有太大改观。

因为一个不算病的“宫颈糜烂”，佳慧被哄骗着做了LEEP刀，好好的宫颈被割去一块肉，导致宫颈内口松弛，结果怀不住孩子。第一个胎儿发生流产的时间太早，还没有机会抢救，就离开了人世，对于一个普通女性来说，堪称人生的巨大打击，但是时间总会治愈一切，只要够坚强，阴影总会过去。

佳慧被LEEP之后的第二胎，受益于医疗制度的进步，没花一分钱，700克的超低体重早产儿竟然被救活了。可是，又因为医疗的太多不可预知性，医疗的不完美特质，最终留给她的，是一个不会说话不会走路生活完全不能自理的脑瘫孩子，虽然会有政府的救助和社工的帮扶，但是负担和阴影，可能跟随她一辈子。

一个普通女性，在两种医疗制度和医疗环境中游走，受了一方利欲熏心的险恶欺骗，得了一方人道主义的伟大救助，确是阴差阳错，注定一生辛苦。

05
宫颈病变是“最容易变好的坏孩子”

女性之所以对“宫颈糜烂”如此忧心忡忡、心怀芥蒂，以致于被无良医生一忽悠，就轻易上当受骗，很大程度上是因为，过去医学界一直将宫颈糜烂解释为宫颈癌的前兆。不少女性一听说自己有宫颈糜烂，立刻紧张起来，担心是“癌前病变”的信号，非要把这疾病的“萌芽”彻底扼杀在摇篮之中。这正是过度医疗能够趁虚而入并且频频得手的关键原因。

网络时代，信息爆炸，健康信息参差不齐、难辨真伪。如果你在网络上搜索“宫颈糜烂”，最常看到这样的描述：“据统计，有宫颈糜烂的妇女，宫颈癌发生率高于普通人群近十倍。在长期慢性炎症的刺激下，宫颈管增生而来的柱状上皮可发生非典型增生，如果得不到及时正确的治疗，就会逐渐向宫颈癌前病变方向发展，最终导致宫颈癌。”而且这种看似科普实则软广告的文章，大多反复强调“宫颈糜烂会引起不孕、盆腔炎，不及早治疗就会发展到癌症，悔之晚矣”。

网上更有无数号称专家团队的免费语音服务。试想天下哪有免费的午餐，大医院的专家看门诊、做手术，最愁的是分身乏术，怎么还会有闲工夫整天趴在网络上，提供24小时的免费医疗咨询？

电话里，“专家团队”经常这样讲：“如果不控制不治疗糜烂，它只会越来越严重，不会自己好的。宫颈这个地方是没有神经的，你看你已经重度糜烂了，还不是一点都没有发觉？”接着，将是语重心长的善意提醒，“糜烂有癌变的可能性，女性必须要重视这方面的问题，香港的梅某某那么有才华有钱财，就是因为宫颈癌发现得太晚才死的，还有上海的李某某，也是因为得了宫颈糜烂没有加以重视才……”

实际上，最新医学观念认为，“宫颈糜烂”与宫颈癌并没有直接关系。生殖道持续感染高危型人乳头瘤病毒（HPV）才是导致宫颈癌的主要原因，这一伟大发现归功于德国医学科学家哈拉尔德·楚尔·豪森，他因此获得2008年诺贝尔医学奖。可见，到底会不会得宫颈癌，不是看宫颈是否糜烂，或者糜烂是否严重，而是看有无高危型HPV病毒的持续感染。

是不是感染了高危型HPV，就一定会得宫颈癌呢？

当然不是。据估计，大多数女性在一生中，可能会感染一次HPV，幸运的是，她们中的大多数，能够依靠自身的免疫系统将病毒彻底清除。只有持续多年的高危型HPV感染，才会引起细胞学发生异常改变。这种病变通常是缓慢和渐进式的，先是宫颈上皮内瘤样病变（CIN）1级，之后是CIN2和CIN3，一般需要十年以上，才会进展到浸润性宫颈癌。

癌症，常被人类称为不治之症，但是宫颈癌，是明显有别于身体其他部位肿瘤的。

宫颈位于阴道的顶端，该生理解剖部位不像深藏在盆腔的子宫，也不像需要B超、X线或者CT才能看到的心脏、肺脏和肝脏，它非常容易通过医生的阴道检查，得以暴露和直视。定期进行宫颈脱落细胞的细胞学筛查，及时发现非常早期的癌前病变，通过现有医疗技术，能够彻底治愈癌前病变，从而防止宫颈癌的发生。

近年来，随着广大女性健康保健意识的提高，以及广大医务工作者的大声疾呼，很多成年女性都知道，需要定期进行妇科检查，也知道妇科检查时，必须进行宫颈的细胞学涂片。

我刚参加工作出门诊的时候，需要反复动员，病人才可能拿出150块钱，进行一次宫颈的“防癌”检查。很多患者根本不明白这是什么检查，自己也从来没做过，甚至没听说过，即使勉强答应，得知化验报告要等一个礼拜以后，也大多拂袖而去，拒绝检查。

近年来的情况要好很多，健康女性也会主动挂号，要求进行防癌检查。但是，我们也会发现一些不恰当的观念。例如，很多女性不知道，做宫颈涂片之前3天，需要禁止性生活，停止一切阴道用药和阴道冲洗；健康女性不需要过于频繁地做宫颈癌筛查，我见过每年都被要求检查1~2次的健康妇女；不能在短时间内，在不同的医疗单位进行频繁复查；不能一次防癌检查正常，就认为自己可以终生不得宫颈癌。

所以，已经开始性生活的女性，不要再纠结于自己是不是有宫颈糜烂了，定期进行宫颈癌筛查吧。美国癌症协会2012年5月更新了宫颈癌筛查指南，建议有性生活的女性，从21岁开始进行宫颈癌筛查；21~29岁只需每3年进行一次细胞学筛查，不需检测HPV；30~65岁首推每5年进行一次细胞学和HPV的联合筛查，或者每3年进行一次细胞学筛查；既往筛查正常的65岁以上女性，可不再筛查。

虽然说宫颈的糜烂样改变不再是病，但是有不适症状的宫颈糜烂，如性生活后出血、血性白带、长期白带增多伴有异味，等等，还是需要在医生指导下进行适当的治疗。一般来说，宫颈急性炎症，阴道使用栓剂药物就足够了，一般不需要进行阴道冲洗，不需要口服用药，更不需要输液打点滴。宫颈长期存在慢性炎症，引起以上不适症状，药物治疗无效的，才需要适当考虑激光或者冷冻等物理治疗方法。

至于过度医疗，女性朋友们要瞪大眼睛，遇到以下情况，一定要捂住自己的荷包，保护好自己的身体，谨防上当：（1）说你宫颈糜烂，却不给你做宫颈细胞学涂片，上来就要给你照阴道镜的；（2）照了阴道镜还不取活检，在没有任何宫颈病变证据的情况下，就以宫颈糜烂为由，劝说你进行各种昂贵治疗的；（3）LEEP刀是用于治疗宫颈癌前病变的，而且至少是通过活检诊断为CIN2或者以上的高度病变，才需考虑。对于没有症状的宫颈糜烂、纳氏囊肿、宫颈肥大，或者经过阴道镜活检病理证实仅为CIN1的低度病变，不需要做LEEP；（4）宫颈锥切术适用于宫颈癌前病变在CIN2～3以上的高度病变，除此之外，都有过度治疗之嫌；（5）目前国际上仍然没有能够明确治疗HPV病毒的药物，清除病毒主要靠女性生殖道的自身免疫力，如果医生向您推荐价格昂贵并声称有特效的药物或者高级保健品，都需要谨慎对待；（6）凡是动辄使用以下医学词汇为您进行病情解释的医生，例如在没有任何宫颈细胞学检查或者活检报告的情况下，就说你的宫颈糜烂要癌变，会导致不孕症，或者是性生活过度造成的，不是庸医，就是奔着你口袋里的银两在用劲儿，是早已丧失道德的职业大忽悠。

宫颈有糜烂，不等于有癌前病变；宫颈光滑如初，也不代表没有癌前病变。有性生活的女性，不要再纠结自己的宫颈是否糜烂，是否光滑，做到以下几点，才能最大限度的保护自己，远离宫颈癌。(1) 洁身自好，尽量保持一对一的性伴侣关系，减少感染高危型 HPV 的风险；(2) 对于不稳定性伴侣，即使自己已经放置避孕环，或者正在口服避孕药进行避孕，仍应全程使用安全套，进行性传播疾病的防护，安全套对 HPV 病毒不能起到百分百的防护，但可以在一定程度上降低感染风险；(3) 保持健康良好的生活方式，不吸烟，不熬夜，增强自身抵抗力，这样，即使感染 HPV，您仍然有一半以上的机会，利用自身强大的免疫系统清除掉致癌病毒；(4) 有条件的话，女孩子可以在青春期进行宫颈癌疫苗的接种，但是需要知道，宫颈癌只对特定的高危型 HPV 具有保护作用，即使接种疫苗，也不是一劳永逸，仍然需要像未接种者一样，定期进行宫颈细胞学筛查。及时发现和治疗癌前病变，才是避免宫颈癌的最佳办法。

06
急性腹痛，警惕黄体破裂

说服阿姨别再理会那些无良医生的骗局后，我彻底松了口气。阿姨不再提撂挑子的事儿，我也终于可以放心地把女儿丢给她，去上夜班了。

在协和，经过多年的摸爬滚打，不知不觉中我已经成长为实力雄厚、人员庞大的妇产科值班团队中的三线医生。三线相当于整个医院和妇产科有关事务的总指挥官，同时又是总执行官。我下面有一名得力助手，是二线，再向下就是散布在各个病房和急诊的一线值班医生。如果遇到疑难重症处理不了，我可以电话求助四线，只要需要，他们会像天兵天将一样迅速降临第一现场，也就是我和病人的身旁，提供勇气和技术支持。

妇产科急诊是医院里见血最多的一个地方，可以说妇产科医生是时时见血、刻刻见血，病人不是内出血就是外出血，妇科病人出血，产科病人也出血，年轻病人出血，年老病人也出血，生殖道的各个部位，从外阴、阴道到宫颈、子宫，还有两个卵巢，都有和出血相关的急症重症。不管哪里出血都要命，都容不得半点耽搁。

月初是值班医生大换班的日子，因为一线都是新手，接班后，二线去转病房，我直接到急诊督战。

晚上8点，一个中年男子扶着一个中年女性病人就诊。女的穿着花花绿绿的家居睡衣，脚上趿拉着红拖鞋，一头染后褪色发黄、干枯麻绳样的头发随意扎在脑后，龇牙咧嘴的一脸痛苦表情。男的上穿白色跨栏背心，下穿灰色大裤衩，脚上一双黑色千层底，小心翼翼地搀扶着老婆。女的一脸烦躁，从走进急诊室，一直到被老公和医生扶上检查床，几次三番对身边的男人连剜带瞪，连掐带拽，很不耐烦。男人一脸的晦气倒霉样，也不说话，任由女人在自己身上使性子。

一问病史，中年女性，40岁，已生育，使用避孕环避孕8年，月经正常，突发剧烈腹痛，伴有头晕心慌。血压平稳，心率稍快。小一线伸手去摸肚子，病人哇哇叫着喊痛，吓得小一线反射性地跳到一边。

医生就是这样，病人哪里痛，还就偏要摸哪儿。为了解除痛苦，只能让病人暂时更痛，并且还必须忍痛，好好配合医生检查。

我说："别任性，知道您疼，但得忍着点儿，医生必须检查清楚，知道什么原因肚子疼，才知道怎么治。"经过多年的历练，我早已经学会"同情而不动情"，早已不再拖泥带水，冷静而稳重地在她腹部进行视触叩听。

透过已婚已育中年妇女最常见的小肚腩表面松软的脂肪层，我觉出她的腹肌非常紧张，手向深处按压的时候，她虽然没敢把我的手拨到一边去，但还是使劲蜷起双腿喊痛，这是人类不自主的保护动作，意在缓解腹肌的紧张感。我将深压下去的手突然抬离肚皮，她紧跟着又是一阵吱哇乱叫。查体得到以下明确信息：有肌紧张，压痛阳性，反跳痛阳性，移动性浊音不明显，听诊肠鸣音减弱。结论：急腹症，肚子里头有情况。

隔壁就是B超室，我和一线直接跟到B超室，探头移动，我们逐渐看清了盆腔里的全部情况：避孕环位置正常，没有怀孕，输卵管上没有异常包块，不像宫外孕破裂；肚子里大量的游离液体，子宫已经部分淹没其中，一侧卵巢上可见黄体，没有见到明确的卵巢肿瘤。

正常女性有少许盆腔积液属正常，但是出现大量积液绝对有问题。液体的成分有三种最常见可能：一种是腹水，多发于晚期恶性肿瘤病人，她一般情况良好，没有盆腔包块，不像；一种是脓液，多发于急性盆腔炎病人，但是一般来说化脓的量不会这么大，她没有发烧，也没有脓样白带，白细胞只是略微增高，也不像；最后一种就是内出血，妇产科最常见的腹腔内出血是宫外孕破裂。

这时，她的血常规回报，血色素只有9克，一个平素月经规律、经量不多的健康女性出现贫血，多和急性失血有关。她的尿妊娠试验报告也出来了，阴性，说明没有怀孕。再看她的月经周期，大概还有一个礼拜来下一次月经，她正处于排卵之后的黄体期，所以，我判断肚子里最大的可能是：黄体破裂出血。

黄体破裂是妇科常见的急腹症之一，好发于14～30岁的年轻女性，有人称其为“青春杀手”。以我的临床经验，正如所有有性生活的女性都要除外宫外孕一样，女性只要有排卵，就有黄体破裂的风险，就是怀疑对象。

黄体是在女性排卵之后形成的，故从排卵一直到下次月经来潮之间大约两个礼拜的时间，称为女性的黄体期。黄体位于卵巢表面，张力较大，直径可达1～3厘米，内层布满丰富的毛细血管，质地脆弱，缺乏弹性，亮黄色一坨赘生于卵巢表面，就像刚从壳中挖出的新鲜海胆。

由于黄体的生理结构比较特殊，很多病人发病是没有任何诱因的，属于自发性破裂。另一种黄体破裂是外力作用的结果，如下腹受到撞击，剧烈跳跃、奔跑、用力咳嗽或解大便时，腹腔内压力突然升高，导致黄体发生破裂。此外，性生活也是常见诱因。性生活时女性生殖器官充血，黄体内张力升高，女方下腹部受到强烈冲击，也可诱发黄体破裂。

同是黄体破裂，病痛有轻有重。轻的神不知鬼不觉，病人自己都没有觉察，或者只是突然的、很轻微的一侧下腹疼痛，破裂黄体内的毛细血管很快自行愈合，流出的少量血液很快自行吸收，不留任何后遗症，病人甚至不会来急诊看病。

重的则可能发生剧烈难忍的腹痛，黄体内较大的血管破裂，大量血液流入腹腔，造成持续性腹痛，严重者甚至发生出血性休克，表现为大汗淋漓、头晕心慌、血压下降、四肢冰冷等。如就诊和治疗不及时，可能像宫外孕一样危及生命。

一线小医生为病人做了妇科检查，也考虑有内出血。下一步就是如何治疗。我和一线进行简单讨论时，病人一直在埋怨身边的男人，弄得那男人搀着她也不是，扶着她也不是，一副手足无措的窘态。

我问病人："肚子疼发生之前，您在做什么？有没有剧烈运动，例如去健身房健身、跳绳、跑步什么的？"

病人说："唉，像我这种上有老下有小的中年妇女，哪有时间和心情去健身房啊？下班后就赶紧回家，伺候完瘫痪老人的屎尿，赶紧检查孩子作业，接着就是洗衣拖地做晚饭。"

"疼痛发生之前，有过其他剧烈运动吗？有没有性生活？"

“唉，都怪他！我爱人是开出租的，今天收车早，也不说替我干点活儿，回家就要上床。我一天到晚累得要死，对这种事儿根本就不感兴趣，可是怎么说也不行，结果弄完了我就开始肚子疼。大夫，到底怎么回事儿？跟上床有关系吗？把哪儿弄坏了？要真是他弄的，这辈子我都不再理他，我跟他离婚。”

看来性生活确实是诱因。但是，非月经期有性生活的两口子实在太多了，发生黄体破裂的女性却是极少数，这个全赖在男人身上，也不公平。现在，诊断和治疗都不是大问题，我开始担心，这两口子回家以后，夫妻生活的前景和质量不容乐观。

黄体破裂的治疗原则比较简单。如果出血不多，生命体征平稳，可以保守治疗，严密观察，适当考虑预防性抗感染，内出血很快会自行吸收，无需大动干戈。如果一次出血量大，而且仍有活跃性出血，需要立即手术止血。

“您现在肚子里可能有出血，分析最大的可能性是黄体破裂，我们需要观察一段时间，如果情况稳定，出血不再继续，可以暂时保守治疗，如果继续出血，可能就要手术止血了。”

“啊！这么严重？怎么观察？”

“您现在的生命体征基本稳定，血压心率正常，我们先帮您输液，配血，以备万一。两个小时以后复查血常规，要是一切保持平稳，咱们最好不开刀。”

“是不是我老公太大劲儿，把我的黄体给捅破了？”

“黄体在您的肚子里，过性生活的时候是捅不到的，这个和性生活不见得有多大关系，顶多是个诱因，或者说就是正好赶上了一个寸劲儿，您也不要过多责怪您的爱人。”看着旁边那位蔫头奄脑一副可怜相的老公，也为这对中年夫妻将来性生活的和谐，我从科学的角度替那男人辩解了几句。

07
没点性常识，还滚什么床单

把黄体破裂的中年妇女送到观察室，诊室闯进一对年轻男女，确切地说，是一个男孩子抱着一个下半身血糊一片的女孩子闯了进来，我一看病历手册上患者的基本情况，女孩才20岁，没有生育史，主诉：性生活后大出血。

和刚才的妇女不同，这女孩子的出血是看得见的，她的裤子已经被染透了一大片，一个超常夜用卫生巾彻底湿透，从雪白的大腿小腿一直到脚丫子，全是一道道流下来的血印子。血压还好，心率偏快，护士已经输上了液。我让男孩子直接把她放到妇科检查床上，必须马上查清楚，到底哪里出血。

一边搬病人，我一边“审问”身边这个年轻的“可疑肇事者”：“你们是第一次吗？”

“不是。”

“你多大了？”

“我俩是高中同学，我也20岁。”

“你们在一起是两个人都愿意的吗？你有没有强迫她？”

“没有，没有，真的没有！阿姨，我们都是自愿的。”

一线对好了探照灯，护士也准备了充足的纱布和器械，我先检查了处女膜，属于陈旧型裂伤，没有新鲜的活跃出血。再一看，鲜血都是从阴道深处涌出来的，我用窥具轻轻撑开她的阴道，这女孩子又瘦又小，阴道特别浅，我用的虽然是最小号窥具，还是很轻易就探到了阴道的最深处，掏出大坨大坨的新鲜凝血块以后，阴道顶端暴露出一个一寸多长的新鲜破口，像裂开的嘴巴，正在向外飙血。诊断明确，性生活后阴道穹窿撕裂，我用一块大纱布暂时压迫在破裂部位，必须马上进手术室，在麻醉条件下紧急缝合，才能有效止血。

“医生阿姨，到底怎么了？”男孩子接着问。

“你们性生活有没有借助什么别的东西，有没有用坚硬的物品？或者是不是太激烈了？你女朋友的阴道深处有裂伤，需要马上缝合，否则出血不止，会有生命危险。”

“阿姨，真的没有用别的什么，可能是我们一个学期都没见面了，都太冲动了，才不小心的。”

我一算，正值8月初，大学生放暑假的日子，也许是两个恋爱中的孩子，在不同的城市上大学，见面后干柴烈火，忘了预热，动作鲁莽，才伤害了女孩子。这时，我突然想起，性生活是两个人的事儿，男性动作粗暴，不光女孩子会受伤，他自己也可能受伤。在外科急诊轮转时，经常遇到各种男性性生活损伤病例，例如生殖器折断、包皮系带裂伤等。

“你那里，没事儿吧？有没有出血或者疼痛？”

“阿姨，您快去救我女朋友吧，我没事儿，就是有一点点出血，不是特别痛。”

还真被我问着了，男孩子真的也把自己给弄伤了，最大可能应该是包皮系带的轻微裂伤。

“你赶紧签字，然后去外科急诊找医生看看，看看是不是很严重，别大意，有一些损伤，是需要医生帮助修复的。”

说完，我跟着病人进了手术室。麻醉医生给了一些静脉镇静和止痛药，二线帮我拉钩，我取出阴道里填塞的纱布，马上又是一汪鲜血，遮盖了视野。助手用吸引器将新鲜出血吸走，帮我暴露需要缝合的部位，我看准了，在血泊中缝了三个“8”字，出血戛然而止。

摘了手套，二线问我：“张大夫，为什么不考虑连续缝合？可以节省不断打结的时间，让手术更快。”

我说：“手术快当然好，但不是越快越好。你看那小丫头，又瘦又小，所以阴道才又窄又浅，我分析这也是她发生阴道裂伤的高危因素。咱们在急诊，见过几个高大肥胖的中年妇女出现这种阴道撕裂的？要是连续缝合，咱们倒是省事儿了，就怕愈合后她的阴道更窄更浅了，间断缝合可以最大程度减少医源性的阴道挛缩。”

二线一拱手，搞笑地说了声“佩服”。刚说完屁兜里的呼机就响了，她要赶紧回病房，我继续回急诊帮忙。

08
女童阴道出血，需要考虑阴道异物

在我给 20 多岁的女孩子做缝合的时候，急诊室又来了一个 4 岁的小姑娘，妈妈说孩子阴道流血流脓，每天换下的内裤都是又骚又臭的，还有血迹。

给小女孩看病最大的难题是，小病人不能清晰地描述病情，而且无法很好地配合检查。小女孩的阴道不仅狭窄，还有处女膜的遮挡，想看清里面的情况着实不容易。说实话，我也没有太多经验，脑子里都是平时积累的理论，书本上的知识，还有老一辈讲给我们的一些临床故事。

幼儿阴道流血流脓有几种可能，最常见的是外阴阴道炎症；二是生殖道肿瘤，女性恶性肿瘤的高发人群主要集中在人群的两个极端年龄段，一是幼女，二是老妇；三是阴道异物。

一线进一步询问病史，孩子妈妈说，已经在别的医院按照阴道炎治疗两个星期了，每天往阴道里滴一种药水，可是根本不见效，还是流脓淌血的。

抗炎治疗无效，暂时可以排除炎症，剩下的就是肿瘤和阴道异物了，这两种情况都需要我们进行阴道检查。

我们试着劝说小姑娘躺到检查床上，但是根本不可能，她像一只小壁虎一样，死死地抱着妈妈，根本不往检查床上躺，而且，我们急诊室的阴道窥具，都是成年女性专用的，没有家伙什儿，我怎样才能得知阴道内的情况呢?

我拼命回想自己参与翻译过的那本《青少年妇产科学》，想起里面描述的那几种幼女阴道检查的特殊体位，例如，可以让妈妈模仿青蛙的样子躺在妇科检查床上，小孩同样姿势，躺在妈妈腹部，医生就可以进行检查了。可是，用什么器具可以轻轻撑开小女孩的阴道，又不破坏处女膜呢?

我的一线非常棒，理论结合实践，已经到隔壁的耳鼻喉诊室借来了用来撑开鼻孔用的窥鼻器，还有戴在头上的聚光灯。

我凭借实习五官科时学到的皮毛，用窥鼻器轻轻撑开阴道，没有肿瘤，好像看到一个纽扣样的东西，一线递过一个十分细小的眼科镊子，我轻轻将这东西夹了出来。用水清洗后，我们发现，那是一枚非常微型的纽扣式电池。

阴道异物，顾名思义就是阴道里多出了不该有的东西。阴道是富有弹性的肌性管腔，其上端比下端宽阔，并且阴道黏膜有许多横行皱襞，平时前后壁紧贴在一起，因此一旦有异物进入阴道，很难自行脱落。换言之，往里头放好放，一旦深入阴道，要想自己取出来就难了，一些患者只能选择到妇产科急诊就诊。

阴道异物在临床上并非少见和罕见情况，可发生于任何年龄段的女性患者，国内幼女多见，也可见于精神病成人患者，百度词条上有如下描述，“国外正常成人妇女也时有发生”。

根据我个人的经验，还有对既往病例的统计总结，阴道异物在国内成年人中也是屡见不鲜，在那之前和之后，我院急诊室取出过五花八门的各种阴道异物，包括疏忽大意忘在阴道里的卫生棉条，子宫脱垂老妇使用的子宫托、钢笔帽、乒乓球、棉球、小玻璃瓶、安全套、小号电池，甚至还有狼牙棒一般浑身是刺的卷发器。

妈妈抱着女儿，带着解决问题后的兴奋，还有一丝羞愧，反复道谢后走了。

这时四线车娜打来电话，问夜班情况如何，我说还好，暂时都在可控范围内，借着刚刚独立解决少见问题的兴奋劲儿，我把刚才阴道异物的病例进行了汇报。没想到车娜不仅没夸我，还给我一顿臭训："胆子大了啊！这么少见的病例，也不说叫上四线一起处理，我还没见过呢。"

敢情是因为失去了一次宝贵的临床见识的机会，不乐意了。我不理她，让她别关机，随时等待骚扰。

09
绝经后出血是大病先兆

挂了电话，进来一位满头白发的老妇，旁边有小保姆扶着，65 岁，主诉绝经后出血。

老太太鹤发童颜，特别富态，小小的个子，足有 160 斤，她坐在诊桌旁边，满脸和蔼慈祥地问一线医生："大夫，您说这是怎么回事儿呀？我怎么又来月经了呢？我最近的白头发里又生出黑发了，是不是要返老还童啊？"

这哪里是又来月经了，医学上管这叫"绝经后出血"。女性进入更年期，连续一年以上不来月经就是"绝经"，绝经之后，任何阴道出血都是不正常的，需要医生高度警惕的，是必须查明出血部位和出血原因的，最重要的需要帮助病人除外子宫内膜癌。我在一边不出声，装作助手的样子，这个病例交给我的一线处理，一点问题没有。

一线非常仔细地采集病史，老太太肥胖、高血压、糖尿病，这是子宫内膜癌典型的三联征，最重要的是，她竟然终生没有结婚和生育，是个"老姑娘"。

我暗想，这老太太没跑了，先做 B 超，看看子宫里的情况，接下来就是医生在麻醉状态下破坏处女膜，进行阴道检查，必要时进行分段诊刮，拿到子宫内膜的病理学证据。

对于这种肥胖的老年人，若想了解子宫内膜的情况，经阴道做 B 超是最理想的，一是免去老年人不容易憋尿的烦恼，二是阴道内的探头距离子宫内膜组织最近，看得最清楚，诊断更可靠。

但是老太太的处女膜已经忠诚把守城池大半辈子了，是不可轻易破坏的，而且绝经后老年人的阴道口萎缩变窄，一定要在麻醉状态下破坏处女膜，再进行妇科检查，这才是人道主义的做法。

B 超回报：子宫内膜厚 1.5 厘米，回声不均匀，充满异常回声。绝经后的子宫内膜不应该超过 5 毫米，这么厚的内膜，肯定是长东西了。

虽然疾病的性质可能很严重，但好在老太太的情况不算紧急，一线医生给她预约了肿瘤门诊，告诉她，问题不算太大，医生会尽快帮她安排刮宫。

送走鹤发童颜的老太太，又来了一位 48 岁的中年妇女，结了 3 回婚，生了 3 个孩子，性交后出血一年多，今晚性生活后大出血，遂来急诊。

老年人的绝经后出血，中年女性的性交后出血，都是大病先兆。前者需要排除子宫内膜癌，后者需要排除子宫颈癌，这是妇产科威胁女性生命健康的两大杀手。

这个病人性交后出血已经有一年多了，因为出血不多，有时候只是分泌物有点点的红色，她并未重视，也从未就诊，也从来没有做过例行体检。

上了检查床，一线用窥具撑开病人阴道，虽然隔着一次性口罩，我仍然闻到一股恶臭扑面而来。我将探照灯对准病人的宫颈部位，一个足有乒乓球大小的菜花样肿物占据了整个宫颈。临床待久了，一问一猜一看一闻，就知道是宫颈癌。灯下，菜花样肿物的一处，正在活跃性地渗血，我递给一线医生一把活检钳，让她钳夹一块肿物送病理检查。

一线回头问我："肿瘤正在渗血，再取活检不是更出血了吗？我们在急诊是不是应该对症处理为主，先止了血再说呢？"

"这也是我年轻时候经常犹豫的问题，肿瘤本来就渗血，我们还要雪上加霜吗？但是没有更好的办法，我们必须尽快获得病理学证据，才能尽早给病人确诊，才能开始真正有效的治疗，或者放疗，或者栓塞，或者手术，只有这些才能从根本上止血和治病。现在，不是动用妇人之仁的时候，你大胆地取活检，剩下的交给我。"

有我这句话壮胆，一线医生勇敢地在肿瘤相对新鲜的一个部位取了活检。我当然不能拿嘴忽悠我的下级医生，取完活检后，确实又人为制造了新的出血部位，而且简直是血流如注，我用一米长的宫纱将整个阴道紧紧填塞，这是给宫颈癌病人暂时止血最有效、最快捷、最便宜的方法。随后病人被收进了肿瘤病房。

两个小时过去了，我和一线同时想起那个留观的怀疑黄体破裂的病人，于是赶过去看她。隔着三张床，就听见她和老公打情骂俏的声音。看来我刚才多虑了，人到中年的女性，比我们想象中坚强得多，离婚只不过是挂在嘴边减压的一句口号，大多数人不会因为一次性生活害得自己黄体破裂，就再也不上床了。又或者，是不是可以理解为我刚才的科学解释生效了？不知道，总之，不要看到两口子在医生面前吵架，甚至让人担心他们将来的性生活质量就好。

复查血常规的结果也出来了，血色素没有进行性下降，她的情况也不错，给了止痛药以后整个人精神多了。一线给她开了一个星期的口服消炎药，还有补血药。

得知自己暂时不用开刀了，她开始吵着要回家。急诊留观的地方就像一个自由市场，什么病人都有，空气中混合着胸水、腹水、烂腿、臭脚、浓痰，还有大小便的气味，到处是阴郁、肮脏和死亡的味道。况且她家就在协和对面的胡同里，我料想，她是一刻都不愿意再待下去了，就让她走了。

10
孕妇乘车一定要系安全带

从留观区回来，诊室门口正等着一个嗷嗷叫的大肚子，估计是临产了。一线检查了宫颈，已经开了四指，赶紧收进待产室，准备生产。

刚刚坐定，救护车送来一个发生车祸的孕妇，34周，老公开车，她坐在副驾驶位置，一个急刹车，还是追尾了，撞瘪了人家汽车的后备箱，也撞坏了自己的老婆，病人额头上顶着一个大紫包，并且严重腹痛，伴有阴道出血。

我在她肚子上一摸，心里大叫糟糕，不仅有宫缩，还是持续性宫缩，子宫发硬，整个腹部像个小面板，没有宫缩的时候，子宫也不能完全放松。一线听了胎心，140次/分。我让她赶紧过来摸一摸肚子，这就是妇产科教科书上描述的传说中的“板状腹”，摸一次，一辈子忘不了，临床经验就是这么来的。

“孕妇是不是没有系安全带？”一线问孕妇的老公。

“没系，她肚子大，系安全带不方便。”老公满脸是汗地回答。

“任何时候，都要系安全带，孕妇更要正确使用安全带，网上都有大肚子正确使用安全带的示意图，回去好好看看。”

“是的，这回知道错了，以后一定注意。”

我的小一线治病救人，还不忘惩前毖后，好苗子。

安全带这一伟大发明的保护作用就不多说了，但有人不怕死，安全带是能不系就不系，甚至还到淘宝上买那种带着大脸猫、大头狗的插件，插在安全带的卡槽里，伪装成正在使用安全带，免得智能汽车不厌其烦地报警和提醒。这种商品估计只有在中国等为数不多的国家才有市场。

但是，孕妇无论如何应该正确使用安全带，因为您已经不是一个人，而且，您一个人的安全行为，承担着两个人的生命健康。

就因为这个孕妇觉得自己肚子太大，系安全带不方便，结果丈夫一急刹车，孕妇腹部受到剧烈撞击，把子宫里的胎盘给震掉了。正常情况下，都是胎儿最先娩出，胎盘彻底完成任务后，才从子宫壁上全面剥离，从产道撤退排出。而正常位置的胎盘在胎儿娩出之前，部分或全部从子宫壁剥离，就成了最严重的产科急症之一——胎盘早剥。胎盘是胎儿赖以生存的发动机，这一早剥，就相当于一辆小车在路上开得好好的，突然发动机因为某种原因被部分或者全部卸载了，如果不及时处理，小车立马就要歇菜。

我们赶紧把孕妇推进 B 超室，胎心还好，胎盘已经有部分剥离。虽然胎心在超声下跳动正常，但是随后的持续性胎儿监护显示，胎心监控线平直，几乎没有波动，没有满意加速，甚至偶尔还有小的减速发生，孕妇主诉胎动减少。一系列问题都在提醒医生，胎儿已经存在宫内缺氧。宫颈还没开，孕妇还是初产，根本没有短时间内经阴道分娩的可能性，这下没的商量了，必须立即进行剖宫产，才能让母亲和孩子脱离险境。

“孩子还没足月，不过以协和儿科目前的医疗条件，只要住院费跟得上，34周的孩子，起码4斤以上，存活和将来的问题都不大，应该赶紧开刀，否则情况不断变坏，大人孩子都有生命危险。”我赶紧交代病情。

“都听大夫的，钱不是问题。”丈夫果断回答。

太好了，这是医生最喜欢的答案！病人顺应性好，相信医生，家庭条件好，不用考虑钱的问题，医生可以轻松上阵，有多大的能耐，只管用出来就是。

胎儿缺氧的根本原因在于胎盘剥离，剥离的胎盘不可能重新复位，目前还没有医疗手段能把掉下来的胎盘再粘到子宫壁上。胎儿的情况已经很差，子宫已经不适合胎儿继续生存，如果胎盘继续剥离，胎儿在子宫内的情况只会越来越差，随时可能胎死宫内。

随着胎盘剥离面积的不断增大，血液积聚于胎盘和子宫壁之间，一方面母亲有失血性休克的问题，另一方面，由于局部压力逐渐增大，逼迫血液侵入子宫肌层，肌纤维断裂、分离，变性，更加严重时，子宫表面呈现广泛的蓝紫色瘀斑，称为子宫胎盘卒中。此时，肌层纤维彻底疲软，将失去上天赋予的主动收缩这一天然止血功能，子宫将成为一个巨大的喷血口。而且，严重的胎盘早剥随时可能发生凝血功能障碍，导致弥漫性血管内凝血（DIC），孕妇自身的凝血系统崩溃，身体还有一个巨大的喷血口，这时候再上手术台，可能一切都来不及了。

产科医生的决断一定要快，一定要抢在情况变得更坏之前主动出击。产科医生最怕的就是“再等等、再看看、再观察”的优柔寡断，因为一旦出现严重的产科并发症，大多数时候，情况只会越变越坏，越来越难以挽救。产科最怕的就是“拖”，一拖再拖，拖到死亡的边缘时，只有叫天天不应，叫地地不灵。

世间没有神医，只有冷静、客观、准确的判断和预测，及时的诊断和出击，才能不让病人和自己陷入险境。

可有的时候，为了肚子里的孩子，只要母亲的身体情况还允许，产科医生又必须学会“拖”。因为发生问题的时候，胎儿往往没足月，太早终止妊娠，把孩子从子宫里拿出来，妈妈的命保住了，孩子的命就可能不保。有时候，多拖一天，孩子就成熟多一点，多拖一个礼拜，早产儿生出来面临的可能就是死和活的差别。所以，产科医生又要学会审时度势，懂得科学地“拖”。

我和二线，叫上产科一线，还有新生儿科的值班医生，一起去手术室做剖宫产。幸亏我们下手早，孩子捞出来的时候已经浑身发白，经过儿科医生的简单复苏，很快恢复红润并且哭声响亮，妈妈的子宫局部，也就是胎盘剥离的部位，已经有点发青变紫了，再晚点随时可能胎死宫内、子宫胎盘卒中，再来一个 DIC，可能就万劫不复了。

手术结束，差不多已经午夜，二线在产房协助产房一线接生，是个经产妇，产程很快，应该没有什么问题。我还是不放心急诊，觉得今夜蹊跷，都是出血病人，个顶个的不简单，决定再下去看看。

11 孕期阴道出血，别闭着眼睛就知道保胎

我做手术期间，小一线已经独立看了十几个病人。她对着登记本，把重要病人一一向我汇报。

有怀孕9周出血的，一做B超没有胎芽胎心，只是一个大而空的胎囊，诊断胚胎停育。我问：“刮宫了吗？”一线说：“没有，人家不死心，还要再复查，反正出血不多，也没有肚子疼，就给她一个机会吧，那病人都38了，怀上个孩子不容易，都是不到黄河心不死，不见棺材不掉泪啊，出血多肚子痛，她自然会再来的。”

有个怀孕4个月出血的孕妇，从怀孕一个多月就开始出血，外院医生一直诊断“黄体功能不足”，从得知怀孕那天就开始肌注黄体酮，一天两针，一直打到今儿，两边屁股都扎烂了，还是断断续续一直出血。

小一线说：“怀孕3个月以后，胎盘就形成了，完全代替卵巢黄体行使功能，我从来没听说都怀孕4个月了，还说黄体功能不足，给病人屁股上扎黄体酮的，

领导您说现在的医生都想什么呢?

“B超做了，胎儿胎盘都挺好，我就不信邪，就觉得一定是阴道里头有问题，于是动员她做阴道检查。她说出去和家人商量一下，这下可捅了马蜂窝，一起冲进来三个女的，跟老母鸡护着小鸡崽儿一样，说什么也不让检查，说本来就出血要流产，检查动了胎气谁负责，别说她婆婆、她大姑子不让，连她亲妈都不让。

“不过现在的女青年都挺有想法的，她说自己看了很多书，也怀疑不是黄体功能不足的问题，就问我阴道检查危险吗?我说当然不危险，只是用窥具轻轻将阴道撑开看看，碰不着子宫和孩子，离得远着呢，人家国外孕期出血都常规进行阴道检查，就咱们国家，别说病人，连医生都跟着事儿事儿的，连最基本的阴道检查都不做，就会闭着眼睛开保胎药。

“我告诉她，某著名女影星，人到中年，好不容易怀上一个孩子，宝贝得不行，孕期里她一直阴道出血，早孕期间诊断先兆早期流产，就吃保胎药，过了三个月以为稳定了，可还是出血，医生诊断先兆晚期流产，还是保胎，到了晚孕，仍然出血，诊断先兆早产，那么辛苦的岁月都熬过来了，还差最后几个月吗?于是仍然没有做阴道检查，照旧卧床保胎，好不容易足月了，她年龄大，胎儿宝贵，直接剖宫产了，又失去一次阴道检查的机会，产后仍然出血，都以为是恶露呢，也没在意，后来才发现是晚期宫颈癌，都走了好几年了。

“听了我的八卦故事，孕妇将一众女嘉宾喝退，同意做阴道检查。结果还真让我给逮着了，三个鸽子蛋大的宫颈息肉，因为出血时间长，已经有感染，有一个息肉表面糟烂，正在缓缓向外流脓渗血呢。”

“你没自己动手给拧了吧?孕期的宫颈可不好惹，要是出起血来，没人帮你。”我问。

“我哪有那么鲁莽，您要是站我身后，我就试试了，您和二线都开刀去了，我没有后援，怎敢轻举妄动。而且，我用手轻轻摸了摸，一般的息肉都有蒂，她的息肉没有，而且是三个，又都是大个儿的，就收病房了。”小一线伶俐作答。

“做得好，明天去手术室切除息肉最合适，手术室里电切、电凝、止血纱布什么都有，不会措手不及。你一个人在急诊，一定要审时度势，不光知道自己应该干什么，还必须知道自己能干什么，这样病人和你才都安全。”

“还有一个怀孕5个月的，也是性生活以后出血，唉，一到后半夜全是这样的。一做B超，胎儿发育正常，胎盘位置低，盖着宫颈口了。幸亏出血不多，给了安胎药让她回家休息。我告诉她，大部分胎盘都能在28周以后向上生长到正常位置，如果还是赖在子宫下段，或者仍然盖着宫颈口，就是前置胎盘了，随时可能大出血。病人问我，自己能做点什么吃点什么，才能帮助胎盘向上长，我说除了求神保佑阿弥陀佛，别无他法，把哭啼啼的孕妇愣是给逗乐了。”

我说：“以后还是小心点儿，逗壳子的话少说，吃这套的还好，碰上不吃这套的，投诉咱们就不划算了。”

小一线眉毛一挑，嘿嘿一笑说：“我心里有数，知道什么人能逗，什么人不能逗。”

12

女儿每月腹痛无月经，当妈的可得长点儿心

前半夜几乎都是出血病人，不是内出血就是外出血，怀孕不怀孕的都出血，检查床旁边的污物桶，眼看就快被颜色深浅不同、大小不一的带血纱布填满了。

这时，一对中年夫妇带着一个初中生模样的女孩子推门进来，女孩弯着腰，捂着小肚子一个劲儿的哎呦，看来是个青春期腹痛病人。排卵导致内出血？宫外孕破裂？怀孕了要临产？唉，各种奇葩姑娘都见识过以后，一看到病人，就管不住自己，净往歪了想，多年临床，思路都跑偏了。

一线问病史，11 岁，间断腹痛半年，每次都是月初发作，看过内科、外科、中医科，吃什么药都不管用，大概痛上一个礼拜，自然就好了，活蹦乱跳跟好孩子一样，日常生活和学习一切正常。

“有没有来月经？”一线问。

“没有，哪儿有那么早啊，我自己 16 岁才来月经，孩子她姑姑和阿姨也是上了初中才有月经的。”孩子妈妈回答。

“这您就不知道了，现在女孩子的青春期普遍提前，8 岁以后乳房发育、10 岁以后来月经都算正常。您去问问，现在很多女孩子都是小学五、六年级就来月经。”

“孩子成绩怎么样？有厌学问题吗？”我问。

“成绩中上等，我们不是那种一定要她考清华北大的家长，女孩子品格性情好，学习中等就可以了，我和她爸爸都很开明的。”妈妈回答。

“上床让医生摸摸肚子好吗？”一线把女孩子扶到检查床上。

肚子软软的，没有压痛，没有反跳痛，问她哪儿痛，她指了指下身，说尿尿的地方痛。

初潮年纪的女孩子，没有月经来潮，有周期性腹痛，“处女膜闭锁”一下子跳进我的脑海，怎么没有第一时间想到？还怀疑孩子厌学装病，我不禁在内心责备自己。

我向孩子妈妈解释了自己的怀疑，劝说女孩脱下内裤，上了妇科检查床。

分开小阴唇，我和一线同时看到紫蓝色向外膨出的处女膜，再做个 B 超，子宫宫颈都正常，只是单纯的阴道积血，诊断基本明确。

处女膜闭锁，是青春期女孩最常见的生殖道发育畸形。女胎在妈妈肚子里的第五个月，阴道板出现管腔化，形成阴道空腔，出生之前，处女膜部位形成破孔，阴道和外界得以贯穿。

阴道口的这层膜要是没有形成破孔，就是先天性处女膜闭锁。这种女孩子在青春期前往往不会有异常表现，到了初潮的年纪，也就是该来月经的时候，经血从子宫产生，通过宫颈流出，因为没有出路，只能积聚在阴道里，所以，每个月小病人的肚子都会痛上几天。细心的家长赶紧带孩子看医生，多能及时诊断和治疗，粗心大意的家长甚至耽误几年，才带孩子看病。

经血向下无处可去，就可能顺着输卵管逆行反流到肚子里。长期的经血逆流，甚至可能在卵巢上形成巨大的子宫内膜异位症囊肿，因为囊肿内部的液体又黑又稠，像融化的巧克力，俗称“巧克力囊肿”。得了这种病，即使处女膜闭锁的问题解决了，也可能遗留痛经、卵巢功能受损，甚至生育能力受损等问题。需要注意的是，处女膜发育异常具有家族性发病的特点，所以，有处女膜异常的母亲应该警惕自己的女儿可能也会发生同样的问题。对医生来说，在给新生儿查体时，不光要注意男孩子的外生殖器有无异常，两个睾丸有没有及时下降到阴囊，还要注意检查女孩子的外生殖器有没有处女膜闭锁的问题。

处女膜闭锁的手术时间有讲究，月经过后，肚子不痛的时候，经血很快就会被吸收，反而不利于解剖的指引。医生最好趁着来月经，阴道积血把先天闭锁的处女膜撑得异常之薄时，用手术刀在封闭的处女膜上做十字切开，放出积血，再缝补修整重塑一个有功能的处女膜缘，问题彻底解决。

女性就是这样一个群体，出血是病，该出血的时候不出血也是病。现在是最好的手术时机，我们为女孩子安排了 B 超，化验，尽快做手术。

孩子妈妈拿回 B 超报告的时候，抹着眼泪问我：“医生，孩子卵巢上有没有长‘巧克力’？”

我说：“这孩子间歇腹痛发作半年余，就诊还不算太迟，卵巢没有受到破坏，放心吧。天下做母亲的，哪儿有不疼孩子的，您也不要过分自责，只是个小手术，不会影响孩子以后生活的。”一定是我刚才解释病情的时候把这位妈妈吓着了。同为母亲，同为女孩子的母亲，我比年轻时候更加能够理解一位母亲的心情了，没有太多时间再解释，只能说上几句宽心话，要赶紧去手术室。

手术是我指导二线做的，十分钟顺利搞定。这时护士同时呼叫二线和三线，说肿瘤病房的白阿姨可能不行了。

白阿姨是卵巢癌的终末期病人，才53岁，和丈夫白手起家打天下，曾经的商界精英，一个女儿在美国读书。卵巢癌是这样一种穷凶极恶的疾病，因为藏在盆腔深处，早期往往没有特殊症状，也没有很好的早期筛查手段，70%的病人就诊时已经是癌症晚期，而且70%的病人活不过5年。虽然对白阿姨来说钱财不是问题，但是毕竟肿瘤晚期了，现代医学已无法留住生命的脚步。我们能做的就是让她尽量舒服一些，肚子胀了就放腹水，喘不上气了就放胸水，痛了就用三阶梯止痛方案，从最初级的非甾体抗炎药，一直用到缓释吗啡。

白阿姨是个明白人，她留了生前遗嘱，并且签署了文件声明，放弃一切有创性的临终抢救措施，包括胸外按压、电击、气管插管、呼吸机，等等。她每天听着佛歌，念着佛经，用坚强的意志等待马上学成归国的女儿。我们赶到病房时，她已经是弥留状态，半睡半醒之间，她的左手握着一直守护在身边的爱人，右手握着刚下飞机匆匆赶来的女儿，眼角淌出热泪，默默地向世界和深爱的人们做着最后的告别。

白阿姨走得安静，没有大多数临终病人的人格崩溃，也没有靠着现代医疗手段，在呼吸机生硬被动的鼓气下，延长已经没法彻底康复的生命。生前，她是一个叱咤风云的商界女强人，死前，她也没有丧失自己宝贵的尊严。

送走白阿姨，产房呼叫，有难产，我和二线火速从三楼赶往八楼产房。一线报告：胎头下降缓慢，第二产程已经一个小时，胎心监护不断出现晚期减速，必须马上助产。二线摸了摸胎位是好的，胎头已经过了坐骨棘水平，医生够得着，决定拉胎头吸引器，我在上面帮忙压肚子，一阵口号，孩子呱呱坠地。

13

有一种自摸是必须的——定期自检乳房是女性的必修课

第二天交班，护士送来两束鲜花，说是昨晚难产的产妇送的，专门送给半夜里不知道打哪儿来的那对“天兵天将”，我们哈哈大笑。

我一身疲惫地从洗澡间走到更衣室，正好看到整形外科的廖主任正费力地穿裤子，原来她的一侧脚骨骨折，打了厚重的石膏，裤子穿不上去。我让她坐下，弯腰帮她穿好。

说了谢谢之后，她开始打量我的全身并且职业病发作，指着我的小肚腩说：“你这个怎么锻炼也下不去了，赶紧到我那儿吸脂去，本院的优惠，我亲自给你做。”

之后，她取下乌黑发髻上的黑色别针，往我两个单眼皮上一摁说：“顺便做个双眼皮，你眼睛本来就小，一乐都快看不见了，以后老了，眼皮会下垂，妨碍你做手术。”

然后，她又指着我耻骨联合上方横着的那道又黑又红粗壮蚯蚓一般扭曲外凸的剖宫产疤痕说："你疤痕体质吧，这个也得削了，我给你重新做整形缝合，术后加放疗，就不会有这么大的疤痕了，这个大疤也太难看了。"

最后，她指着我两个因为长期坚持母乳喂养而松垮下垂的乳房问："你要不要隆胸？"

我连说："不用不用，这样挺好，胸小有胸小的好处，除了能为国家省布料，还容易进行乳腺自检，万一长瘤子什么的，自己能够第一时间摸到，手术要大做（根治术）的话，也省时间。"

廖主任哈哈大笑着说："还大做呢，你这俩东西也太小了，就算大做，也没什么好做的。不过，你说的乳房自检，功效还是不容忽视。而且我觉得女的除了学会定期'自摸'之外，还要学会看，不光要看乳房和乳头的外观改变，还要注意胸罩内里有没有溢液或溢血。

"我给你讲个真事儿，我也是最近参加同学会才知道的。我下一届的两个大学同学，毕业后俩人分到同一城市的大医院，顺理成章地结婚生子。男的是乳腺外科主任，那双手比什么超声波扫描、钼靶显像都神，乳房里头的肿块，只要经他两手一摸，良性恶性立刻心里有数，而且八九不离十。人称'姜半城'，就是说那个城市有乳腺疾病的女性，差不多一半的乳房他都摸过。女的是眼科主任，人称'黄半城'，据说全城白内障病人的晶体差不多都是她给换的，手术特棒。真是无人不知无人不晓的一对比翼齐飞事业鸟。可你知道吗？有一天他老婆给他打电话，说发现胸罩上有血迹，敢情她的乳腺癌都不知道偷偷长了多长时间，发现的时候，鸡蛋大的包块已经把表面的皮肤拱破，开始往外流脓淌水了。"

"为什么呀？这专家丈夫是不是整天门诊病房手术室地检查乳房，彻底厌倦了，回家连老婆的都不愿意摸了？还是白天上班摸得太多，对乳房需求的受体全面饱和了？”

“当然不是了，乳腺外科医生上班时候摸的那个器官叫乳腺，下班时候摸的那个东西叫咪咪，完全不是一码事儿。后来我们才知道，他们两口子感情一直不好，但是为了孩子和各自的名誉，长期婚内分居。唉，我那同学可怜啊，但凡主任老公摸过她一把，也不至于这么晚期才发现。婚姻不幸也就算了，确诊后不到两年，命都没了。所以你看，跟着乳腺外科圣手‘姜半城’过日子又怎样，都不能保你不得乳腺癌，女性必须学会自摸，女性自己的身体必须掌握在自己手里。”

当时说得挺热闹，结果和廖主任在手术室分手后，整形修身这事就此搁浅了。

尾声 |  EPILOGUE |

子欲养而亲不待，你要生而卵不再

01 上环是国际公认的绝佳避孕方式

琳琳因为没有脱产学习，也没有生孩子休产假，为人聪明勤奋加干练，一刻没耽误地在职硕士念到在职博士，这导致在临床轮转和晋升职称的路上，她都把我甩下远远一大截。

不过人生就是这样，不能祈求盆满钵满的什么都能抓到，能把自己真正看重的东西捡到碗里，就算一辈子没白忙活。

你想生孩子休产假母乳喂养，就别眼气人家男同事不用生孩子，轮转比你快；你想好好学临床学看病多练手术，就别眼气人家挑灯夜读写文章晋升比你快；你想多陪孩子多孝敬父母多享受天伦之乐，就别眼气人家天天医院家里双加班，比你受领导器重。

人最怕的是临终闭上眼睛前往碗里一瞧，发现自己想要的一样也没得到。更怕的是，根本没弄明白自己想要什么，大好年华，一路奔跑，努力得来的东西，没一样是自己真正想要的。

我上长三线夜班的时候，琳琳已经是病房里轮转的高年资主治医生，专门陪大教授做手术，她整天走路有如一阵风，春风拂面，一人之下，万人之上，干得不亦乐乎。

晚上，我逆着下班的人流走进协和，接过妇产科五个病房、五个专业组，还有重中之重的急诊室工作，瞪着夜行动物一样闪亮的眼睛，开始忙活。

刚接完班，琳琳就穿着手术室的刷手服，急火火地来值班室找我。她关上门，点上一支烟，深深地吸了一口说："我又怀孕了，今晚帮我解决了吧。"

"咋又不小心中弹了？"

"唉，两个月之前我吃了两片毓婷，这回没吐，事后诸葛亮倒是也管用了，不过之后我的月经就彻底乱套了，我完全找不着北了，可能也是太累，内分泌完全失调，没算准日子。"

我说："你都第二次怀孕了，这孩子一定是上天派抱子鸟给你叼来的，你就收着吧。当妈多好啊，你看我当了妈妈以后，是不是整个人都变成'可爱多'了？我身上那点假文艺和臭愤青全都被我们家姑娘给磨没了，什么惰性、痞性一去无踪影。"

我一边说一边换上产房的接生服，待产室躺了一屋宫颈开大3公分以上的，都进入了产程的活跃期，前后脚都得赶在今天晚上生，待产的越多，难产的就越多，我还是赶紧换好衣服，免得被叫去帮忙的时候耽误时间。

"像你这种整天张罗人家女人生孩子的，也是邪教。还自我感觉挺良好呢，瞧你那肚皮，当姑娘的时候本来光滑紧致，生了你家大胖妞可好，愣是撑成了一个大花西瓜。"琳琳两个鼻子孔冒着烟儿，盯着我满是妊娠纹的肚皮数落我。

"有妊娠纹怎么了，凭什么平白无故就让你得一大胖闺女啊，这就是代价。

我半夜睡不着觉，看着自己肚皮上的妊娠纹还写了首诗呢，读给你听听。我生了她 / 我开始为她而生 / 我凝视自己肚皮上一道道的妊娠纹 / 密集 / 像细小的船 / 渡我 / 从此 / 不再怒骂 / 学会嬉笑 / 从此 / 心中再无小是非 / 只存大对错。怎么样？听明白这其中的境界了吗？”

“切，你以为像你这样拿手术刀砍句子，弄出来的就是诗啊？”

“诗歌不需要华丽的辞藻，关键是要有诗意的生活，你别看词儿啊，看境界。”

“诗意的生活？整天和尿布奶瓶子打交道，和婆婆保姆斗智斗勇，也好意思说你那是诗意的生活？多久没去看过展览了？多久没去听过话剧了？多久没好好读一本书了？多久没好好打扮一下出去吃个饭了？我看你都已经彻底沦为地地道道的家庭主妇了。”

“唉，我不如人家专业的家庭主妇，人家的生活多充实，学插花、练健身、做美容、遛狗逗猫、参加各种学习班。不过有了孩子以后，虽然几乎没有了自己的生活，但我好像头一次感受到，这种肤浅的快乐也是一种幸福，我不再纠结和迷茫，不再瞎文艺，乱愤青，挺好的，连我妈都说我比以前懂事儿多了。成长，就是尘埃落定，你不懂吧。”

“你这才哪儿到哪儿啊？还没评上副教授就尘埃落定了，太早了点儿吧？每天少陪会儿孩子，赶紧写文章晋升啊，怎么你一点都不着急呢？”

“三千年读史，不过功名利禄，九万里悟道，终归诗酒田园。副教授那事儿忙啥，总能评上，不差那一两年。可孩子的成长就不一样了，那可是一个连续向前的过程，每一个环节都不可逆，过去的就再也回不来了，现在不多陪孩子，将来后悔都找补不回来，就得多陪，没商量。你这种没做过妈的人，就是不接地气。生孩子写论文少是耽误职称晋升，但是一点儿都不耽误做一个好大夫。就比如我吧，以前做产科的时候，我满脑子就是数据、流程、时限、操作规范以及如何不犯错误。当了妈以后吧，除了医术本身，我更加理解每个产前检查的大肚子妈妈那心思有多细密了，知道了微笑和耐心的解释对她们有多重要，知道了理解和关爱的力量，想得更多的是如何把这个过程做得更好，并且开始享受这份职业带来的成就感、满足感。劳动能带给我最基本的自我认同感，让我知道自己虽然还有很多缺点和毛病，但起码是被人需要的。”

“哎哟，变化还真大，心胸开阔、气质神圣了，有人点拨，醍醐灌顶了？”

“其实一切都没变，还是那份烦琐复杂人命关天的工作，还是不尽如人意，还是很多时候没有美好结局、很多问题根本不能解决，医患关系还是不太和谐，甚至貌似越来越不和谐，一切都没改变，只是我变了，我变成了妈妈。”

“你愿意生孩子那是你的事儿，你觉得生孩子改变了一切，那也是你愿意跟着改变。社会这么乱，空气污染，水也不好，连奶粉都有毒，你说我生了孩子，连口放心奶粉都吃不上，是不是对孩子太不负责任了。刚工作那时候做人流，其实我就是听李天的，因为他要丁克嘛，现在，我自己也不想要孩子，觉得家里就我们两个人挺好的。我们还年轻，正处在事业的上升期，有好多事儿可以做，有好多等着享受的东西，名山大川，世界奇迹，都等着我们去瞧呢。你看你，从怀孕到生孩子，起码四五年就给绑定套牢了，哪儿也别想去。”

“得得得，您心高，您比我想得开，我理解不了，咱俩谁也别劝谁了，一会儿腾出工夫就给你解决问题，不过，有个问题我得跟你好好谈谈，你既然这么坚定要做丁克，要不，做完人流，我给你上个环吧。”

“我也想弄个一劳永逸的办法，老这么下去身体也受不了。不瞒你说，你怀孕那会儿，我还做过一回人流呢，怕你忌讳，就没找你。不过老是刮宫真的挺伤害子宫的，内膜越刮越薄，现在我月经量都不如以前多了，两天就干净，一包卫生巾都用不完。”

“你是真能作呀，作女。这回说什么你得听我的，做完了人流，直接上环。”

“直接上环，这个靠谱吗？这些年我都把精力放在妇科肿瘤和手术上了，对计划生育的事儿还真不那么门清了。我记得咱们刚学的时候，都是人流以后等月经恢复正常了才放环呢。如果做完人流当时就放环，你怎么知道子宫恢复好了没有？你怎么判断人流有没有做干净？还有就是，要是放了环以后身体不服，三天两头的不规则出血，你怎么判断是环的问题，还是人流没做好？”

“观念早都改变了，早几年世界卫生组织就全面评价了多项随机对照性试验，比较人流后即刻放环和间隔一段时间（即人流后几周）放环的安全性和有效性。总的来说，结论认为人流后即刻放置宫内节育器是安全和有效的。但是最好是三个月以内的早孕人流，三个月以上的中期引产不行，子宫太大，环的脱落率明显增高。”

“还真能研究，真是各个领域都有各个领域的热点、高招儿和循证医学啊，我都感觉隔行如隔山了。其实，人流后直接上环挺省心的，一次麻醉解决两个问题，免得以后再来一趟医院了，挺好。”

“该研究的意义不止于此，像我们北京这种大城市还好，像我们中国这种实行计划生育国策的国家还好，计划生育的服务比较到位。有些计划生育需要得不到满足的国家，或者因为基础设施不足，或者因为交通不便限制了妇女的活动，再加上避孕信息缺乏，人流后只有极少数的妇女会再次回到人流服务机构，寻求避孕方法。中国、越南和突尼斯等发展中国家的研究表明，要求人流的妇女中，大概有 50% 以前有过人流史，医生前脚给她解决了人工流产的问题，后脚她就彻底流失了，就再也不来找你咨询了。而且又不好好避孕，下次来的时候还是找你做人流。在避孕率低和人工流产普遍的发展中国家，人工流产后给女性放置宫内节育器，或者立即开始让她服用口服避孕药，可以最大程度保护妇女，减少重复人流。”

“有道理，别说发展中国家的普通妇女了，我这种高级知识分子不也是好了伤疤忘了疼，只有不幸中弹做人流的时候，才咬牙跺脚地深刻反省，当初为什么不好好避孕。我给李天打个电话商量一下，马上回复你啊。”

“你说你这么有主见的人，怎么啥事儿都和李天商量？环带在你的子宫里，跟他有什么关系？”

“他是我将要仰望而托付终身的良人，父母岁数大了，糊涂了，我又没有一个像母亲一样的长姐，不跟他商量跟谁商量。而且，避孕是我们两个人的事儿，还是要跟他打个招呼的。知道你是心疼我，快收起你的小脾气吧，晚上给你买夜宵吃。”

02

上环能有效降低患子宫内膜癌的风险

琳琳的电话粥，一煲就是一个小时。其间，我和二线拉了一次吸引器，压了两个肚子，大小两个产房对着生，产房里接二连三5个孩子呱呱坠地。有个嫁给老外的本院女大夫大来生二胎，一进门就大声嚷着："我是经产妇，让我先上产床，我生得快。"结果，我们好说歹说把一个刚上产床的初产妇劝说到平车上去，她吭哧了半天也没生出来，被劝下来的初产妇差一点就生在平车上了。我们三个医生三个护士颠三倒四地两个产房之间跑，忙得不亦乐乎。

回到值班室，琳琳挂了电话，红着脸说，李天不愿意让她带环，说对女人的身体不好。瞧她那一副扭捏样儿，一下子回归到倍受男人宠爱的农村小媳妇德行了，看得我直想笑。

"他说有什么不好了吗？"我问。

"他听别人说，女人带了环会经常腰酸背痛，白带增多什么的，说那个环的尾丝长期刺激宫颈，没准儿会得宫颈癌。"

医生这行业确实是隔行如隔山，外科医生在面对避孕问题的时候，立马回归一个普通男人，想事情的方式方法还不如邻居大妈来得清晰理智。

根据世界卫生组织的报道，全球每年的非意愿性妊娠已达7500万，直接导致大量人工流产，其中由非专业人员或者在不卫生环境中进行的不安全人流约有2000万，其中95%发生在发展中国家。每年，人流后严重并发症的发病数在6万~10万。中国人工流产例数一直持续在每年100万例以上，位居世界第一，其中25岁以下妇女占到几乎一半以上，女大学生又是其中的主力，近年来十几岁的青少年流产案例越来越多，最小的仅有13岁。重庆市的调查数据显示，将近九成的成年女性至少做过一次人工流产，三成做过两次以上的人流，甚至有人在三年内做了11次人流。北京的数据更惊人，多次人流的比率高达44.66%，其中发生三次及以上者达14.14%。

宫内节育器的发明，虽然不像原子弹爆炸、人类登月那样辉煌，但是对于世界人口的控制，帮助女性有计划地控制生育间隔、生育数目和生活节奏，有着不可磨灭的功劳。宫内节育器是安全、有效、可逆的长效避孕方法，也是当今世界上使用最广泛的避孕方法，全球有1.56亿妇女在使用，中国占2/3。

带铜避孕环TCu380A在1984年通过美国FDA批准，彻底终结和淘汰了老一代惰性材料为主的宫内节育器。它的设计是以女性子宫的生理特点和解剖学为基础，“T”型更适合子宫腔的收缩形式，选择聚乙烯塑料为支架并在支架上增加了高负荷铜的释放面积，能够有效地降低脱落率和意外妊娠率。目前，它是国际公认最佳的宫内节育器，高达10~12年的连续应用有效性被广泛证明，已经成为业内的金标准，对于已经生育了理想的孩子数、想要获得长期避孕效果的妇女，是最好的选择。

放环是一个比较简单的过程，造成诸如宫颈撕裂或者子宫穿孔等并发症的机会非常罕见。放环后最常见的副作用是月经出血量增加或者经期延长，使女性的耐受性和依从性降低。因此，月经量本来就多的妇女，不适合放环。

李天同学提到的腰酸背痛、白带增多确有存在，但是下腹部与腰骶部疼痛，都是由于宫内节育器作为异物进入身体后引发的刺激反应，一般能在1周左右自然消失，疼痛不适者，可以适当使用止痛药物来平稳度过这一身体适应的时期。如果疼痛一直持续，则提示“环”与子宫大小、形态可能不十分匹配，需要考虑更换新的避孕环。如果疼痛缓解后又再次出现，多是因为出现了新的问题，应该请医生进一步查明，例如是否存在宫腔感染，是否宫内节育器发生了变形、嵌顿或者位置下移等等，需要医生协助及时取出。

白带增多，是由于宫内节育器在宫腔内引起异物反应，或者留在宫颈管内和阴道内的尾丝刺激颈管，引起局部分泌物增加。经过一定时间的组织适应后，这种情况大多能好转，一般不需要治疗。至于尾丝把宫颈磨得癌变的说法，纯属主观臆断，毫无科学根据，近视眼病人需要几十年如一日的佩戴眼镜，没听说眼镜腿儿把耳朵或者面颊磨出皮肤癌的。甚至有人描述宫内节育器的残酷，说它一直在子宫里无休止地刮，只要有刚住下的胚胎，就第一时间给刮出去，这才起到避孕的作用。说这话的人简直太有想象力了，您当节育环整天在子宫里头荡秋千吗?

放环和盆腔炎性疾病之间可能存在相关性，这也是人们最关心的问题之一。世界卫生组织对临床试验数据的分析表明，放环后的盆腔感染可能和放环前的盆腔潜在感染有关，或者是因为手术时的消毒不严格，操作不规范，将致病微生物带入了子宫。另外，也和女性本人的生活方式、性传播疾病的感染背景相关。因此，世界卫生组织推荐没有性传播疾病危险的女性使用宫内节育器，同时告诫，在过去3个月内发作盆腔炎的妇女，应该慎用宫内节育器。

我苦口婆心，摆事实讲道理，最后，甚至都快恳请琳琳利用被窝时间，帮助李天好好去除一下头脑中对宫内节育器和女性绝育这两大医疗手段的偏见了。确实，因为和计划生育政策联系在一起，和“强制”二字联系在一起，这两位功臣蒙受了太多的不白之冤。

“你丫不应该做医生，应该去搞传销，三寸不烂之舌可真能说，而且特别的不厌其烦，干吗说那么详细啊，还有理有据的，当我大字不识吗？我有那么愚昧吗？”

“我不是说你愚昧，我是让你回去对李天同志好好科普宣教一下。堂堂大外科医生，怎么还动不动就一副完全没文化的腔调。”

“他还不是心疼我嘛。”琳琳又在替李天辩护。

“真懂得心疼你，他就该自己去泌尿外科做输精管结扎。反正丁克家庭最初也是他的主意。敢情他不要孩子，却不断荤腥，结果三天两头让你怀孕，让你去做人流，这算怎么一种心疼法儿？我真的理解不了，你是个明白人，怎么在这事儿上就屡屡往泥坑儿里头栽呢？”

“你可别逗了，女的结扎相对安全，男的不能随便结扎，一旦出问题，都是大问题，真有扎完了在床上就不行的。”琳琳说。

“我就是打个比方，没逼着你们家李天大好年纪去做结扎，但是他也别打着为你好的幌子，挡着你放环。普通女人戴套，文艺女人吃药，只有二逼女人才不管不顾，总做人流，还说男人是为自己好。”

“那你说，我要真是对那个环不服的话，还得再取出来，或者再带环怀孕什么的，不是更麻烦？”

“服的是大多数，不服的是极少数，怎么着也要客观事实说话才行，而且不试试你怎么知道自己服还是不服？我们为什么不往高概率事件上赌呢？还有，你想过没有，要是真的终生不打算生育，你就是子宫内膜癌的高危人群，你是搞肿瘤的，天天给癌症病人开大刀，这个你比我清楚。最近有文献报道，放环可以降低子宫内膜癌的风险，因为宫内节育器可以引起子宫内膜局部的无菌性炎症反应，具有杀灭癌细胞的作用，所以除了可靠避孕，这个也是难得的益处。你现在抽烟那么凶，不能吃避孕药，再不放环，就凭自己掰着手指头算日子，或者你们家李天有一搭没一搭地戴套，根本不行。”

“同意，人流以后即刻放环，就放你刚才说的那个金标准，今晚就弄，我晚饭都没吃，麻醉大夫我都联系好了。”琳琳掐掉了已经不知道是她进屋后的第几根烟，大义凛然地说。

03
琳琳说：我要给李天生个孩子

那以后的几年里，我和琳琳都是越来越忙，虽然在一个科室，因为病房分散在住院楼的各个角落，我们见面的机会并不多。那时候我们都已经具有卫生部认定的副教授资格，但是和大多数同事一样，仍然高职低用，做着主治大夫，在各个病房无休止地轮转。

在经历日复一日的煎熬和历练之后，在终于练就了一把基本靠谱的手术刀之后，琳琳还有我和大多数同龄人一样，在协和仍然没有一席之地。各个专业组早已经是人满为患，哪里也不缺参与分蛋糕的主刀教授。病房里只欢迎日复一日早晚和周末都来查房、签病历、做手术助手、写手术记录的主治大夫，只欢迎管理各种杂事、高级秘书一般的总住院医师，只欢迎收病人、写病历、上台拉钩缝皮的住院医师，当然更欢迎基地住院医师以及全国各地的进修医师，毕竟他们是一分钱不用给的免费劳动力。

对此，我毫无怨言。事业单位讲究论资排辈，我不是有突出贡献的中青年人才，也从来没评上过科技新星、青年突击手、劳动模范或者优秀教师什么的，就算排队也没轮到我呢。还是千禧年夜里，我和琳琳在玉兰树下说过的那句话：长江后浪推前浪，前浪才刚到沙滩上，岂容我们小字辈如何怎样？

在没有机会登台歌唱的时候，一个人能做的就是等待。于是，我将更多的精力用来陪伴女儿的成长。琳琳不服气，她说，不能让这把手术刀闲着。

琳琳耍着一把手术刀，不断在全国各地大小医院开拓自己的业务范围，“走穴”不光施展了在协和无处绽放的才华，积累了宝贵的临床经验，开阔了眼界，还赚了大钱，她简直就是我眼里的女神，太有魄力、太牛逼了。

但是琳琳却有更高的追求和境界，她说赚钱是一方面，辛苦医生一个人来回坐火车，就不用两三个家属呼呼啦啦地陪着病人来回坐火车了。而且一个协和医生能同时养活几个小医院的妇产科，那种成就感是普通人很难体会的。

琳琳先后买了新车，换了大别墅，整个人不再愤青，也没有时间颓废，似乎找到了从未有过的充实和自信。她的宝马很快就开到几十万公里，廊坊、大同、保定、秦皇岛这些短距离的医院，她都自己开车去，有时候一个周末走好几家医院。

除了偶尔找我吃饭，喝酒，爬景山逛北海闲聊天，琳琳再也没有找我做过人流，看来我放的避孕环起作用了。对于我这样一个没有什么能力和能量的人，孤身一人漂到北京，没有任何人脉和复杂的社会关系，除了帮朋友做做人流，做做思想工作，再没其他本事了。好朋友过得开心，有成就，身体健康，是让我真正开心的一件事。

2010 年 9 月，作为一名援疆干部，我被中组部派往新疆维吾尔自治区人民医院进行一年的援助工作。通知来得匆忙，我也走得匆忙。我推掉很多亲朋好友的饭局，只和琳琳吃了一顿饭，暂作告别。

我俩边吃边说，吃的什么说的什么，差不多都忘了。大概是琳琳一番语重心长的嘱咐，说在家千般好，出门一日难，在协和做手术，虽然也是单干，但是有强大的上级医生随时做保证，在外头就不一样了，让我凡事三思而后行。尤其是做手术，不仅要了解病人和病情，更要知道自己几斤几两，甚至助手的实力、手术器械的配备、有无兄弟科室的会诊和协助，等等，都必须认真考虑在内。

吃到饭后甜品的时候，她说："明天你还上班吧，帮我把子宫里的环取了，我要给李天生个孩子。"

"啊？！"我听了大惊失色，"是谁改主意了？你俩不再丁克家庭了？"

"李天呗，最近一年他变化特别大，看到别人家孩子就挪不动腿，拿过来又亲又抱的，让我也给他生一个。你没注意吗？今晚吃饭，我一根烟都没抽，我已经推了外面的一切手术，戒烟戒酒，每天一片叶酸，准备当妈妈了。"

"当初干什么去了？你属牛的，咱俩同岁，今年都 37 了，孩子这东西是想生就生得出来的吗？ 30 岁以下女性，每个月经周期自然受孕的概率是 20% ~ 25%，而 40 岁以上的女人的受孕几率就只有 1% 了。"

"我知道，最美好的生育黄金时间已经被错过了。但你说的这个也只是个概率问题，只能说明 35 岁以上的受孕几率低，不能说明我们绝对怀不上是吧？从理论上讲，女性只要没绝经，就有怀孕的可能性。再说了，不努力一下，谁知道行不行呢？"

"都是李天一个人的主意吗？你这么有主见的人，怎么什么都听他的？"

"我自己也想当妈了，早些年不懂事儿，一心想着事业，奔着挣钱，现在大别墅好汽车都有了，家里空荡荡的，就觉得缺点什么。”

“35岁以上生第一个孩子算高龄初产，高危妊娠懂不懂？就算你能怀上，妊娠高血压、妊娠糖尿病、难产、产后出血的风险都成倍增高。而且，万一生个傻孩子怎么办？”

琳琳说：“这个我当然也知道了，人生总要抱着好的希望才能活下去嘛，我就觉得，生傻孩子这种事儿不会落到自己身上。你看我和李天多聪明，我就不信我们两个能生出傻子来。”

我说：“大导演谢晋聪明不聪明，艺术细胞多不多，他还生了傻孩子呢。这跟聪明不聪明没多大关系。先天愚型的孩子，父母都是正常的，那种父母真傻的，就生不出来孩子了。我看你还是别冒险了，好好做你的丁克吧。”

琳琳说：“唉，虽然我做妇科肿瘤的，但是这些基本的生育知识我都知道，我也知道你劝我是为我好，但是李天太想做父亲了，我愿意试试，就算为了爱，为了我们的家。”

我办好短期离院手续，收拾了在协和的全部家当，临下班之前，把琳琳约到计划生育的小手术室，帮她取环。TCu380A是有尾丝的，放环和取环都特别简单，用窥具撑开阴道，局部消毒后，用钳子拽住宫颈外口的尾丝，轻易一拉，就取出来了。

“好吧，开始你的怀孕之旅吧，就在今夜。要是真怀上了，可要小心点儿，我马上走了，你要照顾好自己。”

琳琳跳下检查床，穿好裤子，和我深情拥抱。我们各自眼中闪着泪花，互相祝福自己最亲爱、最善良的朋友，一切顺心如意，好人一生平安。

04

人生不能等的事就是生孩子

半年后，我从乌鲁木齐飞回北京过年。这是工作十几年后第一个不用参加值班的春节，保姆回家过年，爸爸妈妈还有公公婆婆都来了北京，我们和弟弟一家，还有他的岳父岳母，十个大人，两个孩子，每天闹闹哄哄地在一起做饭、包饺子、吃饭、逛街、打牌、聊天，忙得不亦乐乎，比值班还累，我想，这就是中国人的天伦之乐吧。

大年初七，琳琳下夜班，约我吃饭。我装了满满一袋子新疆的吐鲁番葡萄干、和田大枣，还有巴达木等好吃的，带给她。

刚点了菜，她就掏出一根烟，娴熟地翻出打火机点上了。

我问："怎么又抽烟了？不是要封山育林生孩子吗？"

她狠狠地吸了一口，眼圈儿就红了，说："没戏了，怀不上了。"

"这才半年，你怎么就放弃了，怎么也要试满一年再说啊！"

"你走了以后，我就来过一次月经，抽血查了几次女性激素，雌激素都几乎测不到，LH 和 FSH 都超过 40，你猜我怎么了？”

这还用猜吗？连续几次的激素水平测定和连续几个月不来月经的临床症状，基本可以诊断为卵巢早衰了。女性 40 岁之前，由于卵巢内卵泡耗竭或者被破坏，或者因为手术切除卵巢，而发生的卵巢功能衰竭，统称为卵巢早衰。卵巢外观萎缩，女性出现闭经，同时伴有更年期症状，相当于提前进入更年期，提前开始衰老。

多数卵巢早衰是没有明确诱因的，属于特发性，或者可以解释为上帝造人的偏心。按理说，每个女孩子出生的时候，上天都赋予她大概 400 个卵母细胞，这些卵泡用一个就少一个，有的女孩子可能只摊着 200 个，所以三四十岁就绝经了。出门诊的时候，我还见过 13 岁初潮、18 岁就绝经的女孩子，她摊着的卵泡可能更是少得可怜，找谁说理去。

少部分病人可能是由于患上了免疫性疾病，发生自身免疫性卵巢炎所致。人体系统一旦出现紊乱着实可怕，这些女性体内产生的毁灭性自身抗体，专门消灭自己的卵巢组织；另外，盆腔放疗或者全身化疗对卵母细胞也有损害，儿童期感染腮腺炎病毒，可能同时发生卵巢周围炎，破坏卵母细胞，导致女孩子在成年后的某个阶段发生卵巢早衰。

“你才多大岁数啊？老天爷对你也太不公平了。”我说。

“老天爷做事确实不公平，不过我的这个可能怪不着老天爷，应该是后天作出来的。我喝酒、抽烟、还熬夜，都对卵巢不好。上夜班的时候是因为工作没办法，要熬夜。不上夜班的时候，就写论文写标书，为职称晋升熬夜。而且，我小时候得过很严重的腮腺炎。你又不是不知道，这种病毒是最容易破坏女孩子卵巢和男孩子睾丸的。小时候还看不出啥来，成年后才可能出现生育问题。”

“你小时候得过腮腺炎？没听你说过呀。”

“我原来也不知道，年前我爸死的时候，我问我妈才知道的。我妈说我小时候发高烧、肿痄腮特别吓人，全家都束手无策。后来我爸和街坊讨了偏方，把我们整个胡同邻居家的仙人掌叶片都给剪了，回来捣蒜一样捣成汁儿，和着中药包在白纱布口袋里，敷在痄腮上，我才好的。我妈说，她那时候年轻贪睡，都是我爸照顾我。每天晚上临睡前他就上好闹钟，半夜起来两三回看我，一是怕我睡得死，压着腮帮子，二是为了我快点好，夜里还要给我换两次药。”

“你爸，去世了？”

“嗯，急性大面积心梗，说心口难受，送到医院的时候就不行了。”琳琳边说边使劲儿抽烟，呛得自己一个劲儿地咳嗽。她快速地抽桌子上的纸巾，狠命地擤鼻子，我知道她在哭，只是不愿意让我看见。

“太突然了，你爸才60出头啊。”

“谁说不是呢，我爸退休后最大的梦想，就是周末几个孩子都回家吃他做的饭，然后陪他打麻将。最近几年，我每个周末都往外跑，总觉得把钱挣够了，再陪他也来得及，没想到，他一撒手说走就走了，还不给你机会了。人世间有的事儿是不能等的，比如尽孝，子欲养而亲不待。”

我难过极了，忍不住跟着抽泣起来。窗外，建外SOHO的写字楼上，闪着各式各样的霓虹灯广告，其中一条粉红色调，暧昧柔暖地闪烁着“卵巢保养，延缓更年期，做不一样的女人”的字样。

琳琳顺着我的目光，也看到了“卵巢保养”几个不断闪烁和诱惑的大字。

她擦了一把眼泪说：“这世上，竟然真有傻老娘们儿相信延缓更年期的谎话，那些帮你按摩肚子、朝你肚脐眼里又是抹精油又是发气功点穴位的外地打工妹，连卵巢长什么样儿、有几个、在哪儿长着都不知道，经过简单培训就能蒙有钱人的银子。唉，真是傻子太多，骗子都不够用。与其把大把的钱交给那些高级会所，做一些无用功，还不如啥年龄就干啥事。人生还有一件事儿是不能等的，那就是生娃，孩子这东西真是怪，你不想的时候总来，你要养一个的时候，卵巢却告急说，没卵了。

“报应啊，我们的第一个孩子要是不做掉，现在都上初中了，第二个要是不做掉，和你家闺女一般大，最小的那个不做掉，现在也该上幼儿园了。张羽，你说我当时怎么那么傻呢，我怎么不知道人会变的呢？我怎么不知道自己有一天会衰老，还是提早衰老呢？”

“人心变了？什么意思？你家李天不会嫌弃你不能生育吧？”我惊讶地问她。

“那还不至于。我是说，丁克不是骨子里的基因，也不是宗教信仰，那玩意儿真的是说变就变啊。我那两个卵巢，这下子彻底名存实亡了，不光没用，放在肚子里还成了两个定时炸弹。65岁以后，卵巢癌的风险不断增加，我的那个子宫，没有卵巢的滋润，彻底凋零枯萎了。我没有生育过，像你以前说的，子宫内膜癌的风险也升高。我没喂过奶，乳腺癌的风险也升高。呵呵，你说我将来会怎么死呢？哪个更舒服一点儿？”琳琳苦苦地冷笑着。

“快别说了，大过年的，不带这么咒自己的。”我赶紧制止她。

世间万般皆苦，唯情色最苦。说到底，男人和女人是不一样的，是永远无法平等的。男人只要那东西还能硬，差不多大半辈子都能生育，女人呢，也就那么短短一二十年。人生没有彩排，每天都是现场直播，不能回放，更不能重来，女人，迈出每一步，都要想好，做出的每一个决定，都要知道代价。

只有医生知道！2

作　　者:冀连梅
出版时间:2013 年 12 月

《冀连梅谈:中国人应该这样用药》

微博科普达人药剂师冀连梅酝酿多年的第一部作品，29 万粉丝每天都在看的药学科普知识。

按国际标准，大部分中国医生的用药理念都是落伍和偏颇的，其中有些是因为知识更新得不及时，有些则完全是利益使然。这导致我们很多时候用药是无效的，有伤害的，甚至是致命的。到底哪些药该吃，哪些药不该吃，该吃多少，又该怎样吃，让这本带中国人永远告别被动用药时代的书为您彻底说清楚!

北京和睦家医院院长盘仲莹，人气妈妈、著名演员马伊琍，诚意推荐!

* * *

作　　者:叶敦敏
出版时间:2013 年 8 月

《怀得上，生得下》

不得不承认，越来越多高学历、高职位、高薪酬的女性不会生孩子了。怀不上、保不住、生不下……一场生育危机似乎已经到来!

叶敦敏，广州妇产科名医，将多年诊疗经验集结成书。十几年来，几千个宝宝在他的协助下平安降临，现在，他想帮助更多人……破解似是而非的生育传言，传播正确规范的医学知识，让每一个女人都享受做母亲的甜蜜!看完此书，很多生育问题都有了答案。

一本写给所有育龄女性的贴心读物，一本丈夫送给妻子、妈妈送给女儿的好孕之书，让你少点纠结，少走弯路，少受折腾，顺顺利利地升级当妈!

* * *

作　　者:张　羽
出版时间:2013 年 1 月

《只有医生知道!1》

这是一本有关女性的百科全书。抱着“大医治未病”的愿景，作者通过一个个生动的故事，在幽默而不乏温情的叙述中，力图帮助女性真正了解自己的身体，懂得爱护并且知道如何爱护自己，让女性真正掌控自己的身体、命运和生活的方向，不再受到无谓的伤害。

半年时间畅销 40 余万册，开创西医写作新风格，寓知识于故事，使科普不再乏味。